D1094532

365 Rezepte

Täglich köstlich kochen

essen&trinken
FürjedenTag

Redaktion und Text Silke Propp-Frey, Wolfgang Zahner
Artdirection Hans-Jürgen Polster
Fotos Matthias Haupt
Rezepte Cornelia Dümling, Anne Haupt
Marion Heidegger, Oliver Trific
Styling Isabel de la Fuente, Meike Graf, Anke Grelik
Michaela Suchy, Tanja Wegener
Layout Christina Ackermann, Anja Jung
Bildbearbeitung MWW Repro GmbH
Schlussredaktion Daniela Karpinski
Projektleitung Dr. Frank Stahmer
Sonderausgabe der Naumann & Göbel Verlagsgesellschaft mbH
in der VEMAG Verlags- und Medien Aktiengesellschaft, Köln
Alle Rechte bei Gruner + Jahr AG & Co., Hamburg
Gesamtherstellung: Naumann & Göbel Verlagsgesellschaft mbH, Köln
Alle Rechte vorbehalten
ISBN 10: 3-625-10919-0
ISBN 13: 978-3-625-10919-8

365 TAGE. GENAUSO VIELE REZEPTE

SIE KÖNNEN ES RUHIG ZUGEBEN: Sie haben in der Vergangenheit das eine oder andere Mal versäumt, sich das Magazin „essen & trinken Für jeden Tag" zu besorgen. Einfach vergessen, verschwitzt, verpennt. Und jetzt stehen Sie da: In Ihrer Sammlung fehlen ein paar Ausgaben, fehlen viele Rezepte. Pech gehabt, könnte man kühl feststellen; passen Sie das nächste Mal halt besser auf. Aber wie sagte schon Hölderlin so schön: Wo Gefahr droht, wächst das Rettende auch. Und das Rettende halten Sie in der Hand: Wir haben aus den vielen hundert tollen Rezepten, die in „essen & trinken Für jeden Tag" bisher erschienen sind, für Sie 365 der besten, schönsten, leckersten ausgewählt – eins für jeden einzelnen Tag des Jahres. Und Ihnen damit in Zukunft eine der häufigsten Fragen erspart, die im häuslichen Umfeld gestellt werden: „Was soll ich heute nur kochen?"

Ihre Redaktion **Für jeden Tag**

INHALT

INHALT

JUNI – AB SEITE 198

INHALT

INHALT

DEZEMBER – AB SEITE 414

Beste Vorsätze fürs neue Jahr

WAS SICH die Menschen zum Jahreswechsel so alles vornehmen! Nicht mehr rauchen, mehr Sport, abnehmen. Nach Weihnachten, so tönt es entschlossen, werde jetzt erst mal der berühmte Schmalhans Küchenmeister sein. Lassen Sie stattdessen lieber uns ran: Wir verzichten auf „Diät", bieten Ihnen das, was Ihnen wirklich schmeckt. Gesund und ausgewogen sind unsere Gerichte sowieso. Da würde Schmalhans staunen. Gutes Neues Jahr!

Kasseler im Bratschlauch

Es lebe der Bratschlauch! Weil er die Zubereitung des Kasselerbratens bedeutend vereinfacht. Und weil der Braten so schön saftig bleibt

Für 4 Portionen:

400 g schlanke Möhren

200 g Zwiebeln

400 g kleine Kartoffeln

4 El Öl

200 g Sauerkraut

Salz

Pfeffer

2 Tl gemahlener Kümmel

1 kg Kasselerrücken (ohne Knochen)

2 Lorbeerblätter

½ Bund Petersilie

150 ml Gemüsefond

1 Möhren schälen, längs halbieren und in schräge Stücke schneiden. Zwiebeln in Spalten schneiden. Kartoffeln schälen, in einer großen Pfanne im heißen Öl rundherum 10 Min. anbraten. Möhren und Zwiebeln nach 7 Min. zugeben. Sauerkraut untermischen und mit Salz, Pfeffer und Kümmel würzen.

2 Einen Bratschlauch (ca. 40 cm Länge) nach Packunganweisung vorbereiten und auf ein Blech setzen. Gemüsemischung hineingeben. Kasseler kräftig pfeffern und auf das Gemüse setzen. Lorbeer und die Hälfte der Petersilie zugeben, Fond angießen. Bratschlauch nach Packungsanweisung schließen und einschneiden.

3 Im vorgeheizten Ofen bei 200 Grad auf der untersten Schiene 40 Min. garen (Gas 3, Umluft bei 180 Grad). Anrichten und mit der übrigen gehackten Petersilie bestreut servieren.

Zubereitungszeit: 60 Minuten
Pro Portion: 50 g E, 21 g F, 21 g KH = 480 kcal (2013 kJ)

BRATSCHLAUCH
Super einfach: Alle Zutaten mit dem Braten in den Schlauch geben, verschließen – und in aller Ruhe abwarten, bis der Braten fertig ist.

Feldsalat mit Apfelvinaigrette

Möbeln Sie Ihren Lieblingssalat ein bisschen auf: mit einem hinreißend fruchtigen Apfeldressing und knusprigen Sonnenblumenkernen

Für 2 Portionen: **1** ½ roten **Apfel** entkernen und ungeschält in feine Würfel schneiden. 1 kleine rote **Zwiebel** fein würfeln. Beides mit 3 El **Öl**, 3 El **Traubenkernöl** und 2 El **Apfelessig** verrühren. Mit Salz, Pfeffer und etwas **Zucker** würzen. **2** 1 El **Sonnenblumenkerne** in einer Pfanne ohne Fett rösten. 125 g **Feldsalat** putzen und waschen. Trockenschleudern und auf 2 Teller geben. Mit der Vinaigrette beträufeln. Sonnenblumenkerne über den Salat geben, mit frisch gemahlenem **Pfeffer** servieren.

Zubereitungszeit: 20 Minuten **Pro Portion:** 2 g E, 33 g F, 9 g KH = 338 kcal (1416 kJ)

Pasteten mit Hühnerragout

Ein leichter und außerordentlich befriedigender Genuss: klassisches Hühnerragout in zarten Blätterteigpasteten

Für 2 Portionen: **1** 2 **Hähnchenbrustfilets** (à 150 g) salzen und pfeffern. 500 ml **Hühnerbrühe** und 1 **Lorbeerblatt** aufkochen. Hähnchenbrüste zugeben und zugedeckt bei mittlerer Hitze 15–18 Min. garen. Hähnchenbrüste beiseite stellen, Brühe durch ein Sieb gießen. **2** 100 g **Champignons** putzen und in Scheiben schneiden. 1 **Zwiebel** fein würfeln. 100 g **Möhren** schälen und ½ cm groß würfeln. Alles in einem Topf in 2 El zerlassener **Butter** andünsten. Mit 6 El **Weißwein** ablöschen. 250 ml Brühe und 100 ml **Schlagsahne** zugießen und 5 Min. kochen lassen. **3** 4 **Blätterteigpasteten** (à 25 g) nach Packungsanweisung aufbacken. 2 El Basis für **Klassische Mehlschwitze** in den Fond rühren, erneut aufkochen. Fleisch klein schneiden, mit 100 g **TK-Erbsen** zugeben und erhitzen. Mit Salz, Pfeffer, **Muskat** und 1–2 Tl **Zitronensaft** würzen. 4 El gehackte Petersilie zugeben.

Zubereitungszeit: 40 Minuten
Pro Portion: 48 g E, 43 g F, 36 g KH = 730 kcal (3049 kJ)

Schweinefleisch süßsauer

*Heute müssen Sie nicht zum Chinesen gehen: Ihr Lieblingsessen (Nr. 67 a)
bereiten Sie sich ganz schnell selbst zu*

Für 2 Portionen: **1** 300 g **Schweineschnitzel** in 2 cm breite Streifen
schneiden. 3 El **Sojasauce** und 2 El **Weißweinessig** verrühren, die Hälfte
über das Fleisch träufeln und 15 Min. ziehen lassen. 1 rote **Paprika-
schote** putzen und in feine Streifen schneiden. 1 **Zwiebel** in feine Streifen
schneiden. 1 rote **Chili** einritzen, entkernen und fein hacken. **2** 1 Dose
Ananas (236 g EW) abgießen, 5 El Saft auffangen. Ananasscheiben
vierteln. Fleisch trockentupfen, in 2 El heißem **Öl** in einer Pfanne rund-
herum scharf anbraten, herausnehmen. Zwiebel, Chili, Ananasstücke
und Paprika andünsten. **3** Mit der übrigen Sojasaucenmischung,
150 ml **Gemüsefond**, 3 El **Ketchup**, 1 Tl **Honig** und dem Ananasaft ab-
löschen und offen 5 Min. köcheln lassen. Evtl. mit ½ El dunklem Saucen-
binder binden. Fleisch zugeben, kurz erhitzen und evtl. nachwürzen.
Mit 2 El gehackter **Petersilie** bestreuen. Dazu passt Reis.

* **Zubereitungszeit:** 40 Minuten **Pro Portion:** 38 g E, 14 g F, 39 g KH = 440 kcal (1849 kJ)

„Arme" Ritter

*Von wegen arm: Die alten Knaben haben gewaltige Reichtümer
gesammelt. Denn was ist schon Weißbrot, wenn man Stollen haben kann*

Für 4 Portionen:

100 g Preiselbeerkompott

100 ml Orangensaft

2 Msp. gemahlener Zimt

2 Eier (Kl. M)

150 ml Milch

½ Pk. Vanillezucker

Salz

8 Scheiben Stollen
(Dresdner Art, à 40 g)

1–2 El Butterschmalz

4 Kugeln Vanille-Eis

1 Preiselbeerkompott, Orangensaft
und Zimt in einem kleinen Topf verrüh-
ren, aufkochen und 3–4 Min. kochen
lassen. Beiseite stellen.

2 Eier, Milch, Vanillezucker und 1 Prise
Salz kräftig verquirlen. Stollenscheiben
mehrmals in der Eiermilch wenden,
bis sie sich voll gesogen haben.

3 Butterschmalz in einer Pfanne erhit-
zen. Stollenscheiben bei mittlerer Hit-
ze von jeder Seite 3–4 Min. braten. Aus
der Pfanne nehmen, kurz auf Küchen-
papier legen und abtropfen lassen.

4 Vanille-Eis und Preiselbeerkompott
zu den „Armen" Rittern servieren.

Zubereitungszeit: 25 Minuten
Pro Portion: 12 g E, 32 g F, 63 g KH =
589 kcal (2470 kJ)

SAFTIGE RITTER
Stollen ist fester als Weißbrot, das
man gewöhnlich für „Arme" Ritter ver-
wendet. Die Scheiben daher mehrmals
wenden, damit sie sich voll saugen.

Meerrettich-Rahmsuppe

Wenn Sie Meerrettich mögen (und wer tut das nicht?), dann ist diese pikante Suppe so etwas wie das Ideal einer Vorspeise für Sie

Für 4 Portionen: **1** 500 g mehlig kochende **Kartoffeln** schälen und mit 1 **Zwiebel** würfeln. In 2 El **Butter** andünsten. 1 l **Gemüsebrühe** (Instant) zugeben, aufkochen und zugedeckt bei mittlerer Hitze 20 Min. kochen. 200 g **Möhren** schälen und in feine Stifte raspeln oder schneiden. In kochendem Salzwasser 3 Min. kochen. Abschrecken und abtropfen lassen. **2** Suppe fein pürieren, mit 200 ml **Schlagsahne** erneut aufkochen. Mit 4–5 Tl **Tafel-Meerrettich** (Glas), Salz, Pfeffer, 1 Prise **Zucker** und 1–2 Tl **Zitronensaft** abschmecken. Möhren in der Suppe erhitzen. **Kresse** von 1 Beet schneiden und mit der Suppe anrichten.

Zubereitungszeit: 35 Minuten Pro Portion: 5 g E, 18 g F, 22 g KH = 270 kcal (1129 kJ)

Seelachs in Senfsauce

Eine Verbindung wie im Himmel gemacht: Die knusprig gebratenen Fischfilets finden ihre ideale Ergänzung in der geschmeidigen Senfsauce

Für 2 Portionen: **1** 100 ml **Gemüsefond** und 100 ml **Schlagsahne** aufkochen und offen 3 Min. einkochen lassen. Evtl. mit 1 Tl hellem **Saucenbinder** binden, 2–3 El körnigen **Senf** einrühren. Mit Salz, Pfeffer, 1 Prise **Zucker** und 1–2 Tl **Zitronensaft** abschmecken und warm halten. 2 Stücke **Seelachsfilet** (à 150 g) mit Salz, Pfeffer, 1–2 Tl Zitronensaft würzen. **2** Stücke zuerst in 4 El **Mehl**, dann in 1 verquirlten **Ei** und zum Schluss in 6 El **Semmelbröseln** wenden. 2 El **Öl** und 2 El **Butter** in einer beschichteten Pfanne erhitzen. Filets darin von jeder Seite 3–4 Min. goldbraun anbraten. 6 Stiele **Dill** abzupfen, hacken, zur Sauce geben. Sauce und Fisch mit **Zitronen-spalten (unbehandelt)** garniert servieren.

Zubereitungszeit: 30 Minuten Pro Portion: 36 g E, 38 g F, 30 g KH = 604 kcal (2530 kJ)

Fischbuletten

Da könnten Ihre Kinder (und Sie selbst) glattweg auf die Fischstäbchen verzichten, so perfekt passen die Bulette und Pommes zueinander

Für 4 Portionen:

600 g Seelachsfilet

2 Eier (Kl. M, getrennt)

3 El Semmelbrösel

2 Tl süßer Senf

150 g Crème fraîche

6 El Milch

2 Tl scharfer Senf

1 El Dill (fein geschnitten)

Salz

Pfeffer

Zucker

6 El Kartoffelflocken
(z. B. Stampfkartoffeln
von Pfanni)

2 El Öl

1 Seelachsfilet klein schneiden und in 2 Portionen in der Moulinette hacken. In einer Schüssel mit den Eiweiß, Semmelbröseln und 1 Tl süßem Senf mischen. 16 kleine Buletten formen und 10 Min. ins Gefrierfach stellen.

2 150 g Crème fraîche, 5 El Milch, 2 Tl scharfen Senf, 1 Tl süßen Senf und Dill verrühren, mit Salz, Pfeffer und etwas Zucker würzen.

3 2 Eigelb mit 1 El Milch verrühren, die Buletten durch das Ei ziehen und in den Kartoffelflocken panieren. In einer beschichteten Pfanne im Öl von jeder Seite 3–4 Min. bei mittlerer Hitze goldbraun braten. Mit der Sauce und Pommes frites servieren.

Zubereitungszeit: 50 Minuten
Pro Portion: 35 g E, 22 g F, 20 g KH = 418 kcal (1752 kJ)

GOLDENE KRUSTE
Der Trick: Buletten erst durch das Ei ziehen und dann mit Kartoffelflocken panieren. Ergibt eine sensationelle Kruste.

Kasseler Schupfnudeln

Kasseler und Sauerkraut sind eine klassische Paarung. Und die Schupfnudeln werden mit großem Erfolg der Dritte im deftigen Bunde

Für 2 Portionen: **1** 2 <u>**Zwiebeln**</u> fein würfeln. 200 g <u>**Kasselerrücken**</u> in Würfel schneiden und in 1 El <u>**Öl**</u> in einer Pfanne rundherum anbraten. Herausnehmen, die Zwiebeln in der Pfanne andünsten. Mit 1 Tl <u>**edelsüßem Paprikapulver**</u> bestreuen. **2** 1 Dose <u>**Sauerkraut**</u> (285 g EW), 1 El <u>**Zucker**</u> und 1 El <u>**Essig**</u> in die Pfanne geben. Bei mittlerer Hitze 5 Min. unter Rühren dünsten, Kasseler wieder in die Pfanne geben und weitere 3 Min. dünsten. **3** In einer zweiten Pfanne 30 g Butter aufschäumen und 400 g <u>**Schupfnudeln**</u> (Frischepack) darin anbraten. Mit 1 El gehackter <u>**Petersilie**</u> bestreuen. **4** Schupfnudeln mit dem Kraut mischen und mit einem Klecks <u>**saurer Sahne**</u> servieren.

* **Zubereitungszeit:** 25 Minuten
  Pro Portion: 29 g E, 25 g F, 75 g KH = 646 kcal (2720 kJ)

Mango-Bananen-Shake

Ganz, ganz cremig und sanft: das beste Mittel gegen Winterblues!

Für 2 Portionen: **1** 1 **Banane** und 250 g **Mangofruchtfleisch** mit 150 g **Magermilchjoghurt**, 250 ml **Milch**, 1 Tl **Zimtpulver** und ½ Tl gemahlenem **Ingwer** mit dem Schneidstab fein pürieren. **2** 100 ml **Schlagsahne** halb steif schlagen. Shake in 2 gekühlte Gläser füllen, mit der Sahne und etwas Zimt bestreut servieren.

Zubereitungszeit: 10 Minuten
Pro Portion: 10 g E, 20 g F, 36 g KH = 370 kcal (1553 kJ)

Ein Reis für alle Gelegenheiten. Körnig und locker, frisch durch Frühlingszwiebeln und knackig dank gerösteter Cashewkerne

Für 2 Portionen: 1 1 **Zwiebel** fein würfeln, in 30 g **Butter** glasig dünsten. 150 g **Langkornreis** dazugeben, 30 Sek. dünsten und mit 350 ml Wasser aufgießen. Salzen und zum Kochen bringen, 1 Min. bei starker Hitze kochen, dann bei milder Hitze zugedeckt 20 Min. quellen lassen. **2** 50 g **Cashewkerne** in einer Pfanne ohne Fett rösten, grob hacken. 2 **Frühlingszwiebeln** putzen und in feine Ringe schneiden. Zusammen in 25 g Butter andünsten, salzen und pfeffern. Mit dem Reis mischen.

* Zubereitungszeit: 30 Minuten Pro Portion: 10 g E, 34 g F, 70 g KH = 623 kcal (2609 kJ)

Birnencrêpes

Zwei unserer Lieblingsdesserts treffen hier zur glücklichen Vereinigung zusammen: raffiniertes Birnenkompott und zarte Pfannkuchen

Für 4 Portionen: **1** 500 g **Birnen** schälen, vierteln, entkernen und längs in Spalten schneiden. 100 ml **Karamellsauce** (Flasche), abgeriebene Schale von 1 **Orange (unbehandelt)**, 150 ml **Orangensaft** und das Mark von 1 **Vanilleschote** in einem breiten Topf aufkochen. 1 Tl **Speisestärke** und 1 El **Orangenlikör** glatt rühren und zugeben. **2** Birnen zugeben und zugedeckt bei mittlerer Hitze 5–6 Min. kochen lassen. 4 **Pfannkuchen** (aus dem Kühlregal, à 60 g) mit 2 El zerlassener **Butter** bestreichen. Auf ein Blech stapeln. Im vorgeheizten Ofen auf der 2. Schiene von unten bei 150 Grad 10 Min. aufbacken (Umluft 7 Min. bei 130 Grad). Mit der Birnenfüllung anrichten. Mit je 1 El **Puderzucker** und gehackten **Pistazien** bestreut servieren.

* **Zubereitungszeit:** 25 Minuten **Pro Portion:** 7 g E, 11 g F, 47 g KH = 323 kcal (1349 kJ)

Kartoffel-Steinpilz-Gratin

*So schnell lässt sich aus einem schlichten Kartoffelgratin ein kleines,
edles Ofengericht zaubern – durch Zugabe von Steinpilzen und Gruyère*

Für 2 Portionen:

120 ml Schlagsahne

150 ml Milch

10 g getrocknete Steinpilze

1 Knoblauchzehe

700 g Kartoffeln

Salz

Pfeffer

Muskat

50 g geriebener Gruyère

1 Schlagsahne und Milch erhitzen.
Steinpilze kalt abspülen und in die
heiße Sahnemilch geben. Vom Herd
nehmen und 10 Min. ziehen lassen.
Steinpilze mit einem Schaumlöffel
aus der Milch heben und hacken.
Knoblauch hacken.

2 Kartoffeln schälen und in 2 mm
dünne Scheiben hobeln. Kartoffeln,
gehackte Steinpilze und Knoblauch in
die Milch geben und ca. 10 Min. bei
mittlerer Hitze kochen. Mehrmals
umrühren, damit die Kartoffeln nicht
ansetzen. Mit Salz, Pfeffer und
Muskat kräftig würzen.

3 Die Kartoffelmasse in eine gefettete
Auflaufform (24 x 15 cm) schichten.
Mit dem Gruyère bestreuen. Im vorge-
heizten Ofen bei 200 Grad (Umluft
180 Grad) auf der mittleren Schiene ca.
15 Min. backen. Im ausgeschalteten Ofen
10 Min. ruhen lassen, dann servieren.

Zubereitungszeit: 40 Minuten
Pro Portion: 17 g E, 29 g F, 39 g KH =
490 kcal (2058 kJ)

GETROCKNETE STEINPILZE
Bekam man getrocknete Steinpilze
früher nur im Feinkosthandel, findet
man sie heute auch zu erschwinglichen
Preisen im Supermarkt.

Hüftsteak mit Pilzen

Besonders saftig, weil es im großen Stück gebraten und erst zum Servieren aufgeschnitten wird

Für 2 Portionen: **1** 100 g __Zwiebeln__ in feine Streifen schneiden. 300 g __Austernpilze__ putzen und je nach Größe evtl. halbieren. 100 g __Rucola__ putzen, waschen und grob hacken. 1 __Hüftsteak__ (ca. 300 g) salzen und pfeffern. In 2 El sehr heißem __Öl__ in einer unbeschichteten Pfanne von jeder Seite 1 Min. scharf anbraten. **2** In eine feuerfeste Form setzen. Im vorgeheizten Ofen bei 180 Grad auf der 2. Schiene von unten 8–10 Min. (je nach Gargrad) fertig garen (Umluft nicht empfehlenswert). Pilze, Zwiebeln und 2 El Öl in die Pfanne geben und 4–5 Min. anbraten. **3** Mit 5 El __Weißwein__ ablöschen. 200 ml __Rinderfond__ zugeben und offen 5 Min. kochen lassen. Mit ½ El __Saucenbinder__ binden. Mit Salz, Pfeffer und __Muskat__ würzen. Fleisch kurz ruhen lassen. Rucola zu den Pilzen geben, mit dem geschnittenen Fleisch servieren.

* Zubereitungszeit: 40 Minuten Pro Portion: 37 g E, 27 g F, 27 g KH = 480 kcal (2012 kJ)

Gratinierte Grapefruit

Verblüffend einfach – verblüffend köstlich: heiße Grapefruit mit braunem Zucker und dazu Zitronenschmand mit Koriander

Für 2 Portionen: **1** 1 <u>rosa Grapefruit</u> halbieren, rundum so einschneiden, dass das Fruchfleisch nur noch in der Mitte an der Schale hängt. Schnittfläche trockentupfen und 15 Min. ins Gefriergerät stellen. **2** 2 El **Schmand** mit ½ Tl abgeriebener **Zitronenschale (unbehandelt)**, 1 Tl **Zitronensaft**, 2 Msp. gemahlenem **Koriander** und 2 Tl **Zucker** glatt rühren, abdecken und kalt stellen. **3** Grapefruithälften aus dem Gefriergerät nehmen, jeweils mit 2 El **braunem Zucker** bestreuen, auf ein Backblech legen und sofort auf der obersten Schiene unter dem vorgeheizten Backofengrill 5–10 Min. karamellisieren lassen. Ständig beobachten, da jeder Grill unterschiedlich stark ist! Mit dem Zitronenschmand servieren.

* **Zubereitungszeit**: 20 Minuten **Pro Portion**: 1 g E, 6 g F, 54 g KH = 283 kcal (1185 kJ)

Winterlicher Eintopf

Es gibt kaum etwas Herzerwärmenderes als einen kräftigen Eintopf, in dem sich winterlich-deftige Gemüse und herzhafte Kochwurst vereinen

Für 2 Portionen:

300 g Steckrübe

300 g Kartoffeln

1 Bund Suppengrün

150 g Zwiebeln

2 El Butter

Salz

Pfeffer

Muskat

1 l Gemüsebrühe

1 Lorbeerblatt

2 Kochwürste

2 El Majoran oder Petersilie (grob gehackt)

1 Steckrübe, Kartoffeln und Suppengrün putzen, je nach Sorte schälen, waschen und alles ca. 2 cm groß würfeln. Zwiebeln fein würfeln. Mit dem Gemüse in einem Topf in der zerlassenen Butter andünsten. Kräftig mit Salz, Pfeffer und Muskat würzen.

2 Brühe angießen, Lorbeer und Kochwürste zugeben, aufkochen und alles zugedeckt 25–30 Min. köcheln lassen. Lorbeer entfernen, Wurst in Scheiben schneiden und alles mit Majoran oder Petersilie bestreuen.

Zubereitungszeit: 45 Minuten
Pro Portion: 25 g E, 39 g F, 37 g KH = 607 kcal (2534 kJ)

EBENMASS
Damit Gemüse gleichzeitig gar werden, sollten sie möglichst gleichmäßig geschnitten sein. Am besten geht das so: erst in Scheiben, dann in Streifen, dann in Würfel.

Schnelles Weißweinhähnchen

Die wahrscheinlich schnellste Art, ein sonntägliches Huhn auf den Tisch zu bekommen. Und eine der delikatesten obendrein

Für 4 Portionen: 1 2 **Zwiebeln** in feine Spalten schneiden. 250 g **Champignons** putzen und halbieren. 2 **Hähnchenkeulen** (à 300 g) im Gelenk teilen und **2 Brüste** mit Knochen (à 250 g) quer teilen. 50 g **Speckwürfel** in einem Bräter in 2 El **Öl** kross ausbraten, herausnehmen. Fleisch im Bratfett rundherum anbraten, salzen und pfeffern. **2** Zwiebeln und Champignons kurz mitbraten. Je die Hälfte von 200 ml **Weißwein** und **Geflügelfond** angießen. Speck zugeben. Zugedeckt im vorgeheizten Ofen bei 200 Grad auf der 2. Schiene von unten 35 Min. garen (Umluft 180 Grad). Nach 20 Min. übrigen Wein und Fond angießen und offen weitergaren. **3** Evtl. mit Salz, Pfeffer und **Muskat** nachwürzen und mit 4 El **Petersilie** bestreuen.

* **Zubereitungszeit:** 50 Minuten. **Pro Portion:** 49 g E, 30 g F, 1 g KH = 484 kcal (2023 k J)

Rigatoni mit Nussbutter

Butter, nussbraun gebraten und darum Nussbutter genannt, ist ein köstliches Gewürz für winterliche Gerichte. Das sollten Sie probieren!

Für 2 Portionen: **1** 2 **Tomaten** vierteln, entkernen und fein würfeln. 50 g **Rucola** waschen und trockenschleudern.
2 250 g **Rigatoni** nach Packungsanweisung kochen.
3 3 Min. vor Ende der Garzeit 50 g **Butter** in einer Pfanne schmelzen und bei mittlerer Hitze braun werden lassen.
Die Tomaten dazugeben. **4** Mit 2 El **Balsamico bianco** ablöschen und großzügig mit Pfeffer würzen. Nudeln abgießen, mit dem Rucola unter die Tomaten mischen und mit geriebenem **Parmesan** bestreuen.

* **Zubereitungszeit**: 20 Minuten
  Pro Portion: 17 g E, 24 g F, 93 g KH = 662 kcal (2776 kJ)

Nudelsuppe

Ganz schnell, ganz einfach und trotzdem ziemlich raffiniert.
Und mit einer super Würzung aus Zitrone, Knoblauch und Petersilie

Für 2 Portionen:

1 Zwiebel

1 Knoblauchzehe

100 g Porree

200 g grüner Spargel

3 El Olivenöl

500 ml Gemüsebrühe

1 Lorbeerblatt

½ Bund Petersilie

60 g Suppennudeln,
z. B. Sternchennudeln

Salz

100 g TK-Erbsen

1–2 El Zitronensaft

Pfeffer

Zucker

80 g Shrimps

1 Zwiebel und Knoblauchzehe fein hacken. Porree putzen und fein würfeln. Spargel im unteren Drittel schälen, die holzigen Enden abschneiden, Stangen in schräge, dünne Scheiben schneiden. Zwiebeln, Knoblauch und Porree in 2 El Olivenöl glasig andünsten. Brühe, Lorbeer und 2 Petersilienstiele zugeben, aufkochen und zugedeckt bei mittlerer Hitze 10 Min. köcheln lassen.

2 Nudeln in kochendem Salzwasser nach Packungsanweisung garen. Abgießen und abschrecken. Spargel und Erbsen in die Brühe geben und weitere 5 Min. köcheln lassen. Suppe mit Zitronensaft, Salz, Pfeffer und 1 Prise Zucker würzig abschmecken. Shrimps kurz in der Suppe erhitzen. Mit übriger gehackter Petersilie oder Gremolata (siehe unten) bestreuen.

Zubereitungszeit: 30 Minuten
Pro Portion: 19 g E, 17 g F, 34 g KH = 370 kcal (1550 kJ)

SUPER WÜRZE GREMOLATA
Abgeriebene Schale von
1 unbehandelten Zitrone mit
1 fein gehackten Knoblauchzehe
und 6 El fein gehackter
Petersilie mischen und
über den Eintopf streuen.

Quarkbuletten

Die darf der Papst am Freitag essen: Frikadellen ganz ohne Fleisch
und trotzdem viel leckerer als die üblichen Gemüsebratlinge

Für 2 Portionen: **1** 250 g <u>Magerquark</u> mit 1 <u>**Ei**</u> (Kl. M), 1 durchgepressten
<u>**Knoblauchzehe**</u>, Salz, Pfeffer und etwas <u>**Muskat**</u> verrühren. 50 g <u>**Semmel-**</u>
<u>**brösel**</u>, 20 g gehackte <u>**getrocknete Tomaten**</u> und 1 Prise getrockneten
<u>**Thymian**</u> untermischen und die Masse 20 Min. quellen lassen.
2 Die Masse zu 8 Buletten formen und bei mittlerer Hitze in reichlich
<u>**Olivenöl**</u> oder <u>**Butterschmalz**</u> von jeder Seite 4 Min. braten.

* Zubereitungszeit: 20 Minuten (plus Zeit zum Quellen)
  Pro Portion: 23 g E , 20 g F, 25 g KH = 375 kcal (1572 kJ)

Erbsenpüree mit Kresse

Im Winter braucht der Mensch Farbe! Hier ist sie. Im grünsten und leckersten Erbsenpüree der Saison

Für 2 Portionen: **1** 300 g **TK-Erbsen** mit 30 g **Butter** und 100 ml **Schlagsahne** in einen Topf geben. Mit Salz, Pfeffer und **Zucker** würzen und zugedeckt zum Kochen bringen. Bei mittlerer Hitze 6 Min. kochen. **2** Erbsen mit dem Schneidstab fein pürieren. In einem Topf aufkochen, und mit 1–2 El **Kartoffelpüreepulver** binden. Evtl. etwas nachwürzen. **Kresse** von 1 Beet schneiden und darüber streuen.

Zubereitungszeit: 20 Minuten **Pro Portion:** 13 g E, 28 g F, 27 g KH = 411 kcal (1724 kJ)

Garnelenbuletten

Hochfein und äußerst raffiniert. Zum Glück aber genauso einfach herzustellen wie ganz normale Fleischpflanzl

Für 2–4 Portionen: **1** 400 g geputzte <u>**Garnelen**</u> in der Moulinette in 2 Portionen fein zerkleinern. Mit 1 fein gehackten <u>**Frühlingszwiebel**</u>, 1 durchgepressten <u>**Knoblauchzehe**</u>, 20 g geriebenem <u>**Ingwer**</u>, 1 Tl <u>**Sojasauce**</u> und 1 Tl <u>**Zitronensaft**</u> verrühren. Salzen und pfeffern. **2** Die Masse mit feuchten Händen zu 8 Buletten formen. In 1–2 El Öl bei mittlerer Hitze von jeder Seite 3–4 Min. braten. Eignet sich hervorragend als Vorspeise.

* **Zubereitungszeit: 30 Minuten**
Pro Portion (bei 4): 21 g E, 4 g F, 2 g KH =
133 kcal (554 kJ)

Pikanter Grießauflauf

In Italien verwendet man gern Maisgrieß, die Polenta, als Beilage. Wir nehmen für den Auflauf Hartweizengrieß, der dazu ebenfalls ideal ist

Für 4 Portionen: **1** 500 ml **Milch**, 130 g **Hartweizengrieß** und ½ Tl Salz in einen Topf geben, gut mit einem Schneebesen verrühren und unter gelegentlichem Rühren zum Kochen bringen. Auf milde Hitze zurückschalten und 5 Min. unter Rühren kochen lassen. Vom Herd nehmen und zugedeckt weitere 10 Min. ziehen lassen. **2** 4 Auflaufförmchen (12 x 8 cm) fetten. **3** 50 g geriebenen **Parmesan** und 20 g **Butter** unter den Grießbrei ziehen. Mit Salz, Pfeffer und **Muskat** kräftig würzen. 1 **Eiweiß** und 1 Prise Salz mit den Quirlen des Handrührers steif schlagen und unter den Grießbrei heben. Die Masse in die Auflaufförmchen füllen und jeweils mit 1 El geriebenem **Parmesan** bestreuen. **4** Grießauflauf im vorgeheizten Ofen auf einem Blech auf der obersten Schiene bei 200 Grad (Umluft 180 Grad) 5–7 Min. überbacken. Der Käse soll geschmolzen und leicht gebräunt sein.

* **Zubereitungszeit**: 30 Minuten **Pro Portion**: 16 g E, 19 g F, 28 g KH = 345 kcal (1446 kJ)

Zitronenwaffeln

Genuss nach einem langem Winterspaziergang: frisch gebackene,
noch warme Waffeln mit buntem Obstsalat

Für 4–6 Portionen:

je 3 Orangen und
Clementinen

2 Kiwi

7 El Zitronensaft

170 g Puderzucker

200 g Butter oder Margarine

1 Pk. Vanillinzucker

2 Tl abgeriebene Zitronen-
schale (unbehandelt)

Salz

4 Eier (Kl. M)

150 g Mehl

100 g Speisestärke

1 Tl Backpulver

5 El Schlagsahne

Öl für das Waffeleisen

1 Die Orangen und Clementinen so
schälen, dass die weiße Haut vollstän-
dig entfernt ist. Die Filets zwischen den
Trennhäuten herausschneiden, den
herabtropfenden Saft dabei auffangen
und aus den Resten ausdrücken. Kiwi
schälen, längs halbieren und in dünne
Scheiben schneiden. 4 El vom aufge-
fangenen Saft mit 2 El Zitronensaft und
20 g Puderzucker verrühren, über das
Obst geben.

2 Weiches Fett, 150 g Puderzucker,
Vanillinzucker, Zitronenschale und
1 Prise Salz mit den Quirlen des Hand-
rührers mind. 5 Min. sehr cremig rüh-
ren. Die Eier einzeln je ½ Min. unter-
rühren. Mehl, Stärke und Backpulver
sieben, mit Schlagsahne und 5 El Zitro-
nensaft unterrühren. Waffeleisen vor-
heizen, mit Öl ausstreichen und nach-
einander ca. 10 eckige goldbraune
Waffeln backen (oder 6–7 Herzwaffeln).
Mit Obstsalat und evtl. Krokantsahne
servieren.

Zubereitungszeit: 30 Minuten
Pro Portion (bei 6): 9 g E, 39 g F, 74 g KH =
683 kcal (2860 kJ)

PERFEKTE ORANGENFILETS
1. Orangen mit einem scharfen Mes-
ser oben und unten flach schneiden.
2. Schale von oben nach unten so
dick abschneiden, dass die weiße
Haut vollständig entfernt ist.
3. Die Orangenfilets zwischen
den Trennhäuten heraus-
schneiden.

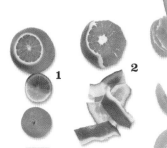

Kartoffelsalat mit Rucola

*Kartoffelsalat ist etwas Schönes, Rucola ist etwas Schönes. Kartoffel-
salat mit Rucola ist somit zwangsläufig etwas Wunderschönes*

Für 2 Portionen: **1** 350 g fest kochende **Kartoffeln** waschen, in Salz-
wasser garen. Pellen, in feine Scheiben schneiden, in eine Schüssel
geben. **2** 2 rote **Zwiebeln** fein würfeln. 150 ml **Gemüsebrühe** (Instant)
mit 1 El **Öl**, 2 El **Weißweinessig**, etwas Salz und **Zucker** aufkochen. Heiß
über die geschnittenen Kartoffeln gießen und vermischen. **3** Kurz vor
dem Servieren 50 g **Rucola** waschen und trockenschleudern. In mund-
gerechte Stücke schneiden und unter den Salat mischen. Mit frisch
gemahlenem Pfeffer bestreut servieren. Statt der Zwiebeln
können Sie auch klein geschnittene getrocknete Tomaten nehmen.

* Zubereitungszeit: 40 Minuten
Pro Portion: 4 g E, 5 g F, 26 g KH =
177 kcal (743 kJ)

Lammkoteletts mit Quark

*Eine ziemlich sensationelle Kombination: scharfe, würzige Koteletts,
begleitet von cremig-sanftem Minzequark*

Für 2 Portionen: **1** 1 **Knoblauchzehe** durchpressen, mit 1 El **Oliven-
öl**, abgeriebener Schale von ½ **Zitrone (unbehandelt)** und ¼ Tl
zerstoßener **Chili** mischen. 200 g **Magerquark**, 100 g **saure Sahne** und
4 El gehackte **Minze** verrühren. Mit Salz, Pfeffer und 1–2 Tl **Zitronen-
saft** abschmecken. **2** 4 **Lamm-Stielkoteletts** (à ca. 75 g) salzen
und pfeffern. 2 El Olivenöl erhitzen. Fleisch darin von jeder Seite 3 Min.
scharf anbraten, mit dem Würzöl bestreichen und 1 Min. weiterbraten.
Mit dem Quark servieren.

* **Zubereitungszeit:** 20 Minuten **Pro Portion:** 34 g E, 34 g F, 7 g KH = 476 kcal (1995 kJ)

Spätzle mit Rahmwirsing

Nichts passt besser zu Spätzle als eine reichhaltige cremige Sauce.
Hier ist sie, aus Wirsing, Speck, Béchamel und Schlagsahne

Für 2 Portionen: **1** 100 g durchwachsenen **Speck** fein würfeln.
2 **Zwiebeln** würfeln. 300 g geputzten **Wirsingkohl** in feine Streifen
schneiden. **2** Zwiebeln und Speck zusammen in 1 El **Öl** anbraten,
Wirsing dazugeben und 2 weitere Min. anbraten. 200 ml **Béchamel-
sauce** und 100 ml **Schlagsahne** angießen. Bei mittlerer Hitze 6–7 Min.
zugedeckt kochen lassen. Salzen, pfeffern und mit frisch geriebenem
Muskat würzen. **3** 250 g **Spätzle** nach Packungsanweisung in Salzwas-
ser kochen, abgießen und abtropfen lassen. In 25 g **Butter**
anbraten und mit dem Rahmwirsing servieren.

Zubereitungszeit: 35 Minuten **Pro Portion:** 32 g E, 70 g F, 97 g KH = 1142 kcal (4794 kJ)

Entenbrust à l'orange

*Eine stark vereinfachte – und nicht zuletzt deshalb – verbesserte
Variante des großen Enten-Klassikers. Sofort probieren!*

Für 4 Portionen: **1** 1 **Zwiebel** und 2 Tl **grünen Pfeffer** fein hacken.
2 **Orangen** so schälen, dass die weiße Haut vollständig entfernt
ist. In Scheiben schneiden und diese halbieren. Aus 1–2 Orangen
150 ml Saft pressen. Bei 2 **Barberie-Entenbrüsten** (à ca. 300 g) die
Haut kreuzweise einritzen. Fleisch mit Salz und Pfeffer würzen.
2 Eine Pfanne erhitzen, Fleisch darin zuerst auf der Hautseite 2 Min.
scharf anbraten, wenden und weitere 2 Min. braten. Mit der Haut
nach oben in eine feuerfeste Form setzen. Im vorgeheizten Ofen bei
190 Grad auf der 2. Schiene von unten 12–14 Min. weitergaren (Umluft
170 Grad). **3** Zwiebel und grünen Pfeffer im Bratfett der Ente
andünsten. 4 El **Cognac**, Orangensaft und 200 ml **Geflügelfond** angie-
ßen. Offen 5–8 Min. einkochen lassen. Evtl. mit 1 El **dunklem Saucen-
binder** binden. Orangen zugeben, mit Salz, Pfeffer und **Zucker**
würzen. Entenbrust kurz ruhen lassen, dann mit der Sauce und evtl.
mit **Thymian** bestreut servieren.

* **Zubereitungszeit**: 40 Minuten **Pro Portion**: 29 g E, 26 g F, 10 g KH = 397 kcal (1674 kJ)

Apfelclafoutis

Luftig-duftig und mit einem starken Hauch von Marzipan: Dieser Apfelauflauf ist in der Tasse oder in der großen Form ein Knüller

Für 4 Portionen: **1** 2 kleine, säuerliche **Äpfel** schälen, vierteln, entkernen, quer in Spalten schneiden und sofort mit 2 El **Zitronensaft** mischen. 100 g **Marzipan** zerkrümeln und mit 150 ml **Milch** pürieren. 3 **Eigelb** (Kl. M) und 30 g **Zucker** mit den Quirlen des Handrührers 5 Min. cremig rühren. Je 25 g **Mehl** und **Speisestärke** mischen, mit Marzipanmilch und Eigelb verrühren. **2** 3 **Eiweiß** (Kl. M) und 1 Prise Salz steif schlagen, 20 g Zucker zugeben und 1 Min. weiterschlagen. Unter den Teig heben. Masse in 4 gefettete, ofenfeste Tassen (à 250 ml, oder in eine Auflaufform, ca. 20 x 20 cm) geben. Äpfel und 30 g **Mandelstifte** darauf verteilen. **3** Im vorgeheizten Ofen bei 190 Grad auf der 2. Schiene von unten 25–30 Min. backen (Umluft bei 170 Grad). Mit 1 El **Puderzucker** bestäuben.

Zubereitungszeit: 50 Minuten
Pro Portion: 12 g E, 18 g F,
45 g KH = 393 kcal (1650 kJ)

Haselnuss-Orangen-Broccoli

Das frische Aroma der Orangen nimmt dem Broccoli seine Erdigkeit,
die Haselnüsse bringen einen zusätzlichen Knusperfaktor

Für 2 Portionen: **1** 500 g **Broccoli** in Röschen teilen, Stiele schälen
und 1 cm groß würfeln. 25 g **Haselnusskerne** grob hacken.
2 Die Schale von 1 unbehandelten **Orange** mit einem Sparschäler ab-
schälen und in dünne Streifen schneiden. Die Orange anschließend so
schälen, dass die weiße Haut vollständig entfernt ist, und das
Fruchtfleisch aus den Trennhäuten lösen. Saft auffangen. **3** Broccoli
in kochendem Salzwasser 4 Minuten garen, 1 Min. vor Ende der Garzeit
die Orangenschale dazugeben. **4** Inzwischen 50 g **Butter** in einer
Pfanne aufschäumen, Haselnüsse dazugeben und kurz bräunen. Oran-
genfilets und -saft untermischen, Broccoli abgießen und mit der Butter
mischen, salzen und pfeffern.

* **Zubereitungszeit**: 35 Minuten
  Pro Portion: 6 g E, 29 g F, 9 g KH = 317 kcal (1327 kJ)

Lammstelzen

Sanft in Rotwein geschmort, bereichern die Lammhaxen
mit ihrer kräftigen Würzung jeden Sonntagstisch

Für 4–6 Portionen:

1 Gemüsezwiebel (ca. 400 g)

300 g Staudensellerie

4 Lammstelzen (à ca. 450 g)

6 El Olivenöl

Salz

Pfeffer

1 junge Knoblauchknolle
(quer halbiert)

4 El Tomatenmark

8 Stiele Thymian

1 Kapsel Sternanis

1 Tl Koriander

150 ml Rotwein

1 unbehandelte Zitrone
(in Spalten)

400 ml Lammfond

1 Zwiebel und Sellerie grob würfeln, das Selleriegrün grob hacken. Lammstelzen von Haut und Sehnen befreien. In einem großen Bräter in 4 El heißem Olivenöl rundherum gut anbraten, mit Salz und Pfeffer würzen, herausnehmen. Zwiebeln, Sellerie und Knoblauch im restlichen Olivenöl anbraten. Tomatenmark, Hälfte vom Thymian, Sternanis und Koriander kurz mitrösten. Rotwein zugeben, kurz einkochen.

2 200 ml Fond und Stelzen zugeben, kurz aufkochen. Dann zugedeckt im vorgeheizten Ofen bei 180 Grad (Umluft 160 Grad) auf der 2. Schiene von unten 2 Std. schmoren. Dabei nach 1 Std. die Stelzen wenden, übrigen Fond und ½ Zitrone zugeben und offen weiterschmoren.

3 Sauce würzig mit Salz und Pfeffer abschmecken. Mit Selleriegrün und übrigem Thymian bestreuen und mit restlicher Zitrone servieren.

Zubereitungszeit: 2:30 Stunden (inkl. 2 Std. Garzeit)
Pro Portion (bei 6): 49 g E, 56 g F, 9 g KH =
747 kcal (3100 kJ)

SÄUBERN
Von den Stelzen die dicke
Haut und groben Sehnen
entfernen. Sie sind es nämlich,
die das Fleisch schnell
hammelig schmecken lassen.

Kulinarisch der Kälte einheizen

„DU DARFST MICH getrost mit Schnee bewirten", so liest man bei Paul Celan. Dass die weißen Flocken ziemlich fade schmecken, dürfte hinlänglich bekannt sein. Anstatt also den Dichter beim Wort sollten Sie vorlieb nehmen mit deftigem Sauerkrauttopf und üppigen Quarkkrapfen. Oder sich in der kalten Jahreszeit an scharfem Texas Chili und Zigeunergeschnetzeltem erwärmen. Da werden selbst Schneeliebhaber dahinschmelzen!

Sauerkrauttopf

*Winterliches Kraut in besonders leichter Form. Mit wenig Fett,
dafür mit delikaten kleinen Fleischbällchen*

Für 4 Portionen:

400 g gemischtes Hack

1 Ei (Kl. M)

Salz

Pfeffer

400 g fest kochende
Kartoffeln

150 g Möhren

3 Zwiebeln

3 El Öl

2 El Zucker

1 Dose Sauerkraut (810 g EW)

1 El rosenscharfes
Paprikapulver

1 l Rinderfond

2 El fein geschnittener
Schnittlauch

1 Hackfleisch und Ei verkneten und
kräftig mit Salz und Pfeffer würzen.
Kleine Hackbällchen (2 cm Ø)
formen. Kartoffeln und Möhren schälen
und in 2 cm große Stücke schneiden.

2 Zwiebeln in feine Würfel schneiden
und im heißen Öl glasig andünsten.
Zucker zugeben und goldbraun kara-
mellisieren. Abgetropftes Sauerkraut
und Paprika zugeben, kurz andünsten.
Mit Fond auffüllen, Hackbällchen
zugeben und zugedeckt bei mittlerer
Hitze 25 Min. garen. Nach 15 Min.
Kartoffeln und Möhren dazugeben. Mit
Schnittlauch bestreut servieren.

* **Zubereitungszeit:** 50 Minuten
Pro Portion: 29 g E, 27 g F, 27 g KH =
480 kcal (2012 kJ)

FLEISCHBÄLLCHEN
Für dieses Rezept sind kleine
gleichmäßige Klopse am besten:
dafür mit feuchten Händen schöne
runde Bällchen formen.

Nudeln Alfredo

Es gibt wahrscheinlich so viele Nudelrezepte dieses Namens, wie es Alfredos gibt. Aber unser Alfredo kocht besonders gut

Für 2 Portionen: **1** 250 g **Suppengrün** putzen und in feine Würfel schneiden. In kochendem Salzwasser 2 Min. garen, abgießen und abschrecken. 1 **Zwiebel** würfeln. **2** 250 g **Bandnudeln** in Salzwasser nach Packungsanweisung garen. **3** 25 g **Butter** in einer Pfanne erhitzen, Zwiebeln dazugeben und 2 Min. bei mittlerer Hitze andünsten. Gemüse dazugeben, 1 weitere Min. dünsten. 125 g gewürfelten **Kochschinken** dazugeben. **4** 200 ml **Schlagsahne** dazugießen. Cremig einkochen lassen und 40 g geriebenen **Parmesan** untermischen. Salzen und pfeffern. Nudeln abgießen, abtropfen lassen und unter die Sauce mischen. Mit 1 El **Schnittlauch** bestreuen.

* **Zubereitungszeit: 25 Minuten Pro Portion:** 38 g E, 54 g F, 92 g KH = 1008 kcal (4219 kJ)

Texas Chili

Scharf und deftig wie der Süden der USA!
Rindfleisch, Bohnen und feurige Peperoni mit Schmand

Für 4 Portionen: 1 800 g **Rindfleisch** (a. d. Keule) in ca. 1 cm große
Würfel schneiden. 1 **Gemüsezwiebel** würfeln. 2 **rote Peperoni** einrit-
zen, entkernen und fein hacken. Fleisch in 2 Portionen in je 2 El hei-
ßem **Öl** rundherum sehr scharf anbraten, mit Salz, Pfeffer und je
1 Tl **scharfem Paprikapulver** würzen und herausnehmen. 2 El **Öl** in
den Topf geben, Peperoni, Zwiebeln und 2 durchgepresste **Knoblauch-
zehen** darin andünsten. **2** 2 Tl gemahlenen **Kreuzkümmel**, 2 El
Tomatenmark und 2 El **Oreganoblätter** (gehackt oder 1 Tl **getrock-
neten Oregano**) kurz mitdünsten. Fleisch, 1 Dose **Tomaten** mit Saft
(425 g EW) und 400 ml **Fleischbrühe** zugeben, aufkochen. Zugedeckt
bei milder bis mittlerer Hitze 1½ Std. kochen lassen. **3** 1 Dose **Kidney-
Bohnen** (425 g EW) abgießen, zum Eintopf geben und nochmals
kurz aufkochen. Kräftig mit Salz und Pfeffer abschmecken. Mit 200 g
Schmand, evtl. Paprikapulver und Oreganoblättern servieren.

Zubereitungszeit: 1:50 Stunden **Pro Portion:** 49 g E, 36 g F, 15 g KH = 581 kcal (2432 kJ)

Wintersalat

Leicht, frisch, raffiniert und damit perfekt als Vorspeise:
Chicorée, Feldsalat und Granatapfel mit Zimt-Limetten-Vinaigrette

Für 2 Portionen: **1** 150 g <u>**Feldsalat**</u> putzen, waschen und trocken-
schleudern. 1 <u>**Chicorée**</u> in Blätter zerteilen. Aus den Blättern die
bittere Mitte keilförmig herausschneiden. 1 <u>**Granatapfel**</u> längs vierteln
und die Kerne herauslösen. **2** 1 Tl abgeriebene <u>**Limettenschale (un-
behandelt)**</u>, 3 El <u>**Limettensaft**</u>, 2 El <u>**Honig**</u>, ½ Tl <u>**Cayennepfeffer**</u>,
2 Msp. gem. <u>**Zimt**</u>, ½ Tl <u>**süßen Senf**</u>, Salz, Pfeffer und 3 El <u>**Öl**</u> in
ein Glas mit Schraubdeckel geben, verschließen und kräftig
schütteln. **3** Feldsalat und Chicorée auf einer Platte anrichten,
Granatapfelkerne darüber verteilen und mit dem Dressing
übergießen.

Zubereitungszeit: 20 Minuten
Pro Portion: 2 g E, 16 g F, 24 g KH = 248 kcal (1042 kJ)

Quarkkrapfen

*Dafür braucht es weder Silvester noch Fasching: Wer Berliner mag,
kann diesen krossen kleinen Wunderwerken bestimmt nicht widerstehen*

Für ca. 12 Stück: 1 50 g getrocknete Aprikosen fein würfeln.
2 Eier (Kl. M), 50 g Zucker, 1 Prise Salz und abgeriebene Schale
von1 Orange (unbehandelt) mit den Quirlen des Handrührers
5 Min. sehr cremig rühren. 140 g Magerquark unterrühren.
200 g Mehl und 1/2 Pk. Backpulver sieben, mit 125 ml Milch
unterrühren. 2 Aprikosenwürfel untermischen. 3 l Öl in einer
Fritteuse oder einem breiten, hohen Topf auf 160 Grad erhitzen.
Vom Teig mit einem in das heiße Öl getauchten Esslöffel Krapfen
abstechen. Je 4 Krapfen gleichzeitig bei mittlerer Hitze von jeder
Seite 3–4 Min. backen. 3 Krapfen auf Küchenpapier abtropfen lassen.
50 g Zucker und 1 Pk. Vanillezucker mischen. Die heißen Krapfen
darin wälzen. Dazu passt fertige Schokoladen- und Orangensauce.

Zubereitungszeit: 50 Minuten **Pro Stück:** 5 g E, 10 g F, 24 g KH = 208 kcal (869 kJ)

Apfelmilchreis

*Genau das Richtige, um die Seele – nicht nur an trüben Tagen –
zu verwöhnen: cremiger Milchreis mit Äpfeln, Mohn und Mandeln*

Für 2 Portionen: **1** ½ l **Milch** mit 120 g **Milchreis**, 2 El **Zucker**,
½ aufgeschlitzten **Vanilleschote** und 5 cm **Zitronenschale (unbehan-
delt)** aufkochen. Dann zugedeckt bei milder Hitze 30 Min. quellen
lassen. Dabei mehrfach umrühren, damit der Reis nicht ansetzt.
1 **roten Apfel** waschen, vierteln, entkernen und in Spalten schneiden.
Mit 150 g **Apfelmus** (Glas) und 1 El **Zitronensaft** mischen.
2 3 El **Butter** in einem Topf zerlassen. 2 El **Mohnsaat**, 2 El **Mandel-
stifte**, 1 El Zucker und ½ Tl **Zimtpulver** darin langsam anrösten. Apfel-
mischung unter den fertigen Milchreis heben, 2 Min. unter Rühren bei
milder Hitze kochen lassen. Mit der Mohnbutter servieren.

* **Zubereitungszeit: 40 Minuten Pro Portion:** 17 g E, 38 g F, 115 g KH = 870 kcal (3648 kJ)

Bratwurst mit Zwiebelsauce

Damit auch Sie als Feinschmecker mal in den Genuss einer Currywurst gelangen, hier eine besonders wohl schmeckende Rezeptidee

Für 2 Portionen: **1** 200 g **Zwiebeln** in feine Streifen schneiden. In 2 El zerlassener **Butter** 5 Min. bei mittlerer Hitze andünsten, sodass sie leicht Farbe annehmen. 4 El scharfen **Curryketchup** und 200 ml Wasser zugeben. 1 El **Bratenfond** für Kurzgebratenes unterrühren, alles aufkochen und offen 5 Min. köcheln lassen. **2** Drei **Bratwürste** (à 100 g) in 2 El heißem **Öl** 5–6 Min. bei mittlerer Hitze anbraten. Sauce mit Salz, Pfeffer und **Cayennepfeffer** würzig abschmecken, mit der Wurst anrichten und mit Schnittlauchröllchen bestreuen. Dazu passen gebackene Kartoffel-Ecken oder Rösti (Fertigprodukt).

Zubereitungszeit: 20 Minuten **Pro Portion:** 26 g E, 60 g F, 12 g KH = 691 kcal (2894 kJ)

Ofenkartoffeln mit Schmand

Dampfende Kartoffeln mit einer weißen Sauce aus Schmand, Avocado und Paprika. Da steckt vieles drin, was unsere Abwehr stärkt

Für 4 Portionen: **1** 4 mehlig kochende **Kartoffeln** (à 300 g) schrubben. Mit je 1 El **Öl** bestreichen, mit etwas Salz bestreuen, auf ein geöltes Blech setzen. Im vorgeheizten Ofen bei 180 Grad (Umluft 170 Grad) auf der 2. Schiene von unten 60–70 Min. garen. 1 **Avocado** (300 g) halbieren, den Stein entfernen. Fleisch aus der Schale lösen und fein würfeln. Mit 2 El **Limettensaft** mischen. **2** Je 1 **rote** und **gelbe Paprikaschote** putzen und fein würfeln. ½ Bund **Schnittlauch** in feine Röllchen schneiden. 1 **rote Peperoni** einritzen, entkernen und fein hacken. 200 g **Schmand** mit 100 g **Sahnejoghurt**, 1 durchgepressten **Knoblauchzehe**, Peperoni, 1 Tl abgeriebener **Limettenschale (unbehandelt)** und etwas Salz verrühren. **3** Paprika, Avocado und Schnittlauch unterheben, evtl. nachwürzen. Kartoffeln mit einer Gabel längs aufbrechen, etwas auseinander drücken. Mit dem Dip anrichten. Je 2 Tl **Forellenkaviar** darauf geben. Mit 4 El **Kresse** bestreuen.

* Zubereitungszeit: 1:15 Stunden
  Pro Portion: 10 g E, 35 g F, 35 g KH = 502 kcal (2100 kJ)

Windbeutel mit Eierlikör

Hier hat sich die Orange zwar versteckt, aber zu schmecken ist ihr Aroma deutlich: im Teig und in der Vanille-Eierlikör-Sahne

Für 6 Stück:

2 Tl abgeriebene Orangen-schale (unbehandelt)

Salz

40 g Butter oder Margarine

80 g Mehl

2 Eier (Kl. M)

¼ Tl Backpulver

250 ml Schlagsahne

1 Pk. Sahnesteif

1 Pk. Vanillinzucker

8 El Eierlikör

1 El Puderzucker

EINWEGSPRITZBEUTEL
Brandteig lässt sich eher mühsam aus Spritzbeuteln waschen. Die praktische Alternative: Einweg-Spritz-beutel.

1 Für die Windbeutel 100 ml Wasser, 1 Tl Orangenschale, 1 Prise Salz und Fett in Stücken aufkochen. Topf von der Kochstelle ziehen. Mehl auf einmal in den Topf schütten und mit einem Koch-löffel unterrühren. Dann auf der aus-geschalteten Kochstelle so lange rüh-ren, bis der Teig zum Kloß wird und sich auf dem Topfboden eine weiße Schicht bildet. Teig in eine Schüssel umfüllen.

2 Eier nacheinander mit den Knet-haken des Handrührers unterkneten. Ein Ei muss vollständig untergeknetet sein, bevor man das nächste zugibt. Backpulver kurz unterkneten. Teig in einen Spritzbeutel mit großer Stern-tülle füllen. 6 Windbeutel (5 cm Ø) auf ein Blech mit Backpapier spritzen. Im vorgeheizten Ofen bei 220 Grad (Umluft 200 Grad) auf der 2. Schiene von unten 22–25 Min. backen.

3 Sofort nach dem Backen von den Windbeuteln einen Deckel abschneiden und die Windbeutel abkühlen lassen. Schlagsahne mit Sahnesteif und Vanil-linzucker steif schlagen. 5 El Eierlikör und 1 Tl Orangenschale zugeben und kurz weiterschlagen. Sahne in die aus-gekühlten Windbeutelunterteile sprit-zen, mit 3 El Eierlikör beträufeln, Deckel darauf setzen. Mit Puderzucker bestäubt servieren.

* **Zubereitungszeit:** 45 Minuten (plus Kühlzeit)
Pro Stück: 7 g E, 20 g F, 20 g KH = 300 kcal (1253 kJ)

Bröselklöße

Bröselklöße klingen so gut wie sie schmecken und sind einfach gemacht: Kartoffelteig aus der Packung wird in einem Bröselmix gewendet

Für 4 Portionen: **1** ½ Bund **glatte Petersilie** fein hacken. 1 Pk. **Kartoffelknödelteig** (halb und halb, für 0,75 l Wasser) nach Packungs-anweisung mit kaltem Wasser anrühren. Petersilie bis auf 1 El unter-mischen und den Teig quellen lassen. Dann mit leicht angefeuchteten Händen zu 12 Klößen formen. In kochendes Salzwasser geben, kurz aufkochen, dann bei milder Hitze 15–20 Min. gar ziehen lassen.
2 Von 1 **Zitrone (unbehandelt)** die Schale abreiben. 3 Tl **Koriandersaat** zerstoßen. 6 El **Butter** zerlassen. 12 El **Semmelbrösel** und Koriander darin unter Rühren knusprig rösten. Mit Salz und Pfeffer würzen.
1 El Petersilie und Zitronenschale zugeben. Kartoffelklöße abtropfen lassen. Klöße in den heißen Bröseln wenden, sodass sie rundherum damit überzogen sind.

Zubereitungszeit: 35 Minuten (plus Zeit zum Quellen)
Pro Portion: 7 g E , 20 g F, 54 g KH = 425 kcal (1777 kJ)

Zigeunergeschnetzeltes

Wer denkt dabei nicht an Ungarn? Paprika bringt Feuer in das schnelle Pfannengericht mit Schweinefleisch, das in nur 20 Minuten fertig ist

Für 2 Portionen: **1** 1 **Zwiebel** in feine Streifen schneiden. 1 **rote Paprikaschote** putzen und in 1 cm große Würfel schneiden. 1 **rote Peperoni** einritzen, entkernen und in feine Streifen schneiden. 300 g **Schweinegeschnetzeltes** in 2 El heißem **Öl** bei starker Hitze scharf und goldbraun anbraten. Mit Salz, Pfeffer und 1 Tl **scharfem Paprikapulver** würzen und herausnehmen. **2** 1 El **Öl**, Paprikawürfel, Zwiebeln, Peperoni und 1 durchgepresste **Knoblauchzehe** in die Pfanne geben und andünsten. 1 Tl scharfes Paprikapulver kurz mit-dünsten. 250 ml **Gemüsebrühe** und 100 ml **Gewürzketchup** zugeben und offen 5 Min. bei mittlerer Hitze kochen lassen. Fleisch wieder zugeben und kurz erwärmen. Evtl. mit Salz, Pfeffer und Paprikapulver nachwürzen. Mit 2 El **Schnittlauchröllchen** bestreuen.

* **Zubereitungszeit**: 20 Minuten **Pro Portion**: 36 g E, 18 g F, 16 g KH = 374 kcal (1565 kJ)

Klassiker: Hackbuletten

*Die Mutter aller Frikadellen: aus gemischtem Hack, mit Zwiebeln,
Knoblauch und einer Messerspitze scharfem Senf*

Für 4 Portionen: **1** 2 **Zwiebeln** und 1 **Knoblauchzehe** fein hacken.
In 20 g **Butter** glasig dünsten und abkühlen lassen. 1 altbackenes
Brötchen in heißem Wasser 10 Min. einweichen und ausdrücken.
Mit den Zwiebeln, 800 g **gemischtem Hack**, 1 **Ei** (Kl. M), Salz, Pfeffer
und ½ Tl scharfem **Senf** mischen. **2** 2–3 El **Öl** in einer Pfanne
erhitzen und die Buletten darin bei mittlerer Hitze von jeder Seite
ca. 6 Min. braten. Dazu passt Kartoffelpüree mit Röstzwiebeln.

Zubereitungszeit: 40 Minuten Pro Portion: 40 g E, 46 g F, 7 g KH = 598 kcal (2507 kJ)

Zitrus-Ananaskuchen

So einfach dieser Blechkuchen auch ist, er hat ohne weiteres das Zeug, zu Ihrem Lieblingskuchen zu avancieren

Für 20 Stücke: **1** 1 kleine **Ananas** (ca. 1,2 kg) schälen, in 16 Scheiben von ca. 7 mm Dicke schneiden. Den Strunk mit einer großen Lochtülle ausstechen. Schale von 2 **Zitronen (unbehandelt)** abreiben und 8 El Saft auspressen. 200 g weiche **Butter**, 200 g **Puderzucker**, Zitronenschale und 1 Prise Salz mit den Quirlen des Handrührers 8 Min. cremig rühren. **2** 4 **Eier** (Kl. M) einzeln je ½ Min. unterrühren. 280 g **Mehl**, 60 g **Speisestärke** und 2 Tl **Backpulver** sieben. Mit 5 El **Zitronensaft** und 6 El **Orangensaft** unterrühren. Teig auf ein gefettetes Blech (40 x 30 cm) streichen. Mit den Ananasringen belegen. **3** Im vorgeheizten Ofen bei 200 Grad auf der 2. Schiene von unten 25 Min. backen (Umluft 180 Grad). Nach 15 Min. je 1 rote **Belegkirsche** (gesamt ca. 150 g) in die Ananasöffnungen setzen und weiterbacken. 150 g **Aprikosenkonfitüre** und 3 El Zitronensaft aufkochen. Den heißen Kuchen damit glasieren und lauwarm abkühlen lassen.

* Zubereitungszeit: 50 Minuten (plus Kühlzeit)
 Pro Stück: 3 g E , 10 g F, 40 g KH = 264 kcal (1105 kJ)

Kartoffelpüree mit Röstzwiebeln

Ein Klassiker aus der Kindheit: Kartoffelbrei mit knusprig gerösteten Zwiebeln. Schmeckt zu fast allem und auch ganz allein

Für 2 Portionen: **1** 3 **Zwiebeln** fein würfeln. In 25 g **Butter** und 1 El **Olivenöl** bei mittlerer Hitze unter Rühren goldbraun braten. **2** Inzwischen 300 g **Kartoffeln** waschen und schälen. In Salzwasser garen und abgießen. Kurz ausdämpfen lassen und stampfen. **3** 150 ml **Milch** und 30 g Butter mit Salz, Pfeffer und etwas **Muskat** zum Kochen bringen. Mit den Zwiebeln zu den Kartoffeln geben und gründlich mischen.Mit etwas **Schnittlauch** bestreut servieren.

Zubereitungszeit: 35 Minuten
Pro Portion: 6 g E, 31 g F, 24 g KH =
393 kcal (1645 kJ)

Gebackene Tortellini

Es gibt nur wenige Dinge, die besser schmecken als Tortellini.
Dieser Tortellini-Auflauf gehört auf jeden Fall dazu!

Für 4 Portionen:

25 g Butter

150 g TK-Blattspinat
(aufgetaut)

Salz

Pfeffer

Muskat

1 El Olivenöl

400 g Tortellini
(Frischepack)

125 g Pizzakäse

1 Sauce wie unten beschrieben herstellen.

2 Butter in einer Pfanne erhitzen, den Spinat ausdrücken und darin 2 Min. andünsten, mit Salz, Pfeffer und etwas Muskat würzen. Eine ofenfeste Form mit Olivenöl fetten und den Spinat hineingeben.

3 Die Tortellini nach Packungsanweisung kochen und abgießen. Gut abgetropft auf den Spinat geben und mit der heißen Tomatensauce begießen. Mit dem Pizzakäse bestreuen und im vorgeheizten Ofen auf der 2. Schiene von unten bei 200 Grad 15–20 Min. backen (Umluft 185 Grad).

> **Zubereitungszeit: 1 Stunde**
> **Pro Portion: 24 g E, 33 g F, 50 g KH =**
> **593 kcal (2492 kJ)**

TOMATENSAUCE
(IMMER UND ÜBERALL ZU
GEBRAUCHEN)
2 Zwiebeln und 2 Knoblauchzehen fein hacken. 1 Dose Tomaten (400 g EW) in ein Sieb geben und zerkleinern, Saft auffangen. 2 El Olivenöl erhitzen, Zwiebeln und Knoblauch darin bei mittlerer Hitze 2 Min. glasig andünsten.
1 getrocknete Chilischote zerbröseln, dazugeben. Tomaten, Saft und etwas getrockneten Oregano dazugeben und alles 25 Min. kochen. Mit Salz, Pfeffer und 1 Prise Zucker würzen.
TIPP: Von der Tomatensauce die doppelte Menge machen und die Hälfte kalt gestellt verschlossen aufbewahren. Hält etwa 2–3 Tage und kann für jede Art Nudeln verwendet werden.

Zwiebelsuppe

Die Suppe ist ein Garant, dem Frösteln schnell ein Ende zu setzen

Für 2 Portionen:

1 250 g **Zwiebeln** in feine Ringe schneiden. 1 El **Butter** und 1 El **Öl** in einem Topf erhitzen. Zwiebeln darin bei mittlerer bis starker Hitze goldbraun anbraten. Mit Salz, Pfeffer, etwas **Muskat**, 1 Prise Zucker und etwas gemahlenem **Kümmel** würzen. Mit 5 El **Weißwein** ablöschen und etwas einkochen lassen. 500 ml **Gemüsebrühe** zugießen, aufkochen und zugedeckt bei mittlerer Hitze 15 Min. garen. **2** 4 **Frühlingszwiebeln** putzen, in feine Ringe schneiden. 2 Min. vor Ende der Garzeit zur Suppe geben. 2 Scheiben **Bauernbrot** im Toaster toasten, mit 1 geschälten **Knoblauchzehe** einreiben. Suppe evtl. nachwürzen. Mit 1 Tl zerstoßenen **rosa Beeren** bestreuen und mit dem Brot servieren.

* **Zubereitungszeit**: 30 Minuten
Pro Portion: 5 g E, 12 g F, 30 g KH = 254 kcal (1062 kJ)

Rotbarsch auf Suppengrün

Nicht nur im tiefsten Winter ist Suppengrün mit Porree, Möhren,
Sellerie und Petersilienwurzel ein wahrer Geschmackssegen

Für 2 Portionen: **1** 3–4 Stiele **Dill** fein schneiden. 2 **Rotbarschfilets**
(à 150 g) salzen und pfeffern und im Dill wälzen. **2** 1 Bund **Suppen-**
grün putzen. Gemüse in feine Streifen schneiden, in einen Dämpfkorb
legen. Salzen und pfeffern. Fisch auf das Gemüse legen. ½ **Zitrone**
(unbehandelt) in Scheiben schneiden und um den Fisch legen.
Verschlossen in einem Topf mit kochendem Wasser 7 Min. dämpfen.
3 Mit etwas **Olivenöl** beträufelt servieren. Dazu passen Salzkartoffeln.

* **Zubereitungszeit:** 35 Minuten **Pro Portion:** 32 g E, 11 g F, 11 g KH = 277 kcal (1157 kJ)

Gebratene Ananas

Das Dessert, mit dem Sie berühmt werden können: heiße Ananas,
karamellisiert mit Honig und serviert mit Eis

Für 2 Portionen: **1** Von 1 **Limette (unbehandelt)** die Schale abreiben,
3 El Saft auspressen. Beides mit 2 El **Honig** und ¼ Tl **Ingwerpulver**
verrühren. 1 **Ananasviertel** (ca. 400 g) schälen, den harten Strunk ent-
fernen, Frucht in ca. 1,5 cm dicke Spalten schneiden. 12 **Kapstachel-**
beeren aus den Hülsen lösen. Fruchtstücke auf 4 Holzspieße stecken.
2 In einer großen Pfanne 2 El **Butter** erhitzen, Spieße darin von jeder
Seite 3–4 Min. goldbraun braten. Honigmischung zugeben und kurz
aufkochen. Spieße mit dem Sud anrichten. Dazu passt Zitronensorbet.

Zubereitungszeit: 25 Minuten **Pro Portion**: 1 g E, 9 g F, 35 g KH = 232 kcal (970 kJ)

American Pancakes

Amerikaner stapeln gern hoch – und das bereits zum Frühstück: mit fluffigen Pancakes und fruchtigem Orangen-Ahorn-Sirup

Für 4 Portionen: **1** 1 <u>**Orange**</u> heiß waschen, die Schale dünn (ohne die weiße Haut) abschälen und in feine Streifen schneiden. 200 ml <u>**Orangensaft**</u> und 100 ml <u>**Ahornsirup**</u> in einem kleinen Topf erhitzen und bei starker Hitze auf die Hälfte einkochen. Beiseite stellen. **2** 3 gestr. Tl <u>**Backpulver**</u> und 200 g <u>**Mehl**</u> mischen. 250 ml <u>**Milch**</u>, 1 El <u>**Zitronensaft**</u>, 1 Pk. <u>**Vanillezucker**</u>, 1 Prise Salz und 4 <u>**Eier**</u> (Kl. M) mit den Quirlen des Handrührers gut verrühren. Mehlmischung nach und nach zugeben und langsam glatt rühren. **3** 1 El <u>**Butterschmalz**</u> in einer großen Pfanne erhitzen. 6 kleine Teigportionen in die Pfanne gießen und jeweils mit 1 Tl <u>**Orangenschalenstreifen**</u> bestreuen. Bei mittlerer Hitze von jeder Seite 3–4 Min. goldbraun braten. Aus der Pfanne nehmen, erneut 1 El Butterschmalz erhitzen und restliche Pfannkuchen ausbacken. Mit Orangensirup beträufeln.

* **Zubereitungszeit**: 30 Minuten **Pro Portion**: 15 g E, 17 g F, 63 g KH = 468 kcal (1965 kJ)

Kokossuppe

*Holen Sie sich die Wärme Asiens in Ihre Küche: Die feine Gemüsesuppe
mit Hähnchenfleisch ist so gut und gesund wie Omas Hühnereintopf*

Für 2 Portionen: **1** 250 g **Möhren** und 250 g **Kartoffeln** schälen und in
1,5 cm große Würfel schneiden. 1 **Zwiebel** fein würfeln. Alles mit
1 durchgepressten **Knoblauchzehe** in 2 El **Öl** andünsten. Mit Salz und
Pfeffer würzen. Mit 400 ml **Gemüsebrühe** und 200 ml **Kokosmilch**
ablöschen und aufkochen. 2 **Hähnchenbrustfilets** (à 120 g) darauf
legen und zugedeckt bei milder bis mittlerer Hitze 12 Min. garen.
80 g **Zuckerschoten** putzen und quer halbieren. **2** Hähnchenbrust
herausnehmen, kurz ruhen lassen. Zuckerschoten in die Suppe geben,
$\frac{1}{2}$–1 **getrocknete Chilischote** in die Suppe bröseln. 2–3 Min. kochen
lassen. Fleisch in Scheiben schneiden. Wieder in der Suppe erwärmen.
Mit Salz, Pfeffer und 1–2 Tl **Zitronensaft** abschmecken. 4 El grob
gehacktes **Koriandergrün** (oder **Petersilie**) zugeben und servieren.

* **Zubereitungszeit:** 25 Minuten **Pro Portion:** 34 g E, 28 g F, 21 g KH = 478 kcal (2000 kJ)

Bunter Nudeleintopf

Nudeln schmoren? Doch, das geht, wenn man genügend Flüssigkeit dazugibt. Dann garen die Nudeln zusammen mit dem Gemüse

Für 2–4 Portionen: 1 Je 150 g **Möhren**, **Knollensellerie**, **Stauden-sellerie** und **Zwiebeln** putzen und fein würfeln. 2 **Knoblauchzehen** in feine Scheiben schneiden. **2** 2 El **Öl** in einem flachen Topf erhitzen, die Gemüse darin bei mittlerer Hitze 5 Min. andünsten. Salzen, pfeffern und 300 g rohe **Gabelspaghetti** dazugeben. **3** 500 ml **Tomatensaft** und 500 ml **Gemüsebrühe** verrühren. Die Hälfte in den Topf geben und aufkochen. Bei mittlerer Hitze 20 Min. unter Rühren schmoren, dabei die restliche Flüssigkeit nach und nach dazugießen. **4** 75 g **grüne Oliven** zugeben und erhitzen, salzen und pfeffern.

* Zubereitungszeit: 45 Minuten
  Pro Portion (bei 4): 12 g E, 10 g F, 59 g KH = 380 kcal (1590 kJ)

Blitzpizzen mit Mozzarella

Heiß, saftig, schnell und in den Farben Italiens: Fertigbrötchen bekommen einen Belag aus Mozzarella, Kirschtomaten, Pesto – und fertig!

Für 4 Stück: 1 1 El **Pinienkerne** in einer Pfanne ohne Fett rösten. 2 **Toastie-Brötchen** halbieren. Jede Hälfte mit 1 Tl **Pesto** (Glas) bestreichen. **2** 125 g **Mozzarella** gut abtropfen lassen. In Scheiben schneiden und auf die Brötchenhälften legen. 5 **Kirschtomaten** auf jede Pizza legen. Unter dem vorgeheizten Backofengrill auf der 2. Schiene von oben ca. 6 Min. überbacken. **3** Die gebackenen Pizzen mit Salz und Pfeffer würzen und mit einigen **Basilikumstreifen** und den Pinienkernen bestreuen.

* Zubereitungszeit: 20 Minuten **Pro Stück:** 9 g E, 12 g F, 12 g KH = 190 kcal (798 kJ)

Blitzpizzen mit Salami

So schnell wie die Pizzen mit Zucchini, Mozzarella und Salami belegt sind, so schnell sind sie auch im Ofen gebacken

Für 4 Stück: **1** 2 <u>**Toastie-Brötchen**</u> halbieren und mit je 1 Tl <u>**Ajvar**</u> (Paprikapaste a. d. Glas) bestreichen. **2** 125 g <u>**Mozzarella**</u> gut abtropfen lassen. In Scheiben schneiden und auf die Brötchenhälften legen. 1 kleine <u>**Zucchini**</u> raspeln, leicht salzen und pfeffern und auf dem Mozzarella verteilen. **3** 75 g <u>**Salami**</u> in Streifen schneiden und auf die Pizzen geben. Unter dem vorgeheizten Backofengrill auf der 2. Schiene von oben ca. 6 Min. überbacken.

Zubereitungszeit: 15 Minuten **Pro Stück**: 13 g E, 14 g F, 12 g KH = 218 kcal (414 kJ)

Carpaccio auf karibische Art

*Schnell gemacht und sehr wirkungsvoll: fertig gekaufter
Schweinebratenaufschnitt, durch exotische Würzung verfremdet*

Für 2–4 Portionen: **1** Das Fruchtfleisch von 3 <u>**Maracujas**</u> ausschaben.
Mit Salz, Zucker, Pfeffer und 4 El <u>**Olivenöl**</u> mischen. 10 Min. ziehen
lassen, dann durch ein Sieb geben, um die Kerne zu entfernen.
2 1 <u>**Minigurke**</u> (150 g) fein würfeln. 2 <u>**Frühlingszwiebeln**</u> in feine
Ringe schneiden. 25 g gesalzene <u>**Erdnusskerne**</u> hacken. Mit der
Vinaigrette mischen. **3** 350 g <u>**Schweinebratenaufschnitt**</u> auf Teller
verteilen und mit der Vinaigrette beträufeln.

* Zubereitungszeit: 20 Minuten
Pro Portion (bei 4): 29 g E, 18 g F, 8 g KH = 318 kcal (1334 kJ)

Papaya-Steak-Salat

Wer sagt denn, dass Salat ein Sommergericht ist? Mit winterlichen
Blättern, exotischen Früchten und saftigem Steak wird's ein Wintersalat

Für 2 Portionen: **1** 1 Tl **Tomatenmark**, ¹/₂ Tl **Zimtpulver** und
2 El **Weißweinessig** mit 5 El **Öl** verrühren. 1 **Chicorée** putzen und in
Streifen schneiden. 200 g **Römersalat** putzen, waschen, in kleine
Stücke zupfen oder schneiden. **2** 1 **Papaya** schälen, halbieren und die
Kerne entfernen. Fruchtfleisch in Streifen schneiden. 1 **Avocado**
halbieren, den Stein entfernen und das Fruchtfleisch aus der Schale
lösen. In Streifen schneiden. Papaya und Avocado mit der Hälfte der
Vinaigrette mischen. **3** 2 **Rumpsteaks** (à 150 g) mit 1 El **edelsüßem**
Paprikapulver, etwas Salz und Pfeffer einreiben und in einer Pfanne
in 2 El **Öl** von jeder Seite 3–4 Min. braten. **4** Römersalat und Chicorée
auf Teller geben. Die Steaks in Scheiben schneiden, auf den Salat
legen. Papaya-Avocado-Mischung darüber geben und alles mit der
restlichen Vinaigrette beträufeln.

* **Zubereitungszeit**: 30 Minuten **Pro Portion**: 37 g E, 56 g F, 5 g KH = 672 kcal (2820 kJ)

Kokos-Couscous-Salat

Haben Sie schon einmal Couscous zubereitet? Ehrenwort, das ist so einfach, dass Wasserkochen dagegen kompliziert erscheint!

Für 2 Portionen: **1** 200 ml **Gemüsebrühe** mit 2 Tl **Currypulver** und 1 El **Olivenöl** aufkochen. 200 g **Instant-Couscous** einstreuen, kurz aufkochen, vom Herd nehmen und zugedeckt 5 Min. ziehen lassen. **2** 200 g **Ananasfruchtfleisch** in Scheiben schneiden und in einer beschichteten Pfanne ohne Fett von beiden Seiten bei starker Hitze anbraten, anschließend würfeln. **3** 225 g **Salatgurke** schälen, längs halbieren und würfeln. 1 **rote Chilischote** putzen, entkernen und würfeln. 50 g **Kokoschips** in einer Pfanne ohne Fett hellbraun rösten. Fleisch von ½ **Grillhähnchen** von den Knochen lösen, Haut entfernen, Fleisch würfeln. **4** Alles mit 2 El **Zitronensaft** und 3 El Olivenöl mischen, unter das Couscous heben. Salzen, pfeffern und sofort servieren, da die Chips sonst weich werden.

* **Zubereitungszeit:** 25 Minuten **Pro Portion:** 52 g E, 39 g F, 81 g KH = 888 kcal (3734 kJ)

Süß-scharfe Medaillons

Braves Schweinefleisch und wilde Exotik – welch eine Kombination!

Für 2 Portionen: 1 250 g **Ananas-fruchtfleisch** in Würfel schneiden. 2 **rote Paprikaschoten** vierteln, entkernen und in Würfel schneiden. 2 **Zwiebeln** in Spalten schneiden. 2 **Knoblauchzehen** in feine Scheiben schneiden. 2 **rote Chilischoten** entkernen und in feine Streifen schneiden. **2** 2 El **Olivenöl** in einer Pfanne erhitzen. 6 **Schweinemedaillons** (à 50 g) salzen und im heißen Fett von jeder Seite 3–4 Min. braten. Herausnehmen und warm halten. **3** Knoblauch und Chili in die Pfanne geben, kurz anbraten. Paprika und Zwiebeln dazugeben und unter Rühren bei mittlerer Hitze 2 Min. braten. Ananas, 5 El **Sojasauce**, 1–2 El **Zucker** und 3 El Wasser in die Pfanne geben und alles 2 Min. kochen. **4** Schweinemedaillons kurz in der Sauce erhitzen und mit 25 g gerösteten **Erdnusskernen** bestreut servieren.

Zubereitungszeit: 40 Minuten
Pro Portion: 41 g E, 21 g F, 35 g KH ≈ 500 kcal (2094 kJ)

Bananen-Nusskuchen

Wenn Sie etwas Besonderes für Ihren Nachmittagskaffee suchen: Hier kommt der Kuchen, der dafür ideal geeignet ist. Eindrucksvoll köstlich!

Für 16 Stücke:

100 g Nuss-Schokolade

5 Bananen

3 El Zitronensaft

200 g weiche Butter

200 g Puderzucker

abgeriebene Schale von
1 Zitrone (unbehandelt)

Salz

4 Eier (Kl. M)

200 g Mehl

2 Tl Backpulver

120 g gehackte
Haselnusskerne

1 Pk. Zitronen-
Kuchenglasur (100g)

1 70 g Nuss-Schokolade fein hacken. 4 Bananen schälen, würfeln und mit 2 El Zitronensaft mischen. Butter, Puderzucker, Zitronenschale und 1 Prise Salz mit den Quirlen des Handrührers 8 Min. sehr cremig rühren. Eier einzeln jeweils ½ Min. unterrühren.

2 Mehl und Backpulver mischen, mit Haselnusskernen und der gehackten Schokolade unterrühren. Bananenwürfel unterheben. In eine mit Backpapier ausgelegte Kastenform (30 cm Länge) streichen. Im vorgeheizten Ofen bei 170 Grad auf der 2. Schiene von unten 70–80 Min. backen (Umluft 150 Grad).

3 Abkühlen lassen. Zitronen-Kuchenglasur zerlassen, über den abgekühlten Kuchen verteilen. Restliche Nuss-Schokolade grob hacken, Banane schälen, in Scheiben schneiden, mit 1 El Zitronensaft bestreichen. Kuchen damit garnieren und Glasur fest werden lassen.

NUSSIGE ALTERNATIVEN
Sie können auch Pecanüsse oder Walnüsse statt der Haselnüsse nehmen (v.l.). Dann sollten Sie aber statt der Nuss- lieber Vollmilchschokolade verwenden.

Zubereitungszeit: 1:45 Stunden (plus Kühlzeit)
Pro Stück: 5 g E, 22 g F, 35 g KH = 345 kcal (1480 kJ)

Mehr Farbe auf die Teller!

DER MÄRZ ist der Monat der Poesie. Wir werden hier zwar nicht vom blauen Band des Frühlings schwärmen oder von Ähnlichem, können uns der poetischen Anwandlungen aber natürlich auch nicht erwehren: So wie die Natur draußen mit den ersten Trieben und Blüten Wald und Flur wieder bunter färbt, so bekommt auch unsere Küche jetzt wieder mehr Farbe. Und wenn wir damit eventuell sogar noch Frühlingsgefühle auslösen ...

Chicken-Tikka-Masala

*Kurios: Dieses indisch gewürzte Gericht gelangte nicht von Indien
nach Europa, sondern von Europa nach Indien!*

Für 2 Portionen:

400 g Hähnchenbrustfilet

50 g Tikka-Masala-
Würzmischung

3 El Sahnejoghurt

4 kleine rote Zwiebeln

40 g frischer Ingwer

1 El Öl

1 Dose Pizzatomaten
(400 g EW)

1 El Tomatenmark

75 ml Schlagsahne

Salz

schwarzer Pfeffer

1 Hähnchenbrustfilet würfeln und in einer Schüssel mit der Tikka-Masala-Würzmischung und dem Sahnejoghurt mischen. 1 Std. marinieren.

2 2 Zwiebeln fein würfeln, 2 Zwiebeln in Spalten schneiden. Ingwer schälen und fein hacken. Öl in einer Pfanne erhitzen, Zwiebeln und Ingwer darin anbraten. Das Fleisch dazugeben und 1 weitere Min. braten.

3 Dosentomaten, Tomatenmark und 100 ml Wasser in die Pfanne geben und aufkochen. Zugedeckt 10 Min. bei mittlerer Hitze kochen lassen.

4 Am Ende der Garzeit die Sahne dazugeben, salzen und pfeffern.

* **Zubereitungszeit:** 25 Minuten (plus Marinierzeit)
Pro Portion: 52 g E, 22 g F, 12 g KH =
456 kcal (1910 kJ)

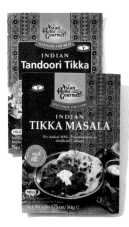

EXOTISCHE AROMEN
Fertige Würzpasten für Fleisch, Tikka genannt, gibt es in vielen Asia-Läden. Tandoori Tikka entfaltet seinen pikanten Geschmack übrigens am besten auf gegrilltem oder gebratenem Fleisch.

Ravioli mit Basilikum-Rahmsauce

Im Nu fertig, weil die Ravioli frisch aus dem Kühlregal kommen und mit einer ganz schnellen Sahnesauce angerichtet werden

Für 2 Portionen: **1** 1 **Knoblauchzehe** und 1 **Zwiebel** in feine Würfel schneiden. Von 4 Stielen **Basilikum** die Blätter abzupfen und beiseite legen. 1 El **Öl** erhitzen und Knoblauch und Zwiebeln darin glasig dünsten. Mit 100 ml **Gemüsebrühe** und 200 ml **Schlagsahne** auffüllen. Basilikumstiele zugeben und bei mittlerer Hitze 8–10 Min. kochen lassen. **2** 400 g **Ravioli** (aus dem Frischepack) in reichlich kochendem Salzwasser nach Packungsanweisung garen. **3** Die Basilikumstiele aus der Sauce entfernen und 150 g **Crème légère** zugeben. Kurz aufkochen. ²/₃ der Basilikumblätter grob hacken. Ravioli abgießen und mit den gehackten Basilikumblättern in die Sauce geben. Mit Salz und Pfeffer würzen. Mit restlichen Basilikumblättern bestreuen.

Zubereitungszeit: 25 Minuten Pro Portion: 28 g E, 76 g F, 74 g KH = 1088 kcal (4554 kJ)

Fischstäbchen-Hotdog

Da vermisst man doch gar nicht das Würstchen! Die dänische Spezialität ist auch mit Fischstäbchen für große und kleine Leute ideales Fingerfood

Für 2 Portionen: **1** 2 El mittelscharfen **Senf**, 1 Tl braunen **Zucker**, 2 Tl **Zitronensaft** und 6 El **Öl** sehr gut verschlagen. ½ Bund **Dill** abzupfen und unterrühren. Sauce mit Salz und Pfeffer würzig abschmecken. 2 **Römersalatherzen** putzen, waschen und trocken-schleudern. 150 g **Salatgurke** in dünne Scheiben schneiden.
2 8 **Fischstäbchen** im vorgeheizten Backofen nach Packungsan-weisung backen. 4 **Hotdog-Brötchen** kurz mitbacken. Brötchen längs einschneiden, mit Salat, Gurke, Fischstäbchen, der Sauce und 20 g **Röstzwiebeln** füllen. Mit Dill und evtl. Zitronenspalten garnieren.

Zubereitungszeit: 20 Minuten
Pro Portion: 26 g E, 46 g F, 78 g KH = 825 kcal (3458 kJ)

Fischcurry

Zarter Zander wird ummantelt von einer goldenen Currysauce aus Kokosmilch und Ingwer. Farbe und Aroma liefern Zuckerschoten und Erbsen

Für 2 Portionen: **1** 1 **Zwiebel** in feine Streifen schneiden.
20 g frischen **Ingwer** schälen und fein reiben. Beides in 2 El **Öl** andünsten. 1 El **Currypulver** kurz mitdünsten. 200 ml **Gemüsefond** und
100 ml **Kokosmilch** zugeben. Offen 5–7 Min. einkochen lassen.
300 g **Zanderfilet** in 3 cm breite Stücke schneiden, mit Salz, Pfeffer
und 2 Tl **Zitronensaft** würzen. **2** 100 g **Zuckerschoten** schräg halbieren, mit 100 g **TK-Erbsen** in die Sauce geben. Zander darauf setzen.
Zugedeckt bei milder bis mittlerer Hitze 6 Min. gar ziehen lassen.
Fisch nach 3 Min. wenden. Mit Salz, Pfeffer, Curry und 1 Prise **Zucker**
würzen, dabei vorsichtig umrühren.

Zubereitungszeit: 30 Minuten **Pro Portion**: 34 g E, 20 g F, 15 g KH = 379 kcal (1588 kJ)

Waliser Schweinefilet

Fruchtig-kernige Angelegenheit: Äpfel, Porree, Rosinen und Haselnüsse begleiten das sanft gegarte Filet

Für 2 Portionen: **1** 400 g **Porree** putzen, das Weiße und Hellgrüne in ca. 2 cm breite Ringe schneiden. 1 **roten Apfel** vierteln und in Spalten schneiden. 300 g **Schweinefilet** salzen und pfeffern. 2 El **Öl** in einer Pfanne erhitzen und das Fleisch von allen Seiten scharf anbraten. Fleisch herausnehmen. 1 El **Butter** erhitzen und Porree und Äpfel 1 Min. unter Rühren anbraten. 2 El grob gehackte **Haselnusskerne** und 2 El **Rosinen** kurz mitbraten. **2** Mit 200 ml **Gemüsebrühe** ablöschen. 2 Tl **körnigen Senf** unterrühren. Schweinefilet dazugeben und zugedeckt bei mittlerer Hitze 15 Min. garen, dabei das Fleisch nach der Hälfte der Zeit wenden. In Alufolie gewickelt kurz ruhen lassen. Sauce evtl. mit 1–2 El **hellem Saucenbinder** binden und evtl. nachwürzen. Fleisch in Scheiben schneiden und mit der Sauce servieren.

* **Zubereitungszeit:** 35 Minuten
  Pro Portion: 37 g E, 26 g F, 20 g KH = 468 kcal (1960 kJ)

Salat mit süßer Dillsauce

*Hommage an die Omas, die uns in Kindertagen den Salat mit einer
gezuckerten Sahnesauce versüßten. So schmeckt die Erinnerung!*

Für 2 Portionen: **1** 1 Kopf **Endiviensalat** putzen, waschen, trocken-
schleudern und in mundgerechte Stücke zupfen. 1 **Zitrone (unbehan-
delt)** heiß abwaschen und die Hälfte der Schale fein abreiben.
2–3 El **Zitronensaft** auspressen. **2** 200 g **saure Sahne**, Zitronenschale,
Saft und 1–2 El **Zucker** mit Salz und Pfeffer verrühren. ½ Bund **Dill**
fein schneiden und unterrühren. **3** Den Salat mit der Sauce ver-
mengen und sofort mit viel frisch gemahlenem Pfeffer servieren.

Zubereitungszeit: 20 Minuten **Pro Portion:** 4 g E, 10 g F, 16 g KH = 176 kcal (734 kJ)

Minz-Schoko-Eis

Herrlich erfrischend und blitzschnell zubereitet: für den optimalen Schmelz 15 Minuten vor dem Servieren aus dem Gefriergerät nehmen

Für 4 Portionen:

150 g Minz-Schokoladen-täfelchen

1 Blatt weiße Gelatine

250 ml Schlagsahne

1 Pk. Vanillezucker

2 El Minzlikör
(oder Minzsirup)

2–3 Tl Kakaopulver

Minzblättchen zum Dekorieren

1 Schokoladentäfelchen grob hacken. Gelatine in kaltem Wasser einweichen.

2 Schlagsahne und Vanillezucker steif schlagen. Minzlikör erwärmen. Gelatine gut auspressen und im warmen Likör auflösen. Erst Gelatine und Likör, dann Schokolade unter die Sahne heben.

3 Schokoladen-Minz-Sahne in 4 herz-förmige (oder runde) Soufflé-Förm-chen füllen, glatt streichen und mit Frischhaltefolie abdecken. 3–4 Std. ins Gefriergerät stellen. Vor dem Verzehr 15–20 Min. in den Kühlschrank stellen. Mit Kakao bestäubt und mit Minze dekoriert servieren.

Zubereitungszeit: 10 Minuten
(plus Gefrier- und Kühlzeit)
Pro Portion: 3 g E, 24 g F, 33 g KH = 369 kcal (1550 kJ)

MINZ-SCHOGGI: VON MILD BIS SCHARF
Das Menthol im gezackten Pfefferminzblatt sorgt für erfrischend-kühle Füllungen (z. B. After Eight, Ritter Sport).

Aromahuhn

*Ein Päckchen Huhn gefällig? Mit Orangen, Möhren und Rosmarin
schonend in Pergament gegart duftet es beim Öffnen verführerisch*

Für 2 Portionen: **1** 300 g **Möhren** schälen, in sehr dünne Scheiben
hobeln oder schneiden. Von 1 ungeschälten **Orange (unbehandelt)**
4 dünne Scheiben abschneiden, übrige Frucht auspressen. 2 Stücke
Backpapier (à 40 x 40 cm) zuschneiden. 2 **Hähnchenbrustfilets** (à 120 g)
salzen und pfeffern, in einer Pfanne in 2 El **Öl** bei starker Hitze von
allen Seiten anbraten. 2 kleine **Rosmarinzweige** dazugeben und kurz
mitbraten. Alles herausnehmen und beiseite stellen. **2** Möhren und
Orangenscheiben kurz anbraten, mit 6 El **Orangensaft** ablöschen, mit
Salz, Pfeffer und 1 Tl **Honig** würzen. Auf die Mitte der Backpapier-
stücke geben. Hähnchen und Rosmarin darauf setzen. Papier über der
Füllung zusammenfalten, die Seiten zudrehen, evtl. zubinden. Auf
ein Blech setzen und das Fleisch im vorgeheizten Ofen bei 200 Grad
(Umluft 180 Grad) auf der 2. Schiene von unten 20 Min. garen.

Zubereitungszeit: 40 Minuten **Pro Portion:** 30 g E, 11 g F, 10 g KH = 260 kcal (1090 kJ)

Möhren-Kartoffel-Rösti

Man muss sie einfach lieben, die knusprig gebratenen Fladen
aus Kartoffelraspeln. Mit Möhren gemischt sind sie noch saftiger!

Für 2 Portionen: **1** 1 **Zwiebel** fein würfeln. 200 g **Möhren** schälen und
grob raspeln. 200 g **Kartoffeln** schälen und grob raspeln. Raspel
gut trockentupfen, mit Zwiebeln, 1 El **Mehl** und 2 **Eigelb** gut verrühren
und mit Salz, Pfeffer und **Muskat** kräftig würzen. **2** 2 El **Öl** in einer
beschichteten Pfanne erhitzen. Die Hälfte der Masse als 4–5 Rösti in
die Pfanne geben. Bei mittlerer Hitze von jeder Seite 3–4 Min.
knusprig braun backen. Restliche Masse in 2 El Öl genauso backen.

Zubereitungszeit: 30 Minuten **Pro Portion**: 6 g E, 26 g F, 22 g KH = 353 kcal (1497 kJ)

Kalbsrahmgulasch

Schmorgerichte sind einzigartig: Durch das lange Garen entwickeln alle Zutaten ein Maximum an Aroma – Gulasch zum süchtig werden!

Für 4 Portionen:

20 g getrocknete Steinpilze

2–3 Zwiebeln

4 Knoblauchzehen

1 kg Kalbsschulter (ohne Knochen)

Salz

Pfeffer

3 El Öl

30 g Mehl

400 ml Kalbs- oder Hühnerbrühe

250 ml Schlagsahne

250 g Champignons

20 g Butter

1–2 El Zitronensaft

1 Steinpilze in 200 ml Wasser einweichen. Zwiebeln und Knoblauch fein würfeln. Kalbsschulter in Würfel schneiden, salzen und pfeffern.

2 Öl in einem Topf erhitzen und die Fleischstücke darin bei starker Hitze portionsweise rundherum anbraten, herausnehmen. Zwiebeln und Knoblauch bei mittlerer Hitze im Topf glasig dünsten. Steinpilze ausdrücken, das Wasser auffangen. Pilze zu den Zwiebeln geben. Mit Mehl bestäuben und unterrühren. Fleisch, Brühe und Pilzwasser in den Topf geben.

3 Gulasch bei mittlerer Hitze 45 Min. mit fast ganz aufgelegtem Deckel schmoren. Sahne zugießen und das Gulasch offen 15–20 Min. weiterschmoren.

4 10 Min. vor Ende der Garzeit die Champignons putzen und in der Butter andünsten, zum Gulasch geben. Mit Salz, Pfeffer und Zitronensaft würzen.

Zubereitungszeit: 1:10 Stunden
Pro Portion: 55 g E, 38 g F, 10 g KH = 604 kcal (2527 kJ)

FLEISCH WÜRFELN
Die Kalbsschulter mit einem scharfen Messer zuerst in Scheiben und dann in mundgerechte Würfel schneiden.

Spaghetti mit Thunfisch

Blitzschnell zubereitet: Während die Nudeln kochen, bereiten Sie eine Zitronenbutter mit Thunfisch zu. Fertig!

Für 2 Portionen: **1** 1 Dose **Thunfisch** (natur, 135 g EW) gut abtropfen lassen und grob auseinander zupfen. 200 g **Spaghetti** in reichlich kochendem Salzwasser nach Packungsanweisung bissfest garen. 1 rote **Pfefferschote** längs halbieren, entkernen und quer in feine Streifen schneiden. **2** 60 g **Butter** mit Pfefferschote und 4 El **Zitronensaft** in einer Pfanne erwärmen. Bei milder Hitze 1 Min. kochen lassen. **3** Spaghetti abgießen und schnell mit der Sauce mischen. Thunfisch und 2 El abgezupfte **Kerbelblätter** zugeben und vorsichtig unterheben.

* **Zubereitungszeit:** 20 Minuten
 Pro Portion: 23 g E, 30 g F, 73 g KH = 660 kcal (2765 kJ)

Spinatpizza

Spinat und Gorgonzola gehören zusammen wie Spaghetti und Parmesan. Auch auf einer Pizza mit Tomaten beweisen sie das

Für 2 Portionen: **1** 450 g <u>TK-Blattspinat</u> nach Packungsanweisung auftauen lassen, dann sehr gut ausdrücken. 1 <u>Zwiebel</u> fein würfeln, mit 1 durchgepressten <u>Knoblauchzehe</u> in 3 El <u>Olivenöl</u> glasig dünsten. Spinat zugeben, mit Salz, Pfeffer und <u>Muskat</u> kräftig würzen. **2** 1 Beutel <u>Pizzateig</u> (230 g) mit 125 ml lauwarmem Wasser verkneten. In 2 Hälften teilen. Auf einer bemehlten Fläche auf je 22 cm Ø ausrollen. Auf ein mit Backpapier belegtes Blech setzen. Mit Spinat, 150 g <u>Kirschtomaten</u> und 150 g grob zerbröckeltem <u>Gorgonzola</u> belegen. **3** Im vorgeheizten Ofen bei 250 Grad (Umluft nicht empfehlenswert) auf einem Rost direkt auf dem Ofenboden 15 Min. backen. 30 g <u>Pinienkerne</u> in einer Pfanne ohne Fett anrösten, auf die Pizzen streuen.

Zubereitungszeit: 40 Minuten
Pro Portion: 34 g E, 66 g F, 79 g KH = 1059 kcal (4430 kJ)

Fisch in Erdnusskruste

So verführerisch kann Fastfood sein: saftige Rotbarschhäppchen, paniert mit knusprigen Erdnüssen. Dazu gibt es einen pikanten Chili-Dip

Für 2 Portionen: **1** 100 g **Erdnusskerne** fein hacken und mit 3 El **Semmelbrösel** mischen. 2 **TK-Rotbarschfilets** (à 135 g) antauen lassen und in Stäbchen von 7 x 3 cm schneiden. **2** 1 **Ei** verquirlen. Stäbchen noch angefroren in **Mehl** wenden, durch das Ei ziehen und in den Erdnussbröseln wälzen. **3** 150 g **Vollmilch-joghurt** mit 1 El **Limettensaft**, 75 g gewürfelter **Salatgurke**, 1 El gehacktem **Koriandergrün** und 5 El **Sweet-Chili-Sauce** mischen, salzen und pfeffern. **4** Die Fischstäbchen in 75 ml **Öl** von jeder Seite bei mittlerer Hitze 3–4 Min. braten.

Zubereitungszeit: 30 Minuten
Pro Portion: 47 g E, 56 g F, 36 g KH = 830 kcal (3483 kJ)

Apfelmuskuchen

Sie gehören zur Spezies der Teignascher und Quirlabschlecker?
Dann passt dieser saftig-feuchte Kuchen genau in Ihr Beuteschema

Für 14 Stücke: **1** 180 g **Butter** in einem warmen Wasserbad schmelzen. 75 g **weiße Schokolade** hacken, zur Butter geben, schmelzen und die Masse lauwarm abkühlen lassen. **2** 3 **Eier** (Kl. M), 120 g **Zucker**, Mark von 1 **Vanilleschote** und 1 Prise Salz mit den Quirlen des Handrührers 5 Min. cremig rühren. 300 g **Apfelmus** (Glas) zugeben und 2 Min. weiterschlagen. Buttermischung unterrühren. 3 Tl **Backpulver** und 180 g **Mehl** dazusieben und kurz unterrühren. Teig in eine gefettete Kastenform (25 cm Länge) streichen. **3** Im vorgeheizten Ofen bei 175 Grad (Umluft 150 Grad) auf der 2. Schiene von unten 55 Min. backen. 10 Min. in der Form lassen, dann stürzen und abkühlen lassen. 1 **roten Apfel** vierteln, entkernen und in feine Spalten schneiden. In 100 ml **Apfelsaft** 2 Min. kochen und abtropfen lassen. 75 g **weiße Kuvertüre** hacken, im heißen Wasserbad schmelzen und über den Kuchen träufeln. Mit Apfelspalten und **Minze** garnieren.

Zubereitungszeit: 1:30 Stunden (plus Kühlzeit)
Pro Stück: 4 g E , 16 g F, 30 g KH = 279 kcal (1172 kJ)

Avocadosalat

Avocados enthalten viel Vitamin E. Es schützt die Haut, zum Beispiel vor den ersten kräftigen Sonnenstrahlen

Für 2 Portionen: **1** 150 g **<u>Kirschtomaten</u>** waschen und halbieren. 1 rote **<u>Zwiebel</u>** in feine Streifen schneiden. 1 **<u>Römersalatherz</u>** waschen und in mundgerechte Stücke schneiden. 1 **<u>Avocado</u>** halbieren, entsteinen und mit einem Esslöffel aus der Schale lösen, in mundgerechte Stücke schneiden. **2** 1–2 El **<u>Zitronensaft</u>**, 5 El **<u>Olivenöl</u>**, Salz, Pfeffer und 1 Prise **<u>Zucker</u>** verrühren, mit dem Gemüse mischen. **3** 200 g **<u>Rotbarschfilet</u>** salzen, in 75 ml **<u>Weißwein</u>** zugedeckt bei mittlerer Hitze 5 Min. garen, herausnehmen und lauwarm in den Salat bröckeln.

Zubereitungszeit: 30 Minuten **Pro Portion:** 22 g E, 49 g F, 5 g KH = 540 kcal (2264 kJ)

Frischkäseterrine

*Unter dem Schinkenmantel verbirgt sich eine mit Kräutern
und Pfeffer verfeinerte Frischkäsemasse, serviert mit Blattsalaten*

Für 4 Portionen: **1** 400 g **Doppelrahm-Frischkäse** mit 1 El **Schnitt-lauchröllchen**, 1 El geschnittenem **Dill**, 1 El **Zitronensaft**,
2 Tl abgetropften grünen **Pfefferkörnern** in Lake, Salz und einigen
Spritzern **Tabasco** verrühren. **2** 4 Förmchen (à 125 ml Inhalt) mit
Klarsichtfolie auslegen. Mit je 1 Scheibe **Parmaschinken** auslegen
und die Frischkäsemasse hineingeben. 2 Stunden kalt stellen.
3 Terrine stürzen, Folie entfernen, Terrine in Scheiben schneiden
und mit **Blattsalaten** servieren.

Zubereitungszeit: 30 Minuten (plus Kühlzeit)
Pro Portion: 14 g E , 33 g F, 3 g KH = 362 kcal (1515 kJ)

Krautauflauf

*Deftiger Sattmacher: Ein halbes Stündchen Vorbereitung genügt,
der Rest erledigt sich fast von allein*

Für 2 Portionen: **1** 500 g **Kartoffeln** schälen und in 2 mm dicke
Scheiben schneiden. In 300 ml **Milch**, 200 ml **Schlagsahne**, 1 **Lorbeer-
blatt** und ½ Tl Salz unter Rühren 10 Min. bei mittlerer Hitze kochen
und beiseite stellen. 1 Dose **Sauerkraut** (580 g EW) in einem Sieb ab-
tropfen lassen. 1 mittelgroße **Zwiebel** grob würfeln. **2** 1 El **Öl** in einer
Pfanne erhitzen, die Zwiebeln darin glasig dünsten. 200 g **gemischtes
Hack** zugeben und 4–5 Min. krümelig anbraten. Mit Salz, Pfeffer
und ½–1 Tl **edelsüßem Paprikapulver** würzen. Sauerkraut und
1 Tl **Kümmel** zugeben, 3–5 Min. bei mittlerer Hitze mitbraten, dabei
gelegentlich umrühren. **3** Eine Auflaufform (15 x 15 cm) fetten.
Abwechselnd Kartoffeln und Sauerkraut-Hackfleisch so in die Form
schichten, dass insgesamt 4 Schichten übereinander liegen. Mit der
restlichen Sahne-Milch von den Kartoffeln übergießen und mit 3–4 El
Pizzakäse bestreuen. **4** Im vorgeheizten Ofen bei 200 Grad (Umluft
180 Grad) auf der mittleren Schiene 20–25 Min. backen. Vor dem
Servieren 5 Min. im ausgeschalteten Ofen ruhen lassen.

Zubereitungszeit: 50 Minuten Pro Portion: 37 g E, 63 g F, 37 g KH = 879 kcal (3680 kJ)

Zimt-Couscous

Was uns die Kartoffel, ist den Arabern das Couscous. Das Getreide schmeckt herzhaft oder süßlich zubereitet mit Datteln und Mandeln

Für 2 Portionen: **1** 50 g **Datteln** in Streifen schneiden. 3 El **Mandel-kerne** grob hacken. ¼ Tl **Zimtpulver** und 150 ml Wasser auf-kochen. 150 g **Couscous** und 2 Tl **Öl** zugeben und bei ausgeschalteter Platte zugedeckt 4 Min. quellen lassen. Mandelkerne und Datteln in 1 El **Butter** anrösten. **2** 6 El **Orangensaft** zugeben, mit Salz, Pfeffer und gemahlenem **Kreuzkümmel** würzen. Mit 1 El **Butterstückchen** unter das Couscous mischen und mit 2 Gabeln auflockern.

Zubereitungszeit: 15 Minuten **Pro Portion:** 11 g E, 28 g F, 72 g KH = 589 kcal (2465 kJ)

Einen zusätzlichen optischen Kick bekommt die leichte Fruchtsuppe, wenn man sie mit Blutorangen zubereitet

Für 2 Portionen: **1** 5 El von ½ l **Orangensaft** abnehmen und mit 2 gestr. Tl **Speisestärke** verrühren. Restlichen Saft, 1 Pk. **Vanille-zucker**, 1 kleine **Zimtstange** und 4 Kapseln **Kardamom** zum Kochen bringen. Speisestärke zugeben, unter Rühren aufkochen und abgedeckt beiseite stellen. **2** 1 **Eiweiß** (Kl. M) mit 1 Prise Salz steif schlagen. 2 leicht gehäufte El **Zucker** einrieseln lassen und 2 Min. weiterschlagen. Mit 2 Teelöffeln Klößchen abstechen und auf die heiße Suppe setzen. Im geschlossenen Topf 10 Min. bei sehr milder Hitze ziehen lassen, aber nicht mehr kochen. Deckel während des Garens geschlossen halten! **3** Vor dem Servieren Zimt und Kardamom entfernen.

* **Zubereitungszeit:** 20 Minuten **Pro Portion:** 4 g E, 0 g F, 48 g KH = 228 kcal (952 kJ)

Spinat-Farfalle

Schmetterlinge im Bauch: Mit rosa Beeren, krossem Speck und einem Hauch Zitrone ist dieses Pastagericht ein Fall für Feinschmecker

Für 2 Portionen: **1** 60 g **Tiroler Speck** (oder **durchwachsenen Speck**) in breite Streifen schneiden. 300 g frischen **Blattspinat** putzen und waschen (oder 200 g **TK-Blattspinat** auftauen und abtropfen lassen). Speck in 2 El **Öl** kross ausbraten, herausnehmen und beiseite stellen. Spinat in das Speckfett geben und zugedeckt garen. Gut abtropfen lassen. **2** 200 g **Nudeln** (z. B. Farfalle) nach Packungsanweisung in Salzwasser kochen. 40 g **Butter** zerlasssen und langsam bei milder Hitze bräunen lassen. 1 Tl **Zitronenschalen-streifen (unbehandelt)** (oder **abgeriebene Schale**) und ½ Tl **rosa Beeren** kurz mitrösten. Nudeln abtropfen lassen und mit Spinat und Speck unter die Butter mischen. Mit Salz, Pfeffer und 1–2 El **Zitronensaft** würzen.

Zubereitungszeit: 25 Minuten **Pro Portion:** 20 g E, 38 g F, 70 g KH = 708 kcal (2966 kJ)

Apfel-Speck-Schmarren

Was für ein Schmarren! Der luftige und pikante Eierkuchen erhält
Würze durch herzhaften Schinken und saftige Äpfel

Für 2 Portionen:

50 g Schinkenspeck

1 roter Apfel (150 g)

1 El Zitronensaft

3 El Butter

2 Eier (Kl. M, getrennt)

Salz

Pfeffer

Muskat

6 El Milch

60 g Mehl

½ Tl Backpulver

2 El Öl

1 Speck in 3 cm breite Streifen schneiden. Apfel vierteln, entkernen, quer in Spalten schneiden und mit dem Zitronensaft mischen. 2 El Butter zerlassen. Eigelb, etwas Salz, Pfeffer, Muskat, Milch, Mehl, Backpulver und zerlassene Butter verrühren.

2 Eiweiß steif schlagen. Unter die Mehlmischung heben. Öl in einer beschichteten Pfanne (20 cm Ø) erhitzen. Speck und Äpfel darin anbraten, herausnehmen. Restliche Butter zerlassen, Teig hineingeben. Bei mittlerer Hitze 5–7 Min. braten. Masse vierteln, wenden, weitere 5 Min. braten.

3 Schmarren zerzupfen, Äpfel und Speck wieder zugeben, kurz weiterbraten. Dazu passt Kräuterquark.

Zubereitungszeit: 30 Minuten
Pro Portion: 16 g E, 50 g F, 32 g KH = 644 kcal (2696 kJ)

SCHMARREN ZERZUPFEN
Die goldgelb gebratene Eiermasse zerzupft man am besten in der Pfanne mit einer Gabel und einem Pfannenwender.

Minutensteaks

Mit den Aromen des Mittelmeeres: Marinierte Mini-Rinderfilets werden mit einer Sauce aus getrockneten Tomaten und Pinienkernen serviert

Für 2 Portionen: 1 1 durchgepresste <u>**Knoblauchzehe**</u>, ½ Tl getrockneten <u>**Thymian**</u>, 1 Tl <u>**Zitronenschale (unbehandelt)**</u>, etwas Pfeffer und 1 El <u>**Olivenöl**</u> verrühren, auf 8 Scheiben <u>**Rinderfilet**</u> (à 40 g) streichen. ½ Std. marinieren. 1 <u>**Zwiebel**</u> würfeln, mit 1 durchgepressten <u>**Knoblauchzehe**</u> in 1 El <u>**Öl**</u> andünsten. 30 g <u>**Pinienkerne**</u> in einer Pfanne ohne Fett anrösten. **2** 50 g <u>**getrocknete Tomaten**</u> würfeln, mit der Zwiebelmischung, 1 El Olivenöl und 4 El <u>**Gemüsefond**</u> pürieren. Pinienkerne und 3 El gehackte glatte <u>**Petersilie**</u> unterrühren. Mit Salz und Pfeffer würzen. Fleisch in 2 Portionen in je 1 El heißem Öl von jeder Seite 1–2 Min. scharf anbraten und salzen. Sauce dazu servieren.

Zubereitungszeit: 25 Minuten (plus Marinierzeit)
Pro Portion: 38 g E , 36 g F, 5 g KH = 498 kcal (2085 kJ)

Rotweinente

Kaufen Sie Barbarie-Entenbrüste: Sie sind sehr würzig und fleischig und haben, verglichen mit anderen Hausenten, einen geringen Fettanteil

Für 2–4 Portionen: **1** 150 g **durchwachsenen Speck** in Streifen schneiden. 200 g **Champignons** putzen. 2 **Knoblauchzehen** in Scheiben schneiden. **2** Die Haut von 2 **Entenbrüsten** (à 350 g) rautenförmig einritzen. Mit der Haut nach unten in eine kalte Pfanne legen und bei mittlerer Hitze 10 Min. braten. Dann salzen, pfeffern, wenden und weitere 2 Min. braten. Anschließend das Fleisch in Alufolie wickeln und ruhen lassen. Fett abgießen. **3** Speck, Champignons und Knoblauch in die Pfanne geben. Unter Rühren 2–3 Min. braten, 250 ml **Rotwein** und 100 ml **Hühnerbrühe** angießen, aufkochen und mit etwas **dunklem Saucenbinder** binden. **4** 1 Glas **Silberzwiebeln** (170 g EW) abtropfen lassen und in die Sauce geben, mit Salz und Pfeffer würzen. Entenbrust in Scheiben schneiden und mit der Sauce servieren.

* **Zubereitungszeit:** 40 Minuten
  Pro Portion (bei 4): 39 g E, 36 g F, 2 g KH = 490 kcal (2048 kJ)

Pilzpolenta

Der rustikale Maisbrei mit großer Nährkraft wird durch Steinpilze und Champignons zur königlichen Beilage

Für 2 Portionen: 1 10 g getrocknete **Steinpilze** in heißem Wasser einweichen. 200 g **Champignons** putzen und vierteln. 2 **Zwiebeln** fein würfeln. **2** Zwiebeln in 2 El **Olivenöl** glasig dünsten. Steinpilze ausdrücken, dazugeben und mit 300 ml **Gemüsebrühe** auffüllen. **3** Brühe zum Kochen bringen und 75 g **Polenta** (Maisgrieß) einrieseln lassen. **4** Erneut aufkochen und bei mittlerer Hitze 20 Min. quellen lassen, dabei ab und zu umrühren. Kurz vor Ende der Garzeit die Champignons in 1 El Olivenöl braten und untermischen. **5** 50 g geriebenen **Parmesan** und 25 g **Butter** untermischen und mit Salz und Pfeffer würzen. Mit 1 El **Schnittlauchröllchen** bestreuen.

Zubereitungszeit: 25 Minuten **Pro Portion:** 16 g E, 35 g F, 31 g KH = 498 kcal (2088 kJ)

Marinierte Zucchini

Zucchini zählen zu den geschmacksärmeren Gemüsen. Mariniert mit einer Hand voll Kräutern und Gewürzen, entwickeln sie sich aber prächtig

Für 2 Portionen: **1** 400 g **Zucchini** putzen, dritteln und in breite Stifte schneiden. 1 **Knoblauchzehe** in dünne Scheiben schneiden. 1 rote **Peperoni** aufschlitzen, entkernen und in feine Streifen schneiden. 1 **Zwiebel** fein würfeln. Zucchini in 2 Portionen in je 1 El heißem **Olivenöl** in einer Grillpfanne oder Pfanne anbraten. Mit Salz und Pfeffer würzen, in eine Schale geben. **2** Zwiebeln, Knoblauch, 4 Stiele **Thymian** und Peperoni in 1 El Olivenöl andünsten. Mit 2 El **Zitronensaft** und 100 ml **Gemüsebrühe** ablöschen, in eine Schüssel geben und 2 El Olivenöl unterschlagen. Mit Salz, Pfeffer und 1 Prise **Zucker** würzen. Über die Zucchini geben und 2 Std. marinieren.

Zubereitungszeit: 25 Minuten (plus Marinierzeit)
Pro Portion: 3 g E, 26 g F, 9 g KH = 279 kcal (1171 kJ)

Karamellcreme

*Wer kommt schon auf die Idee, Karamellbonbons nicht zu lutschen,
sondern für eine Creme zu schmelzen? Unsere Versuchsküche. Grandios!*

Für 6 Portionen: **1** 70 g harte **Karamellbonbons** hacken, mit
400 ml **Milch** aufkochen, dabei öfter umrühren. 30 g **Speisestärke** und
4 El **Karamelllikör** (oder Karamellsirup) glatt rühren, in die
Karamellmilch geben. Unter Rühren gut aufkochen, in eine Schüssel
füllen und lauwarm abkühlen lassen. **2** 170 g **Kapstachelbeeren** (bis
auf 6 Stück) aus den Hülsen lösen und halbieren. 150 g **Mascarpone**
unter die Karamellcreme rühren. Von 24 **Waffelkeksen** (120 g) je
2 Waffeln auf 6 Tellern aneinander setzen. Die Hälfte der Creme, die
Hälfte der halbierten Beeren, übrige Waffeln, Creme und Beeren
darüber schichten. Mit den ganzen Beeren garnieren.

* **Zubereitungszeit:** 30 Minuten (plus Kühlzeit)
  Pro Portion: 5 g E , 22 g F, 33 g KH = 368 kcal (1539 kJ)

Rotwein-Himbeer-Creme

Ein süffiger Traum aus Schaum mit der herrlichsten aller Früchte:
Rotweincreme mit Himbeeren

Für 4–6 Portionen: **1** 200 g <u>**TK-Himbeeren**</u>, 50 g <u>**Zucker**</u> und das Mark
von 1 <u>**Vanilleschote**</u> aufkochen. 1 El <u>**Speisestärke**</u> und 2 El <u>**Orangen-**</u>
<u>**saft**</u> glatt rühren, in die kochenden Himbeeren rühren, erneut kurz
aufkochen. Mit 100 g gefrorenen Himbeeren in einer Schüssel mischen
und abkühlen lassen. **2** 125 ml <u>**Schlagsahne**</u> steif schlagen. 1 Pk.
<u>**Rotweincreme**</u> (für 325 ml Flüssigkeit, inkl. Rotwein) nach Packungs-
anweisung zubereiten, Sahne unterheben. Abgekühltes Himbeerkom-
pott und Rotweincreme in Gläser schichten. 2 Std. kalt stellen.

Zubereitungszeit: 25 Minuten (plus Kühlzeiten)
Pro Portion (bei 6): 2 g E , 6 g F, 27 g KH = 195 kcal (822 kJ)

Waffeln mit Avocadosalsa

Scharf und fluffig: Mit Avocado, Tomaten, Koriander und einem Spritzer Tabasco gibt es hier eins auf die Waffel

Für 4 Portionen:

150 g Weizen-Vollkornmehl

2 Eier (Kl. M, getrennt)

250 ml fettarme Milch (1,5%)

30 g Butter

300 g Tomaten

3 Frühlingszwiebeln

½ Avocado (150 g)

1 El Zitronensaft

2 El gehacktes Koriander-grün (oder glatte Petersilie)

Salz

Pfeffer

Tabasco

100 g Vollmilchjoghurt

1 Für den Waffelteig Mehl, Eigelb und Milch verrühren. 10 Min. quellen lassen. Butter zerlassen und abkühlen lassen. Tomaten vierteln, entkernen und fein würfeln. Frühlingszwiebeln in feine Ringe schneiden.

2 Das Fruchtfleisch der Avocado mit einem großen Löffel aus der Schale lösen. Sehr fein würfeln und sofort mit Zitronensaft mischen. Koriander, Frühlingszwiebeln und Tomaten unter die Avocado mischen. Mit Salz, Pfeffer und Tabasco würzen. Eiweiß mit 1 Prise Salz steif schlagen. Eischnee und Butter unter den Waffelteig heben. Mit Salz und Pfeffer würzen.

3 Ein Waffeleisen erhitzen, evtl. leicht fetten. Nacheinander 6 Waffeln backen. Mit der Avocadosalsa und Joghurt anrichten.

Zubereitungszeit: 40 Minuten
Pro Portion: 12 g E, 17 g F, 35 g KH = 344 kcal (1440 kJ)

KEIN EISEN IM FEUER? NULL PROBLEMO!
Glückwunsch, falls Sie ein stolzer Waffel-eisenbesitzer sind. Falls nicht – es geht auch ohne: 1 El Öl in einer beschichteten Pfanne (24 cm Ø) erhitzen, Teig hineingeben und im vorgeheizten Ofen bei 200 Grad (Umluft 180 Grad) auf der 2. Schiene von unten 10–12 Min. backen. Waffel auf einen Teller stürzen, in Tortenstücke schneiden, fertig!
P. S.: Pfannenstiele aus Kunststoff mit Alufolie umwickeln!

Borschtsch

Keine Sorge: Man muss den Namen dieser osteuropäischen Spezialität nicht aussprechen können, um sich in sie zu verlieben

Für 4 Portionen: **1** 700 g **Weißkohl** in feine Streifen schneiden. 150 g **Zwiebeln** in feine Streifen schneiden und mit dem Kohl in 2 El **Öl** bei mittlerer Hitze andünsten. **2** 400 g **Kartoffeln** schälen, in 2 cm große Würfel schneiden und dazugeben. 1 Tl **Kümmel** und 1¼ l **Gemüsebrühe** in den Topf geben, aufkochen und 20 Min. kochen lassen. **3** 5 Min. vor Ende der Garzeit 1 Glas **Rote Bete** (in Scheiben, 330 g EW) zur Suppe geben. 200 g **Schweinebratenaufschnitt** in Streifen schneiden, zur Suppe geben. Mit Salz, Pfeffer und 1 El fein geschnittenem **Dill** würzen. **4** 125 g **saure Sahne** mit etwas Salz und Pfeffer glatt rühren und dazu servieren.

* **Zubereitungszeit:** 45 Minuten
  Pro Portion: 20 g E, 15 g F, 21 g KH = 298 kcal (1248 kJ)

Mohn-Quark-Kuchen

Es gibt Geschmackskombinationen, die einfach perfekt schmecken wie Tomaten und Basilikum. Birnen, Quark und Mohn zählen ebenso dazu

Für 14 Stücke: **1** 100 g **Butter** zerlassen. 200 g **Butterkekse** fein zerstoßen. Mit der Butter mischen, in eine gefettete Springform (26 cm Ø) drücken, dabei einen 2 cm hohen Rand formen.
1 Dose **Birnen** (425 g EW) abgießen und in Spalten schneiden.
2 120 g weiche Butter und 60 g **Zucker** mit den Quirlen des Handrührers 5 Min. sehr cremig rühren. 3 **Eigelb** (Kl. M) gut unterrühren.
250 g **Magerquark** und 20 g **Vanille-Puddingpulver** unterrühren. 3 **Eiweiß** und 1 Prise Salz steif schlagen, 60 g Zucker einrieseln lassen und 3 Min. weiterschlagen. Unter die Quarkmasse heben. In die Form geben. **3** 250 g **Mohn-Backmischung** mit einem Löffel punktuell darauf geben, Birnen darauf legen.
Im vorgeheizten Ofen bei 180 Grad (Umluft 160 Grad) auf der 2. Schiene von unten 55–60 Min. backen. Heißen Kuchen mit 50 g **Aprikosenkonfitüre** bestreichen. In der Form abkühlen lassen. Mit 2 Tl **Puderzucker** bestäuben.

* Zubereitungszeit: 1:30 Stunden (plus Kühlzeit)
  Pro Stück: 7 g E., 20 g F, 33 g KH = 339 kcal (1419 kJ)

Königsberger Klopse

Der Ostpreuße unter den Klopsen: Die angenehm säuerliche Kapern-sauce geht mit getrockneten Tomaten eine interessante Verbindung ein

Für 4 Portionen:

1 Zwiebel

2 Scheiben Toastbrot

250 g Rinderhack

250 g Schweinemett

1 El mittelscharfer Senf

2 Eier (Kl. M)

Salz

Pfeffer

30 g getrocknete Tomaten

750 ml Gemüsebrühe

30 g Butter

20 g Mehl

100 ml Weißwein

150 ml Schlagsahne

2 El Kapern mit
1 El Kapernsud

4 El gehackte Petersilie

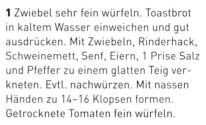

1 Zwiebel sehr fein würfeln. Toastbrot in kaltem Wasser einweichen und gut ausdrücken. Mit Zwiebeln, Rinderhack, Schweinemett, Senf, Eiern, 1 Prise Salz und Pfeffer zu einem glatten Teig verkneten. Evtl. nachwürzen. Mit nassen Händen zu 14–16 Klopsen formen. Getrocknete Tomaten fein würfeln.

2 Gemüsebrühe aufkochen. Klopse darin zugedeckt bei milder Hitze 15 Min. garen. Klopse vorsichtig in ein Sieb geben, dabei die Brühe auffangen. Butter zerlassen und das Mehl unter Rühren darin anschwitzen. Mit Wein, 600 ml Brühe und Schlagsahne unter Rühren ablöschen. Tomatenwürfel zugeben, aufkochen und 10 Min. köcheln lassen, dabei mehrfach umrühren. Klopse kurz in der Sauce erwärmen.

3 Kapern, Kapernsud und Petersilie unterrühren. Sauce evtl. mit Salz und Pfeffer nachwürzen. Dazu passen Salzkartoffeln und geröstete Pinienkernen.

Zubereitungszeit: 40 Minuten
Pro Portion: 31 g E, 44 g F, 14 g KH = 577 kcal (2417 kJ)

MACH MICH RUND!
Gleich große und formschöne Buletten im Handumdrehen: Dank eines Eiskugelportionierers kein Problem! Einfach in kleinen Mengen die Hackmasse abstechen – für den letzten Schliff die Klopse mit nassen Händen nachformen.

Nur keine Langeweile

DEM APRIL wird ja gern eine gewisse Wechselhaftigkeit nachgesagt. Von Unbeständigkeit ist die Rede, von Launenhaftigkeit gar. Das kann man aber auch ins Positive wenden: Es kommt keine Langeweile auf, nichts ist vorhersehbar, hier herrscht muntere Abwechslung. Genauso ist es mit den Rezepten für den April. Nie werden Sie sagen: Schon wieder das ...! Lassen Sie sich jeden Tag aufs Neue überraschen.

Lammrücken

*Lammrückenfilet, auch Lammlachs genannt, schmeckt am besten
rosa gebraten – dann ist es saftig und zart*

Für 4 Portionen:

150 g Zwiebeln

50 g Butter

4 El Olivenöl

2 Stiele Thymian

50 g Semmelbrösel

35 g gehackte Haselnuss-
kerne

2 El gehackte glatte
Petersilie

Salz

Pfeffer

4 Lammrückenfilets (à 200 g)

2 El Aceto balsamico

125 ml Marsala (ital. Dessert-
wein) oder Sherry (medium)

200 ml Geflügelbrühe

Saucenbinder für dunkle
Saucen

1 Zwiebeln fein würfeln. In 20 g Butter
und 2 El Olivenöl bei mittlerer Hitze
hellbraun braten. Thymianblättchen
abzupfen, grob hacken, dazugeben und
kurz mitbraten.

2 Zwiebeln in einer Schüssel abkühlen
lassen. 30 g Butter, Semmelbrösel,
Haselnüsse und Petersilie untermi-
schen. Mit Salz und Pfeffer würzen.

3 Lammrückenfilets salzen und pfef-
fern. 2 El Olivenöl in einer Pfanne er-
hitzen und das Fleisch
bei starker Hitze von jeder Seite scharf
anbraten. Fleisch in eine ofenfeste
Form legen. Die Bröselmischung
darauf verteilen.

4 Im vorgeheizten Ofen bei 210 Grad
(Umluft 190 Grad) auf der 2. Schiene
von unten 10–12 Min. goldbraun
braten.

5 Die Pfanne wieder auf den Herd
stellen, Balsamico und Marsala dazu-
gießen und auf die Hälfte einkochen
lassen. Brühe zugießen, aufkochen
und mit Saucenbinder binden, salzen
und pfeffern. Fleisch kurz ruhen lassen
und mit der Sauce servieren.

Zubereitungszeit: 35 Minuten
Pro Portion: 44 g E, 33 g F, 18 KH =
546 kcal (2286 kJ)

KRUSTE TOTAL
Bröselmischung locker auf dem Fleisch
verteilen, dann wird sie besonders knusprig.

Schnelles Kräuter-Kartoffelpüree

*Sieht sensationell aus und schmeckt auch so –
und das alles problemlos in 15 Minuten*

Für 2 Portionen: 1 2 El gemischte gehackte **Kräuter** (Kerbel,
Petersilie, Dill und Schnittlauch) mit 3 El **Olivenöl** mischen und mit
dem Schneidstab fein pürieren. **2** 1 Pk. **Kartoffelpüree** nach
Packunganweisung zubereiten. Die Hälfte des Pürees mit dem Kräuter-
öl (bis auf 2 El) mischen und unter das restliche Püree heben.
Mit dem restlichen Öl beträufeln.

* **Zubereitungszeit: 15 Minuten Pro Portion:** 4 g E, 15 g F, 36 g KH = 298 kcal (1251 kJ)

Schollenröllchen

Raffiniert, edel und in 45 Minuten fertig: Kräuter-Schollenröllchen mit Weißweinsauce und feinen Gemüsestreifen

Für 4 Portionen: **1** 4 doppelte **TK-Schollenfilets** (à 160 g) auftauen lassen. Blätter von je ½ Bund **Petersilie** und **Kerbel** abzupfen und fein hacken. Schollenstücke längs in je 2 Filets schneiden, leicht salzen und pfeffern. Mit je ½ Tl **Kräutersenf** bestreichen. Mit den Kräutern bestreuen, aufrollen und mit Holzspießchen feststecken.
2 Je 150 g **Möhren**, **Frühlingszwiebeln** und **Zuckerschoten** putzen und in dünne, ca. 5 cm lange Stifte schneiden. In 2 El zerlassener **Butter** andünsten. 3 Tl **Mehl** und 1 Briefchen **Safranfäden** (0,1 g) kurz mit-dünsten. **3** Mit 100 ml **Weißwein** ablöschen. 150 ml **Gemüsefond** und 100 g **Crème fraîche** zugeben, kurz aufkochen. Mit Salz, Pfeffer und 1 Prise **Zucker** würzen. Schollenröllchen auf das Gemüse setzen. Zugedeckt bei mittlerer Hitze 8 Min. gar ziehen lassen. Röllchen nach 4 Min. wenden. Dazu passt eine Wildreis-Mischung.

* **Zubereitungszeit:** 45 Minuten **Pro Portion:** 31 g E, 17 g F, 8 g KH = 319 kcal (1333 kJ)

Radieschen-Petersilien-Suppe

Frühlingshafter Menüeinstieg mit cremiger Suppe. Das Besondere:
Frisches Radieschengrün verleiht ihr zarte Schärfe

Für 4 Portionen: **1** 1 Bund **Radieschen** putzen und in dünne Scheiben
schneiden. Die inneren Blättchen fein hacken. Blätter von 1 Bund
Petersilie abzupfen und hacken. 1 **Zwiebel** fein würfeln, mit ⅔ der
Radieschen in 1 El zerlassener **Butter** andünsten. 600 ml **Gemüsebrühe**
zugießen, aufkochen und zugedeckt 5 Min. bei milder Hitze kochen las-
sen. **2** Petersilie (bis auf 2 El) und **Radieschengrün** zugeben und am
besten im Küchenmixer sehr fein pürieren. Mit 150 ml **Schlagsahne**
erneut kurz aufkochen. 3 El **Kartoffelpüreeflocken** einrühren, 1 Min.
ziehen lassen. Suppe mit Salz, Pfeffer und **Muskat** würzig abschmecken.
Mit übrigen Radieschenscheiben und Petersilie anrichten.

Schokoladenauflauf

Der Clou steckt im Inneren: Der Kern des Auflaufs
ist eine Eierlikörpraline, die beim Garen schmilzt

Für 6 Portionen:

100 g Halbbitter-Kuvertüre

100 g Butter

4 Eier (Kl. M, getrennt)

50 g Mehl

50 g gemahlene Mandeln

Salz

50 g Zucker

Fett und Zucker
für die Förmchen

4 Pralinen mit Eierlikör-
füllung

150 ml Schlagsahne

12 El Eierlikör

1 Kuvertüre hacken, mit der Butter bei milder Hitze zerlassen. In eine Schüssel füllen. Die Eigelb nacheinander gut unterrühren. Mehl und Mandeln unterrühren. Eiweiß mit 1 Prise Salz steif schlagen, Zucker einrieseln lassen, 3 Min. weiterschlagen, unter die Schokoladenmasse heben.

2 6 Tassen (à 150 ml) fetten und mit Zucker ausstreuen. ²/₃ der Masse in die Förmchen geben. Je 1 Praline in die Mitte setzen, übrige Schokoladenmasse darauf geben. Im vorgeheizten Ofen bei 180 Grad (Umluft 20 Min. bei 160 Grad) auf der 2. Schiene von unten 25 Min. backen.

3 Sahne halb steif schlagen. Aufläufe aus den Tassen stürzen, mit Sahne und Eierlikör anrichten.

* **Zubereitungszeit:** 50 Minuten
Pro Portion: 9 g E, 31 g F, 40 g KH =
495 kcal (2073 kJ)

HEISSE KÜSSE
1 Schokokuss bei 300 Watt 15 Sek. in der Mikrowelle erhitzen, dann mit 1–2 El Eierlikör beträufeln und sofort servieren.

131

Spargel-Nudeln

Die restliche Pfefferbutter wird bestimmt nicht schlecht:
Sie schmeckt ganz toll zu gegrillten Steaks

Für 2 Portionen: **1** 2 Tl **grünen Pfeffer** (Glas) abtropfen lassen
und fein hacken. 1 **Knoblauchzehe** fein hacken. 120 g zimmerwarme
Butter mit den Quirlen des Handrührers cremig rühren, 1 El **Zitronen-
saft**, Knoblauch und grünen Pfeffer unterrühren und salzen. Die
Butter als Streifen auf Frischhaltefolie verteilen, fest einrollen und
ca. 1 Std. in den Kühlschrank legen. **2** 500 g **grünen Spargel** waschen,
das untere Drittel schälen und die holzigen Enden abschneiden.
Die Stangen schräg in 4–5 cm lange Stücke schneiden. ½ Bund **Kerbel**
abzupfen und grob hacken. **3** 250 g **Tagliatelle** nach Packungsanwei-
sung in reichlich Salzwasser garen. 3 El von der Pfefferbutter in eine
Pfanne geben und zerlassen. Spargel dazugeben und bei starker
Hitze 4–6 Min. braten. **4** Nudeln abgießen. Spargel und Kerbel zu den
Nudeln geben und gut vermischen. Mit Salz und nach Geschmack
etwas Zitronensaft abschmecken.

Zubereitungszeit: 25 Minuten (plus Kühlzeit)
Pro Portion: 18 g E , 22 g F, 90 g KH = 637 kcal (2670 kJ)

Pappardelle Waldorf

Witzig: die Zutaten des berühmten Waldorfsalats im Nudelgericht!

Für 2 Portionen: **1** 200 g **Staudensellerie** waschen, putzen und mit dem Sparschäler in lange Streifen hobeln. 50 g **Walnusskerne** hacken. 1 **rotbackigen Apfel** (ca. 250 g) waschen, achteln, entkernen, in ca. 2 mm dicke Stücke schneiden und sofort mit 1 El **Zitronensaft** beträufeln. 1 kleine **Zwiebel** grob würfeln.

2 250 g **Pappardelle** nach Packungsanweisung in reichlich Salzwasser kochen. 30 Sek. vor Ende der Garzeit die Selleriestreifen zugeben und dann alles abgießen. In der Zwischenzeit 1 El **Öl** in einer Pfanne erhitzen, die Zwiebeln und Apfelstücke bei starker Hitze 2 Min. anbraten und mit Salz und Pfeffer würzen. Aus der Pfanne nehmen.

3 Bratsatz mit 100 ml **Gemüsebrühe** und 100 ml **Schlagsahne** ablöschen, 2–3 Min. bei starker Hitze einkochen lassen. Mit 1–2 El Zitronensaft, Salz und Pfeffer würzig abschmecken. Nudelmischung, Äpfel und Zwiebeln in der Sauce kurz erhitzen. Mit den gehackten Walnüssen bestreuen.

Zubereitungszeit: 20 Minuten
Pro Portion: 21 g E, 40 g F, 105 g KH = 868 kcal (3676 kJ)

Geschichteter Rhabarberquark

Rhabarber kann je nach Sorte und Sonneneinfall sehr sauer sein.
Probieren Sie deshalb das Kompott und zuckern Sie notfalls nach

Für 4 Portionen:

1 800 g **Rhabarber** (am besten rotstieligen) putzen, evtl. abziehen. In ca. 1,5 cm große Würfel schneiden. 100 g **Erdbeerkonfitüre** und 100 ml **Rhabarbersaft** (oder **Traubensaft**) aufkochen. Rhabarber zugeben, aufkochen, 2 Min. köcheln lassen. 1 gehäuften El **Speisestärke** und 4 El Rhabarbersaft glatt rühren. Vorsichtig unter den Rhabarber rühren, erneut kurz aufkochen, in eine Schüssel füllen und abkühlen lassen.

2 400 g **Sahnequark**, 4 El **Puderzucker** und 1 Pk. **Vanillezucker** mit den Quirlen des Handrührers 3 Min. cremig aufschlagen. Quark und abgekühltes Kompott in Gläser schichten.

* **Zubereitungszeit:** 25 Minuten (plus Kühlzeit)
Pro Portion: 10 g E, 10 g F, 38 g KH = 300 kcal (1253 kJ)

Eierlikörschnitten

So manche Frau (und so mancher Mann) hat eine heimliche Schwäche für Eierlikör. Bei diesem Kuchen dürfen wir sie endlich ausleben!

Für 20 Stücke: 1 6 **Eiweiß** (Kl. M) und 1 Prise Salz steif schlagen. Wenn das Eiweiß halb steif ist, nach und nach 180 g **Zucker** einrieseln lassen und 3 Min. weiterschlagen. 6 Eigelb kurz unterrühren. 90 g **Mehl**, 1½ El **Kakao**, 2 El **Speisestärke** und 3 Tl **Backpulver** sieben und mit 250 g gemahlenen **Haselnusskernen** unter die Eimasse heben. **2** Masse auf ein mit Backpapier belegtes Blech (40 x 30 cm) streichen. Im vorgeheizten Ofen bei 180 Grad (Umluft 160 Grad) auf der 2. Schiene von unten 18–20 Min. backen. Abkühlen lassen. Mit 250 g **Preiselbeerkompott** bestreichen. **3** 600 ml **Schlagsahne** mit 1 Pk. **Vanillezucker** und 2 Pk. **Sahnesteif** steif schlagen. Auf den Teig streichen und mit einem Löffelrücken Wellen hineindrücken. 150 ml **Eierlikör** darauf verteilen. Mit 5 El **Schokoladenraspeln** garnieren.

* Zubereitungszeit: 50 Minuten (plus Kühlzeit)
Pro Stück: 6 g E, 20 g F, 26 g KH = 312 kcal (1307 kJ)

Gemüsecarpaccio

Wie im Restaurant, aber ganz einfach gemacht: dünn gehobelte Möhren, Kohlrabi und Zucchini mit Tomaten-Vinaigrette und Pinienkernen

Für 4 Portionen: **1** 1 kleinen **Kohlrabi** (ca. 200 g) und 1 große **Möhre** (ca. 100 g) schälen, mit 150 g **Zucchini** in sehr dünne Scheiben hobeln oder schneiden. Die Scheiben auf 4 Teller verteilen. 1–2 El **Pinienkerne** in einer Pfanne ohne Fett anrösten, abkühlen lassen. Blätter von 1 Topf **Basilikum** abzupfen, in feine Streifen schneiden. **2** 200 g **Tomaten** vierteln, entkernen und fein würfeln. 3 El **Balsamico bianco**, etwas Salz, Pfeffer, 1 Prise **Zucker**, 1 durchgepresste **Knoblauchzehe** und 6 El **Olivenöl** verrühren. Tomaten und Basilikum zugeben, über das Gemüse träufeln, mit Pinienkernen bestreuen.

Zubereitungszeit: 30 Minuten **Pro Portion:** 3 g E, 18 g F, 8 g KH = 205 kcal (860 kJ)

Hähnchenkeulen vom Blech

Ein Hauch von Süden: Hähnchen mit viel Gemüse, Olivenöl und Oregano,
unkompliziert vom Blech und mit Basilikumschmand serviert

Für 4 Portionen: **1** 400 g **Möhren** schälen und in Stücke schneiden.
250 g **Staudensellerie** putzen und in Stücke schneiden. 4 **Hähnchen-**
keulen (à 250 g) mit Salz und Pfeffer würzen. In einer Pfanne in
3 El **Olivenöl** rundherum knusprig anbraten, auf ein tiefes Blech legen.
Dann Möhren und Sellerie in 1 El Olivenöl andünsten. **2** Mit Salz,
Pfeffer, 2 Tl getrocknetem **Oregano** und 1 durchgepressten **Knob-**
lauchzehe würzen. 200 ml **Geflügelfond** angießen, aufkochen, auf dem
Blech verteilen. Im vorgeheizten Ofen bei 200 Grad (Umluft 180 Grad)
auf der 2. Schiene von unten 40 Min. garen. Nach 30 Min. 150 g **Kirsch-**
tomaten und 100 g **schwarze Oliven** dazugeben. **3** Blätter von 1 Topf
Basilikum abzupfen, in feine Streifen schneiden, mit 200 g **Schmand**,
etwas Salz, Pfeffer und 1 durchgepressten Knoblauchzehe verrühren.
Zu Hähnchen und Gemüse servieren. Dazu passt Baguette.

* **Zubereitungszeit:** 55 Minuten **Pro Portion:** 37 g E, 41 g F, 8 g KH = 552 kcal (2308 kJ)

Coq au vin

Lässt sich bestens vorbereiten: der Klassiker aus der französischen Bistro-Küche in der kräftigen Version mit Rotwein und Speck

Für 2 Portionen:

100 g durchwachsener Speck

1 Hähnchenbrust mit Knochen (650 g)

150 g kleine Champignons

2 Zwiebeln

2 Knoblauchzehen

1 El Öl

Salz

300 ml fruchtiger Rotwein

100 ml Geflügelbrühe (Instant)

75 g Perlzwiebeln (Glas)

½ Bund Petersilie

Saucenbinder für dunkle Saucen

Pfeffer

1 Speck in feine Würfel schneiden. Hähnchenbrust längs halbieren und die Hälften in jeweils 3 Stücke hacken. Champignons putzen. Zwiebeln und Knoblauch fein würfeln.

2 Öl in einem Bräter erhitzen, Speck darin knusprig braten und herausnehmen. Champignons im Fett rundherum kräftig anbraten, salzen und herausnehmen. Hähnchen salzen und im heißen Fett von allen Seiten kräftig anbraten. Zwiebeln und Knoblauch dazugeben und bei mittlerer Hitze unter Rühren 1 Min. andünsten.

3 Wein und Brühe in den Bräter gießen, aufkochen. Fleisch zugedeckt bei mittlerer Hitze 30 Min. garen, dabei einige Male wenden. Perlzwiebeln abtropfen lassen. Petersilienblätter abzupfen und hacken. 10 Min. vor Ende der Garzeit Speck, Champignons und Perlzwiebeln in den Bräter geben.

4 Die Sauce mit etwas Saucenbinder nach Packungsanweisung binden, mit Salz und Pfeffer würzen. Mit der Petersilie bestreuen.

Zubereitungszeit: 1 Stunde
Pro Portion: 66 g E, 46 g F, 13 g KH = 750 kcal (3142 kJ)

MIT ROTWEIN KOCHEN
Zum Kochen keine schweren Barrique-Weine nehmen, weil sich der „Holzton" noch verstärkt. Besser sind fruchtbetonte Rote.

Kerbel-Senf-Eier

Sie sind das unangefochtene Lieblingsgericht der Redaktion:
Senf-Eier, hier frühlingshaft mit zartem Kerbel

Für 2 Portionen: **1** 2 **Zwiebeln** fein würfeln, in 20 g **Butter** glasig
dünsten. Mit 20 g **Mehl** bestreuen und kurz anschwitzen.
2 350 ml **Milch** unter Rühren angießen, aufkochen und 15 Min.
bei mittlerer Hitze unter Rühren kochen. 3–4 El scharfen
Senf und 1 El gehackten **Kerbel** unterrühren. Salzen, pfeffern und
warm halten. **3** 4 **Eier** in kochendes Wasser geben, 7 Min.
kochen, abschrecken und pellen. Eier mit der Sauce servieren.

Zubereitungszeit: 35 Minuten
Pro Portion: 25 g E, 30 g F, 20 g KH = 446 kcal (1870 kJ)

Sesam-Zuckerschoten

Etwas Sojasauce, Chili und gerösteter Sesam – und schon werden Zuckerschoten zur asiatischen Beilage

Für 2 Portionen: **1** 250 g **Zuckerschoten** putzen, 1 Min. in Salzwasser kochen, abgießen und abschrecken. 2 Tl **Sesam** in einer Pfanne ohne Fett rösten und herausnehmen. 1 **Frühlingszwiebel** putzen und in feine Ringe schneiden. ½ entkernte **Chilischote** in feine Streifen schneiden. **2** 1–2 El **Öl** in einer Pfanne erhitzen. Zuckerschoten, Frühlingszwiebeln und Chili bei starker Hitze darin kurz anbraten. Sesam dazugeben, mit etwas **Zucker** bestreuen, salzen und pfeffern. Vom Herd nehmen und mit 1 Tl **Sojasauce** mischen.

*Zubereitungszeit: 10 Minuten **Pro Portion**: 3 g E, 16 g F, 7 g KH = 186 kcal (780 kJ)

Austernpilze in Sahne

Wer mag, kann die sahnig-würzigen Pilze auch einfach mit Baguette als raffinierte Vorspeise servieren

Für 2 Portionen: **1** 300 g **Austernpilze** putzen. 50 g **getrocknete Tomaten in Öl** abtropfen lassen, in feine Streifen schneiden. 2 **Frühlingszwiebeln** putzen und in 2 cm lange Stücke schneiden. **2** 2 El **Öl** in einer Pfanne erhitzen. Pilze darin bei starker Hitze 2 Min. kräftig anbraten. Tomaten, Zwiebeln und 100 ml **Schlagsahne** dazugeben und aufkochen. ½ Tl gerebelten **Thymian** dazugeben, salzen und pfeffern.

Zubereitungszeit: 15 Minuten Pro Portion: 5 g E, 28 g F, 7 g KH = 290 kcal (1214 kJ)

Nudel-Frittata

Das knusprige Nudelnest wird mit Kirschtomaten, Paprika und Schafskäse im Ofen gebacken

Für 2 Portionen: **1** 1 **rote Paprikaschote** vierteln, entkernen und grob würfeln. 1 **Zwiebel** in Streifen schneiden. 3 **Eier** mit 1 El gehackter **Petersilie** verquirlen. **2** 2 El **Öl** in einer beschichteten Pfanne erhitzen. Paprikaschote und Zwiebeln 2 Min. bei mittlerer Hitze andünsten. 1 **Knoblauchzehe** dazupressen. 300 g gekochte **Fusilli–Nudeln** dazugeben, salzen und pfeffern. Ei unterziehen und vom Herd nehmen. **3** 6 **Kirschtomaten** und 75 g zerbröckelten **Schafskäse** auf der Frittata verteilen und im vorgeheizten Ofen bei 190 Grad (Umluft 170 Grad) auf der 2. Schiene von unten 20 Min. backen.

* **Zubereitungszeit:** 50 Minuten **Pro Portion:** 26 g E, 29 g F, 42 g KH = 533 kcal (2233 kJ)

Rhabarber-Himbeer-Crumble

Gemischtes Doppel: heiße Himbeeren und Rhabarber mit Zimtstreuseln und kaltem Vanilleeis

Für 4 Portionen: **1** 400 g **Rhabarber** putzen und in 2 cm große Stücke schneiden. Mit 150 g **TK-Himbeeren**, 40 g **Zucker** und 1 Pk. **Vanille-zucker** mischen. In 4 feuerfeste Förmchen (à 12 cm Ø) oder in 1 große Form (30 cm Länge) füllen. 1 El **Vanille-Puddingpulver** und 6 El **Orangensaft** verrühren, darüber verteilen. **2** 60 g **Butter** zerlassen, mit 100 g **Mehl**, 40 g Zucker und ½ Tl **Zimtpulver** zu Streuseln kneten. Über das Obst geben. Im vorgeheizten Ofen bei 200 Grad (Umluft 180 Grad) auf der untersten Schiene 25 Min. backen. Mit 1 El **Puderzucker** bestäuben und mit **Vanilleeis** servieren.

* Zubereitungszeit: 50 Minuten Pro Portion: 4 g E, 13 g F, 48 g KH = 333 kcal (1396 kJ)

Karamell-Joghurt-Creme

Karamellcreme wie vom Profi – aber ohne großen Aufwand
aus Vanillejoghurt und fertiger Karamellsauce

Für 6 Portionen: **1** 4 Blatt **Gelatine** in kaltem Wasser einweichen.
300 g **Vollmilchjoghurt**, 300 g **Vanillejoghurt** und 40 g **Puderzucker** ver-
rühren. 3 El **Orangensaft** erwärmen, die ausgedrückte Gelatine darin
auflösen, unter den Joghurt rühren. In 4 Tassen (à 150 ml) füllen.
Mind. 4 Std. kalt stellen. **2** Creme am Rand mit einem kleinen Messer
lösen. Die Tassen kurz in heißes Wasser tauchen und die Creme
auf Teller stürzen. Je 2 El **Karamellsauce** (Flasche) darüber geben.

* **Zubereitungszeit**: 25 Minuten (plus Kühlzeit)
  Pro Portion: 8 g E , 5 g F, 31 g KH = 222 kcal (928 kJ)

Romanesco-Quark-Gratin

*Natürlich kann man das Quark-Gratin auch mit Blumenkohl
zubereiten – aber schicker sieht es mit den grünen Röschen aus*

Für 2 Portionen: **1** 800 g <u>Romanesco</u> putzen, in Röschen schneiden
und 4 Min. in kochendem Salzwasser garen. Abgießen und ab-
schrecken. **2** 2 <u>Eigelb</u>, 75 g <u>Quark</u>, 1 El <u>Olivenöl</u>, 5 El <u>Milch</u> und 1 El
gehackte <u>Petersilie</u> verrühren. Salzen und pfeffern. 2 El <u>Mehl</u>
unterrühren. 2 <u>Eiweiß</u> mit 1 Prise Salz steif schlagen, unter die Masse
heben. **3** Teig in eine ofenfeste Form (30 cm Ø) füllen. Romanesco
auf dem Teig verteilen, salzen und pfeffern. Im vorgeheizten Ofen bei
210 Grad (Umluft nicht empfehlenswert) auf der 2. Schiene von
unten 15 Min. backen.

Zubereitungszeit: 35 Minuten Pro Portion: 21 g E, 13 g F, 20 g KH = 288 kcal (1210 kJ)

Medaillons mit Rhabarber

Wer Rhabarber nur für Desserts verwendet, hat bisher etwas verpasst.
Er schmeckt einfach wunderbar mit Fleisch!

Für 2 Portionen: **1** 50 g **Zucker**, 25 g **Butter**, 3 El **Apfelessig** und
10 **grüne Pfefferkörner** in einer Pfanne aufkochen und 5 Min. kochen
lassen. **2** 250 g **Rhabarber** putzen und in Würfel schneiden. In die
Pfanne geben und 5–6 Min. leise kochen. Mit Salz und Pfeffer würzen
und warm halten. **3** In einer zweiten Pfanne 2 El **Öl** erhitzen.
2 **Schweinefiletmedaillons** (à 75 g) salzen und im heißen Fett von jeder
Seite 5 Min. bei mittlerer bis starker Hitze rundum kräftig braten.
Mit dem Rhabarber servieren.

Zubereitungszeit: 30 Minuten
Pro Portion: 17 g E, 22 g F, 26 g KH = 375 kcal (1570 kJ)

Pasta e Fagioli

*Das traditionelle italienische Gericht aus Nudeln und Bohnen
gibt es in zahlreichen Varianten. Hier unser Favorit*

Für 2 Portionen: **1** 50 g durchwachsenen **Speck** und 50 g **Zwiebeln**
würfeln, in 2 El **Olivenöl** glasig dünsten. 2 **Knoblauchzehen**
dazupressen. 750 ml **Gemüse-** oder **Geflügelfond** und 1 Dose
Pizzatomaten (450 g EW) dazugeben und zum Kochen bringen.
2 275 g **TK-Suppengemüse** dazugeben, 20 Min. bei milder
Hitze kochen lassen. 1 Dose **weiße Bohnen** (425 g EW)
3 Min. vor Ende der Garzeit dazugeben. Salzen und pfeffern.
3 150 g **Suppennudeln** nach Packungsanweisung in Salz-
wasser kochen, abtropfen lassen und zur Suppe geben. Etwas
gehackte **Petersilie** in die Suppe geben und mit geriebenem
Parmesan servieren.

Zubereitungszeit: 40 Minuten
Pro Portion: 32 g E,
24 g F, 78 g KH =
662 kcal (2780 kJ)

Currymöhren

*Das urdeutsche Wurzelgemüse zeigt hier ganz neue
Seiten: mit Curry und Mango geradezu frivol*

Für 2 Portionen: **1** 500 g __Möhren__ schälen und
schräg in 5 mm dicke Scheiben schneiden.
2 25 g __Butter__ in einer beschichteten Pfanne
erhitzen. Die Möhren dazugeben, 3 Min. andünsten,
mit 1 Tl __Currypulver__ bestreuen. 3 El Wasser dazugeben.
Zugedeckt 5 Min. köcheln lassen. **3** 150 ml __Schlagsahne__
zugeben und weitere 3 Min. garen. 200 g __Mangofruchtfleisch__ in
Würfel schneiden. **4** Am Ende der Garzeit die Mango unter die Möhren
heben, mit Salz, Pfeffer und 1 El __Zitronensaft__ würzen. Mit etwas
__Koriandergrün__ bestreuen.

Zubereitungszeit: 20 Minuten **Pro Portion**: 4 g E, 34 g F, 24 g KH = 418 kcal (1752 kJ)

Lengfisch mit Spargelsalat

*Geniale Dinge sind einfach: wie dieser gebratene Lengfisch auf
lauwarmem Spargelsalat mit Kerbel-Honig-Vinaigrette*

Für 2 Portionen: 1 300 g **grünen Spargel** waschen und das untere
Drittel abschneiden. Spargel in feine Scheiben schneiden. 2 Min.
in Salzwasser kochen, abgießen, abschrecken und abtropfen lassen.
2 1 **rote Zwiebel** fein würfeln, im Sieb 1 Min. in heißes Wasser
tauchen. Mit 5 El **Öl**, 2–3 El **Zitronensaft**, Salz, Pfeffer und 1 Tl **Honig**
verrühren. Spargel hineingeben und kurz marinieren. Mit Salz und
Pfeffer würzen. 1 Tl gehackten **Kerbel** untermischen. **3** 2 **Lengfisch-
filets** (à 175 g) salzen, in **Mehl** wenden und bei mittlerer Hitze in 1 El
Öl von beiden Seiten 3–4 Min. braten. Auf dem Spargelsalat servieren.

Zubereitungszeit: 30 Minuten **Pro Portion:** 36 g E, 31 g F, 13 g KH = 478 kcal (2002 kJ)

Karibischer Reis

Den raffinierten Kokosgeschmack können Sie noch verstärken,
wenn Sie etwas frische, gehobelte Kokosnuss über den Reis geben

Für 2 Portionen: **1** 1 <u>**rote Chilischote**</u> längs halbieren, entkernen
und in Streifen schneiden. 1 <u>**Zwiebel**</u> würfeln. Beides in 2 El <u>**Olivenöl**</u>
mit 1 Tl <u>**Kreuzkümmel**</u> 1 Min. bei mittlerer Hitze andünsten. 150 g
<u>**Basmati-Reis**</u> dazugeben und 30 Sek. andünsten. **2** 200 ml <u>**Kokos-**</u>
<u>**milch**</u> und 200 ml <u>**Gemüsebrühe**</u> dazugießen, umrühren und zum
Kochen bringen. Bei milder Hitze zugedeckt 20 Min. quellen lassen.
3 Mit etwas <u>**Koriandergrün**</u> bestreuen.

* **Zubereitungszeit:** 35 Minuten **Pro Portion:** 6 g E, 11 g F, 66 g KH = 386 kcal (1618 kJ)

Kartoffelgratin mit grünem Pfeffer

Gelingt auch Anfängern mühelos: Alle Zutaten werden roh eingeschichtet, den Rest erledigt der Backofen

Für 2 Portionen: **1** 500 g **Kartoffeln** schälen und in dünne Scheiben schneiden. 2 **rote Zwiebeln** streifig schneiden. Kartoffeln und Zwiebeln in einer Schüssel mischen und salzen. **2** 200 ml **Schlagsahne** mit ½ Tl gehacktem **Thymian** und 2 Tl grob gehackten **grünen Pfeffer-körnern** (Glas) aufkochen. Über die Kartoffeln gießen, mischen und in eine gefettete ofenfeste Form füllen. Im vorgeheizten Ofen bei 200 Grad (Umluft 180 Grad) 35–40 Min. garen.

Zubereitungszeit: 1 Stunde **Pro Portion**: 7 g E, 30 g F, 34 g KH = 438 kcal (1837 kJ)

Burgunderspinat

Verblüffend wirkungsvoll: Der Blattspinat wird zubereitet wie gewöhnlich, nur gart er dabei in Rotwein, was ihn äußerst raffiniert macht

Für 2 Portionen: **1** 375 g **Spinat** putzen, waschen und grob hacken.
2 **Schalotten** fein würfeln. 1 **Knoblauchzehe** durch die Presse drücken.
2 Zwiebeln und Knoblauch in 25 g **Butter** bei milder Hitze 3–4 Min.
glasig dünsten. 200 ml kräftigen **Rotwein** angießen und sirupartig
einkochen lassen. **3** Spinat in den Topf geben und zugedeckt
2–3 Min. unter Rühren garen. Salzen und pfeffern.

Zubereitungszeit: 20 Minuten
Pro Portion: 4 g E, 11 g F, 2 g KH = 143 kcal (597 kJ)

Asiatischer Rinderbraten

*Eine gelungene Verbindung: Der Braten wird auf westliche Art
zubereitet, für die Sauce kommen östliche Aromen ins Spiel*

Für 4 Portionen:

2 El flüssiger Honig

3 El Sojasauce

1 El Zitronensaft

Salz

Pfeffer

2 getr. rote Chilischoten

2 Kapseln Sternanis

1 kg Rinderhüfte im Stück

3 El Öl

150 ml Weißwein

250 ml Rinderfond

2 Bund Frühlingszwiebeln

Saucenbinder für dunkle
Saucen

RUHE SANFT
Während der Ruhezeit entspan-
nen sich die Fasern des Bratens,
und der Saft verteilt sich gleich-
mäßig. Erst dann ist das Fleisch
wirklich saftig und zart.

1 Honig, Sojasauce und Zitronensaft
mit etwas Salz und Pfeffer verrühren.
Chili zerbröseln, Sternanis zerkleinern
und dazugeben. Das Fleisch samt der
Marinade in einen Gefrierbeutel geben.
Fest verschließen und die Marinade
über das ganze Fleisch verteilen. Mind.
2 Std. im Kühlschrank marinieren.

2 Das Fleisch aus der Marinade
nehmen (Marinade aufheben) und im
heißen Öl von allen Seiten kräftig
anbraten. Mit der Marinade und dem
Weißwein ablösen, Brühe dazugie-
ßen und aufkochen, beiseite stellen.
Das Fleisch auf ein Backblech geben
und bei 200 Grad (Umluft 180 Grad)
auf der 2. Schiene von unten 25 Min.
braten.

3 Die Frühlingszwiebeln putzen und
in 6 cm lange Stücke schneiden. An
jedem Ende mehrmals mit einem
scharfen Messer einschneiden und
die Stücke in kaltes Wasser legen.

4 Das Fleisch in Alufolie gewickelt
ca. 7 Min. ruhen lassen. Sauce erneut
aufkochen. Mit etwas Saucenbinder
binden, salzen, pfeffern und durch ein
feines Sieb gießen. Fleisch in Scheiben
schneiden und mit der Sauce und den
abgetropften Frühlingszwiebeln servie-
ren.

*** Zubereitungszeit:** 40 Minuten
(plus Zeit zum Marinieren)
Pro Portion: 53 g E, 19 g F, 14 g KH =
446 kcal (1869 kJ)

Gebackene Schoko-Eier

*Als süßes Geschenk fürs Nest
oder zum Selberessen*

Für 18 Stück:
1 1 Pk. **Schoko-Kuchen-Back-mischung** (485 g, Dr. Oetker) mit
3 **Eiern** (Kl. M), 100 ml **Milch**
und 150 g weicher **Butter** nach
Packungsanweisung verrühren.
Die Hälfte des Teigs in eine ge-
fettete Eierform (9 Mulden, z. B.
von Kaiser, ersatzweise Muffin-
form) füllen. Im vorgeheizten
Ofen bei 180 Grad (Umluft
160 Grad) auf der 2. Schiene von
unten 15 Min. backen. **2** Aus
der Form lösen und den übrigen
Teig ebenso backen. 100 g **Halb-bitter–Kuvertüre** hacken, mit
der Fettglasur aus der Packung
über einem heißen Wasserbad
auflösen. 150 g **weiße Kuver-türe** hacken und ebenfalls auf-
lösen. 9 Eier mit weißer Kuver-
türe und 9 Eier mit der dunklen
Mischung überziehen, trock-
nen lassen. **3** Übrige flüssige
Kuvertüren in je 1 Einmal-
Spritzbeutel füllen und eine
kleine Spitze abschneiden.
Eier nach Belieben verzieren.

Zubereitungszeit: 1 Stunde
(plus Kühlzeiten)
Pro Stück: 4 g E, 15 g F, 27 g KH =
259 kcal (1090 kJ)

Schokokuss-Eis

Hier dürfen auch Erwachsene ihrer heimlichen Schokokuss-Lust frönen. Und die Waffelböden? Die werden vom Koch verputzt

Für 2 Portionen: 1 Waffelböden von 4 **Schokoküssen** ablösen, die Schaummasse mit einer Gabel zerdrücken und mit ¼ Tl abgeriebener **Orangenschale (unbehandelt)** vermischen. 150 ml **Schlagsahne** steif schlagen und unter die Schokokuss-Masse heben. **2** Die Masse in eine flache Form geben, mit Frischhaltefolie abdecken und ca. 2 Std. einfrieren. Dabei 2- bis 3-mal mit einem Löffel durchrühren. **3** 4 Kugeln aus der Eismasse formen, in 2 Eisbecher geben und mit je 2 El **Eierlikör** begießen. Jeweils mit einer Schokowaffel dekorieren.

Zubereitungszeit: 10 Minuten (plus Zeit zum Gefrieren)
Pro Portion: 6 g E, 29 g F, 40 g KH = 463 kcal (1940 kJ)

Kalbsmettröllchen

Kein Wunder, dass Rouladen unser aller Lieblingsessen sind:
Diese göttlichen Röllchen sind Beweis genug

Für 2 Portionen:

3 dünne Kalbsschnitzel
(à ca. 100 g)

Salz

Pfeffer

1 Bund Petersilie

100 g Schweinemett

3 El Kräuterquark

1 Eigelb (Kl. M)

1 Zwiebel

2 El Öl

200 ml Kalbsfond

8 El Schlagsahne

½ El heller Saucenbinder

1 Kalbsschnitzel quer halbieren, Stücke nacheinander in einen Gefrierbeutel geben, mit einem schweren Topf oder einer Pfanne flach klopfen. Stücke salzen und pfeffern. Petersilie abzupfen und fein hacken. ⅔ davon mit dem Mett, Quark und Eigelb verkneten.

2 Masse auf die Schnitzel streichen, die Seiten über die Füllung klappen, Stücke fest aufrollen und mit Zahnstochern feststecken. Zwiebel fein würfeln. Röllchen in einer Pfanne im heißen Öl rundherum scharf anbraten, herausnehmen. Zwiebeln im Bratsatz andünsten.

3 Kalbsfond und Sahne angießen, aufkochen, Röllchen zugeben und zugedeckt bei mittlerer Hitze 10 Min. schmoren. Die Röllchen nach der Hälfte der Zeit wenden. Sauce mit dem Saucenbinder binden. Mit Salz und Pfeffer würzen. Übrige Petersilie zur Sauce geben.

* **Zubereitungszeit:** 35 Minuten
Pro Portion: 49 g E, 42 g F, 6 g KH = 594 kcal (2486 kJ)

GUT GEROLLT
Damit nichts von der köstlichen Füllung verloren geht: Schnitzel mit Füllung bestreichen, an den Seiten einklappen, aufrollen und mit Zahnstochern befestigen.

Da quietscht der Spargel

ER IST DER STAR des Monats, bei dem Connaisseure in Verzückung geraten und ekstatisch zu den Spargelschälern greifen: Ob als Suppe oder Salat, ob klassisch oder exotisch – wir haben einige paradiesische Spargelideen für Sie im Feuer. Des Weiteren sorgen Scholle mit Speckstippe, Frühlingssoljanka und Pasta Primavera für kulinarische Frühlingsgefühle. Und natürlich wollen die ersten Erdbeeren probiert werden!

Scholle mit Speckstippe

Bis im Juni diese Plattfische größer und gehaltvoller in unsere Töpfe kommen, genießen wir die zarten Mai-Schollen ganz klassisch mit Speck – unschlagbar

Für 4 Portionen:

100 g durchwachsener Speck

2 Zwiebeln

1 El Öl

40 g Butter

8 Schollen (küchenfertig, à 220 g)

Salz

Mehl

3–4 El Butterschmalz

1 El gehackte Petersilie

1 Speck und Zwiebeln fein würfeln. Speck im Öl mit der Butter 2 Min. auslassen. Zwiebeln zugeben und weitere 5–6 Min. bei mittlerer Hitze unter Rühren dünsten. Speckstippe warm halten.

2 Schollen waschen und trockentupfen. Salzen und in Mehl wenden.

3 Butterschmalz in einer großen Pfanne erhitzen. Schollen portionsweise darin von jeder Seite 1 Min. anbraten und auf ein Blech geben.

4 Schollen im vorgeheizten Ofen bei 210 Grad (Umluft 190 Grad) auf der 2. Schiene von unten 7–8 Min. braten. Auf eine Platte geben, mit Petersilie bestreuen und mit der warmen Stippe übergießen.

Zubereitungszeit: 40 Minuten
Pro Portion: 64 g E, 36 g F, 10 g KH = 614 kcal (2566 kJ)

AUF EDEL GETRIMMT
Wer den Schollen-Klassiker mit Speckstippe festlich zubereiten möchte, gibt zur Stippe einige Nordseekrabben.

Scharfe Orangen-Garnelen

*Kontraste sind aufregend. Hier kontrastieren zu unserer Freude milde
Garnelen mit scharfem Chili, pikanter Knoblauch mit frischen Orangen*

Für 4 Portionen: **1** 20 **Garnelen** (roh, à ca.30 g) auftauen lassen. 1 **rote,
milde Chilischote** einritzen, entkernen und in feine Streifen schnei-
den. 1 **Knoblauchzehe** in dünne Scheiben schneiden. Von 1 **Orange
(unbehandelt)** die Schale in Streifen abziehen, dann 8 El Saft auspressen.
Garnelen aus der Schale lösen. Am Rücken einschneiden und den Darm
entfernen. **2** Garnelen in 3 El heißem **Olivenöl** in einer großen Pfanne
4 Min. rundherum anbraten. Nach 2 Min. Knoblauch und Chili zugeben.
Mit Orangensaft ablöschen, mit Salz würzen. Mit 2 El grob gehack-
ter **Petersilie** und Orangenschale bestreuen. Dazu passt **Aioli** (Glas)
mit gerösteten, gehackten Mandeln verfeinert.

*Zubereitungszeit: 20 MInuten **Pro Portion**: 31 g E, 10 g F, 4 g KH = 230 kcal (962 kJ)

Pasta Primavera

Frischer Spargel, zarte Zuckerschoten und Möhren, Erbsen und
aromatischer Kerbel machen Nudeln zu Frühlingsnudeln

Für 2 Portionen: **1** Je 200 g **weißen** und **grünen Spargel** schälen und
in Scheiben schneiden. 150 g **Zuckerschoten** längs halbieren. 1 **Möhre**
schälen und in Scheiben schneiden. 2 **Frühlingszwiebeln** putzen und
in feine Scheiben schneiden. **2** 1 El **Olivenöl** in einer Pfanne erhitzen,
Spargel darin bei mittlerer Hitze 2–3 Min. braten. 200 ml **Schlagsahne**
angießen. Zuckerschoten, 100 g **TK-Erbsen** und Frühlingszwiebeln
dazugeben. 2 Min. kochen lassen. Salzen und pfeffern. **3** Inzwischen
200 g **Penne** nach Packungsanweisung in Salzwasser kochen. In
den letzten 4 Min. Möhren mitkochen. Abgießen, abtropfen lassen
und mit der Sauce mischen. 2 El gehackten **Kerbel** untermischen.

Zubereitungszeit: 25 Minuten
Pro Portion: 23 g E, 38 g F, 88 g KH = 790 kcal (3315 kJ)

Speck-Kohl-Kuchen

*Zum Sattessen für zwei Hungrige oder als herzhafter Snack
für vier bis sechs Wein- und Biertrinker*

Für 2 Portionen: **1** 1 Packung **Fertig-Pizzateig** (230 g EW) nach Anweisung zubereiten. 100 g durchwachsenen **Speck** würfeln. 2 **Zwiebeln**
und 200 g **Spitzkohl** in Streifen schneiden. **2** Speck und Zwiebeln
in 1 El **Öl** knusprig auslassen. Spitzkohl dazugeben und 3 Min. unter
Rühren dünsten. Salzen und pfeffern. **3** Pizzateig auf dem Blech
auf 30 x 25 cm ausrollen. Kohlmischung darauf verteilen. 1 **Eigelb** mit
150 g **Crème frâiche**, 1 El **Schnittlauchröllchen** und 1 El **Petersilie**
mischen, auf dem Kuchen verteilen. **4** Im vorgeheizten Ofen bei
210 Grad (Umluft 190 Grad) auf der untersten Schiene 20 Min. backen.

Zubereitungszeit: 50 Minuten
Pro Portion: 23 g E, 65 g F, 79 g KH = 1000 kcal (4176 kJ)

Rhabarber-clafoutis

Gut in Form: Wecken Sie den Konditor in sich!

Für 4 Portionen: 1 4 kleine, feuerfeste Förmchen (à 6 cm Ø oder 1 Form von 24 cm Ø) mit 2 El **Öl** einstreichen. 600 g **Rhabarber** putzen, in 2 cm breite Stücke schneiden und auf die Formen verteilen. 90 g **Zucker**, 1 Pk. **Vanillinzucker**, 4 El Öl, 2 **Eier** (Kl. M) und 100 g **Mehl** mit einem Schneebesen zu einem glatten Teig verrühren. Nach und nach 170 ml **Milch** unterrühren. Teig gleichmäßig über den Rhabarber gießen. **2** Im vorgeheizten Ofen bei 200 Grad (Umluft 180 Grad) auf der 2. Schiene von unten 35–40 Min. backen. Aus dem Ofen nehmen, sofort mit 2–3 El Zucker bestreuen und heiß servieren. Dazu passt Eis.

Zubereitungszeit: 55 Minuten
Pro Portion: 8 g E, 20 g F, 56 g KH = 441 kcal (1850 kJ)

Erdbeerherzen

Der schokoladige Teig passt ganz besonders gut zu den Erdbeeren.
Und allein der Anblick lässt jedes Mutterherz schmelzen.

Für 12 Stück: 1 150 g **weiße Kuvertüre** hacken, mit 150 g **Butter**
über einem heißen Wasserbad zerlassen. 50 g **Pistazien** hacken.
6 **Eier** (Kl. M), 80 g **Zucker** und 1 Tl **Orangenschale (unbehandelt)** mit
den Quirlen des Handrührers 8 Min. cremig rühren. 150 g **Mehl** und
1½ Tl **Backpulver** mischen, mit der Kuvertürebutter und den Pistazien
unterrühren. **2** Auf ein mit Backpapier belegtes Blech (40 x 30 cm)
streichen. Im vorgeheizten Ofen bei 200 Grad (Umluft 180 Grad) auf der
2. Schiene von unten 15 Min. backen. Abkühlen lassen. 200 g **Erd-
beerkonfitüre** und 2 El **Orangensaft** aufkochen, durch ein Sieb strei-
chen. 400 g **Erdbeeren** waschen, putzen, in Scheiben schneiden.
3 Aus dem Teig dicht an dicht 12 Herzen (ca. 8 cm Länge) ausstechen.
30 g weiße Kuvertüre raspeln. Herzen mit der Konfitüre bestrei-
chen, die Oberflächen dicht an dicht mit Erdbeeren belegen. Die Ränder
mit Schokoraspeln bestreuen.

Zubereitungszeit: 50 Minuten
Pro Stück: 6 g E, 16 g F, 31 g KH =
297 kcal (1244 kJ)

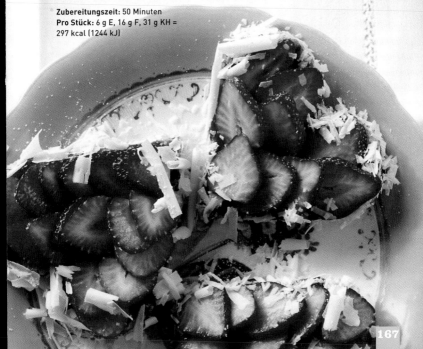

Frühlingssoljanka

Diese russische Suppe gehörte zum Standardprogramm jeder DDR-Gaststätte. Kein Grund, sie nicht zu kochen – nur edler und leichter

Für 4 Portionen:

600 g Roastbeef

je 1 rote und gelbe Paprikaschote

600 g Spitzkohl

200 g Zwiebeln

4 El Öl

Salz

Pfeffer

2 durchgepresste Knoblauchzehen

4 El Paprikamark

1 l Gemüsebrühe

100 g Spreewälder Gurken mit 100 ml Sud

Zucker

2 El gehackte Petersilie

1 Fleisch ohne den Fettrand in ca. 3 cm große Würfel schneiden. Paprika putzen und in 2 cm große Würfel schneiden. Spitzkohl putzen und in ca. 1 cm breite Streifen schneiden. Zwiebeln fein würfeln. Fleisch in einem Topf in 2 El heißem Öl rundherum scharf anbraten. Kräftig mit Salz und Pfeffer würzen und herausnehmen.

2 Zwiebeln, Paprika, Spitzkohl und Knoblauch im Topf in 2 El Öl anbraten. Paprikamark kurz mitrösten. Mit Salz und Pfeffer würzen. Brühe dazugießen, aufkochen und zugedeckt bei mittlerer Hitze 20 Min. kochen lassen. Gurken würfeln, mit Gurkensud nach 15 Min. zum Eintopf geben.

3 Fleisch unterheben und 2 Min. weiterkochen. Mit Salz, Pfeffer und evtl. 1 Prise Zucker pikant abschmecken. Mit Petersilie bestreuen.

Zubereitungszeit: 40 Minuten
Pro Portion: 40 g E, 18 g F, 11 g KH = 370 kcal (1552 kJ)

SPREEWÄLDER GURKEN
Die wohl berühmtesten sauren Gurken stammen aus dem Spreewald. Dort werden Gurken zum Einlegen bereits seit dem 15. Jahrhundert angebaut.

Spargelcremesuppe

Die feinste Vorsuppe, die der Frühling uns bieten kann – mit dem ganzen Aroma des frischen Spargels, mit knusprigem Schinken und Basilikum

Für 4 Portionen: **1** 1 kg <u>**weißen Spargel**</u> schälen. Schalen waschen, mit 30 g <u>**Butter**</u> und 1 Tl <u>**Zucker**</u> in 1 l Salzwasser geben, langsam aufkochen und offen bei milder Hitze 15 Min. ziehen lassen. Die Spargelstangen in Scheiben schneiden, die Köpfe längs halbieren und beiseite legen. 250 g <u>**Kartoffeln**</u> schälen und würfeln. **2** Spargelbrühe durch ein Sieb gießen, mit Kartoffeln und Spargelscheiben erneut aufkochen, zugedeckt bei mittlerer Hitze 15–20 Min. kochen. Dann sehr fein pürieren. Mit 200 ml <u>**Schlagsahne**</u> und den Spargelspitzen erneut aufkochen und 8 Min. köcheln lassen. Mit Salz, Pfeffer, Zucker und <u>**Zitronensaft**</u> abschmecken. **3** 2 Scheiben <u>**Parmaschinken**</u> dritteln, in 1 El <u>**Öl**</u> in einer beschichteten Pfanne knusprig ausbraten. 8 <u>**Basilikumblätter**</u> in feine Streifen schneiden. Suppe mit Schinken und Basilikum anrichten.

Zubereitungszeit: 55 Minuten **Pro Portion:** 7 g E, 25 g F, 16 g KH = 312 kcal (1313 kJ)

Überbackener grüner Spargel

*In Italien ist grüner Spargel besonders beliebt. Und besonders gern
serviert man ihn dort mit einer fruchtigen Tomatensauce und Basilikum*

Für 2 Portionen: **1** 1 <u>**Zwiebel**</u> würfeln, mit ½ Tl <u>**Zucker**</u> in 2 El <u>**Öl**</u> an-
dünsten. 1 Pk. stückige <u>**Tomaten**</u> (370 g EW) zugeben, mit Salz und Pfef-
fer würzen und offen 5–7 Min. köcheln lassen. 10 <u>**Basilikumblätter**</u>
abzupfen, in feine Streifen schneiden. 1 kg <u>**grünen Spargel**</u> im unteren
Drittel schälen und die holzigen Enden abschneiden. **2** Spargel in
kochendem Salzwasser mit je 1 Tl Zucker und <u>**Butter**</u> 5 Min. vorkochen.
Abgießen, gut trockentupfen und in 2 feuerfeste Förmchen (ca. 20 cm
Länge) geben. Basilikum zur Tomatensauce geben, evtl. nachwür-
zen, Sauce über den Spargel geben. Mit 4 El geriebenem <u>**Parmesan**</u>
bestreuen. **3** Im vorgeheizten Ofen bei 220 Grad auf der 2. Schiene von
oben 10 Min. gratinieren (Umluft nicht empfehlenswert). Mit einigen
Basilikumblättern garniert servieren.

* **Zubereitungszeit:** 35 Minuten **Pro Portion:** 14 g E, 18 g F, 13 g KH = 270 kcal (1140 kJ)

Spargel-Spinat-Salat

Das raffinierte an diesem Salat ist das Dressing: aus Ziegenkäse und weißem Balsamessig. Und dann ist da noch der gebratene Spargel!

Für 4 Portionen: 1 4 El **Balsamico bianco** in einem kleinen Topf auf-
kochen, mit 125 g **jungem Ziegenkäse**, 5 El warmem Wasser, 4 El
Olivenöl, Salz und Pfeffer fein pürieren. Beiseite stellen. **2** 500 g
weißen Spargel schälen und die holzigen Enden abschneiden. Spargel
längs vierteln. 1 El **Öl** in einer beschichteten Pfanne erhitzen und
den Spargel darin bei hoher Hitze 2–3 Min. braten. Mit Salz, Pfeffer
und 1 Prise **Zucker** würzen. **3** 250 **Salatspinat** (in Beuteln, vorgeputzt,
a. d. Supermarkt oder 400 g frischen **Blattspinat**) kurz in kaltem
Wasser waschen und trockenschleudern. Spinat auf 4 Teller verteilen.
Den Spargel darauf geben und mit dem Dressing beträufeln.

* Zubereitungszeit: 35 Minuten
  Pro Portion: 6 g E, 22 g F, 6 g KH = 252 kcal (1057 kJ)

Schnelles Kartoffelsoufflé

Leicht, locker und ganz einfach, weil die Basis fertiges Kartoffelpüree ist.
Zusammen mit Salat ist das Soufflé auch ein leichtes Abendessen

Für 2 Portionen: **1** 1 Pk. **Kartoffelpüree** nach Packungsanweisung
zubereiten. Mit etwas **Muskat** und Pfeffer würzen. **2** 1 **Ei** trennen.
Eigelb unter das Püree rühren. Eiweiß mit 1 Prise Salz schaumig schla-
gen, mit 40 g geriebenem **Parmesan** unter das Püree heben.
3 In 2 gefettete Förmchen oder Tassen (à 125 ml) geben und im
vorgeheizten Ofen bei 210 Grad (Umluft 195 Grad) auf der 2. Schiene
von unten 15 Min. backen. Sofort servieren.

Zubereitungszeit: 40 Minuten **Pro Portion:** 15 g E, 11 g F, 36 g KH = 298 kcal (1250 kJ)

Kabeljau unter der Kruste

Dieses Gericht bringt doppelte Wonne: Die Kruste schmeckt einfach gött-
lich und zudem bleibt das Fischfilet darunter ganz besonders saftig

Für 2 Portionen:

25 g Kräuterbutter

50 g Semmelbrösel

2 El Olivenöl (plus Olivenöl
zum Beträufeln)

1 El gehackte Petersilie

1 Tl gehackter Kerbel

1 Tl gehackter Dill

2 Knoblauchzehen

2 Kabeljaufilets (à 175 g)

Salz

100 ml Weißwein

1 Butter schmelzen und in einer
Schüssel mit Semmelbröseln, Olivenöl
und den Kräutern mischen. Knob-
lauchzehen durch eine Presse
zur Mischung geben.

2 Kabeljaufilets salzen und in eine
gefettete, ofenfeste Form geben.
Weißwein dazugießen und die Brösel-
mischung auf den Filets verteilen.

3 Im vorgeheizten Ofen bei 210 Grad
(Umluft 200 Grad) auf der 2. Schiene
von unten 20 Min. backen. Aus der
Form nehmen und auf 2 Tellern an-
richten. Mit etwas Olivenöl beträufeln.

Zubereitungszeit: 40 Minuten
Pro Portion: 33 g E, 27 g F, 20 g KH =
464 kcal (1942 kJ)

QUADRATISCH, PRAKTISCH, GUT!
Praktisch, wenn der Fischhändler weit weg
oder von gestern ist: Kabeljaufilets,
fangfrisch in kleinfamiliengerechten
Zweierpacks eingefroren. Jedes
Filet wiegt solide 175 g. Nach dem
Auftauen kann der grätenfreie
Fisch gedünstet, gebraten
oder gebacken werden. Und
warum nicht gekocht?
Weil man Fisch nie-
mals kochen sollte!
(Deutsche See)

Walnuss-Bratkartoffeln

Aus einfach wird edel, und das mit nur wenigen Mitteln.
Hier werden Walnusskerne mit den Kartoffeln mitgebraten

Für 2 Portionen: **1** 400 g kleine **Kartoffeln** unter fließendem Wasser
schrubben und in Salzwasser gar kochen. 1 **rote Zwiebel** fein würfeln.
50 g **Walnusskerne** grob hacken. **2** Kartoffeln abschrecken und pellen.
2 El **Butterschmalz** in einer Pfanne zerlassen. Kartoffeln darin
rundherum knusprig und goldbraun braten. Zwiebeln und Walnüsse
zugeben und kurz mitbraten. Mit Salz und Pfeffer würzen und mit
2 El grob gehackter **Petersilie** bestreuen.

Zubereitungszeit: 45 Minuten
Pro Portion: 7 g E, 31 g F, 22 g KH = 393 kcal (1646 kJ)

Gratinierte Maultaschen

Auch wenn Italien bei den Teigwaren die Nase vorn hat, wollen wir doch andere Nudelkünstler nicht vergessen. Die Schwaben zum Beispiel!

Für 2 Portionen: **1** 300 g **Zwiebeln** pellen, halbieren und in Ringe schneiden. In 2 El zerlassener **Butter** und 1 El **Öl** bei mittlerer Hitze goldbraun anbraten, mit etwas Salz, Pfeffer und **Muskat** würzen. 8 **Schwäbische Maultaschen** (à 50 g, aus dem Frischepack) nach Packungsanweisung kochen. **2** Die Hälfte der Zwiebeln in 2 Förmchen (à ca. 15 x 15 cm) geben, Maultaschen und übrige Zwiebeln darüber verteilen. Mit 60 g geraspeltem **Emmentaler** bestreuen. Im vorgeheizten Ofen bei 220 Grad (Umluft 200 Grad) auf der 2. Schiene von oben 10 Min. überbacken . Mit 2 El **Schnittlauchröllchen** bestreuen.

Zubereitungszeit: 30 Minuten Pro Portion: 26 g E, 45 g F, 61 g KH = 756 kcal (3164 kJ)

Kotelett mit Zwiebelkruste

*So wird das nette, aber eigentlich etwas langweilige Kotelett
im Handumdrehen zu einem richtig aufregenden Essen*

Für 2 Portionen: **1** 1 <u>**Gemüsezwiebel**</u> in feine Streifen schneiden.
In einer Pfanne mit 1 El <u>**Öl**</u> und 20 g <u>**Butter**</u> unter Rühren hell-
braun dünsten. Salzen und 1 El gehackte <u>**grüne Pfefferkörner**</u> (Glas)
und 1 El gehackte <u>**Petersilie**</u> untermischen. 2 El frisch geriebenen
<u>**Parmesan**</u> mit 1 El <u>**Semmelbrösel**</u> mischen. **2** 2 <u>**Schweinekoteletts**</u>
(à 225 g) salzen, in 1 El Öl von jeder Seite scharf anbraten. In eine
ofenfeste Form geben und die Zwiebelmischung darauf verteilen. Mit
den Käsebröseln bestreuen. **3** Im vorgeheizten Ofen bei 200 Grad
(Umluft 180 Grad) 12 Min. überbacken.

* Zubereitungszeit: 20 Minuten. Pro Portion: (3 g E, 31 g F, 10 g KH – 490 kcal (2054 kJ)

Würstchen-Schaschlik

Eigentlich eher ein Gericht für Kinder, aber wir kennen eine ganze Menge Erwachsene, die bei diesem Schaschlik auch nicht Nein sagen würden

Für 2 Portionen: **1** 2 **Bratwürste** (à 130 g) in 10 Scheiben schneiden. 1 **rote Zwiebel** pellen und in 2 cm große Würfel schneiden. 1 gelbe **Paprikaschote** vierteln, entkernen und in 2 cm große Stücke schneiden. Würstchen, Zwiebeln und Paprika abwechselnd auf 4 Spieße stecken. **2** Die Wurstspieße in 2 El **Öl** bei mittlerer Hitze von allen Seiten insgesamt 6–7 Min. braten. Am Ende der Garzeit mit etwas **Paprikapulver** bestreuen.

* **Zubereitungszeit:** 30 Minuten
  Pro Portion: 27 g E, 43 g F, 3 g KH = 507 kcal (2123 kJ)

Bunter Streuselkuchen

Ein Kuchen, vier Beläge: das ist die Lösung für alle, die ihren Gästen Abwechslung bieten möchten, ohne den ganzen Tag am Herd zu stehen

Für 24 Stücke: **1** 1 Pk. **Hefeteig-Backmischung** (357 g) und **Hefe** aus der Packung mit 50 g weicher **Butter**, 1 **Ei** (Kl. M) und 150 ml lauwarmer **Milch** nach Packungsanweisung kneten und gehen lassen. 160 g **Mehl**, 100 g **Zucker**, ½ Tl gemahlenen **Zimt** und 100 g weiche Butter mit den Händen zu Streuseln verkneten. Kalt stellen. 300 g **Rhabarber** putzen, in 3 cm breite Stücke schneiden, mit 4 El Zucker mischen. **2** 400 g **Äpfel** schälen, vierteln, entkernen, längs in Spalten schneiden, mit 2 El **Zitronensaft** mischen. Teig nochmals gut durchschlagen, auf ein gefettetes Blech (40 x 30 cm) geben und mit gut bemehlten Händen gleichmäßig auf dem Blech auseinander drücken. **3** Je ¼ Blech mit 250 g **Kirschen** (Glas) , 250 g **Aprikosen** (Dose), Rhabarber und Äpfeln belegen. Die Streusel darauf verteilen. 10 Min. gehen lassen. Im heißen Ofen bei 200 Grad (Umluft 180 Grad) auf der 2. Schiene von unten 30–35 Min. backen. Lauwarm mit Puderzucker bestäubt servieren.

Zubereitungszeit: 1:15 Stunden (plus Wartezeiten)
Pro Stück: 3 g E , 8 g F, 29 g KH = 200 kcal (842 kJ)

Waldmeister-Erdbeergelee

Der gute alte Wackelpudding hat sich hier fein gemacht mit Wein und frischen Beeren. Aber wackeln kann er noch wie früher

Für 4 Portionen: **1** 1 Beutel **Waldmeister-Götterspeise** mit 250 ml **Apfelsaft** und 250 ml **Weißwein** (für Kinder: Apfelsaft) und 80 g **Zucker** nach Packungsanweisung zubereiten. In eine Schüssel füllen und kalt stellen, bis die Masse fest zu werden beginnt (ca. 1 Std.). 400 g kleine **Erdbeeren** waschen, putzen und halbieren. **2** Das Gelee mit den Erdbeeren in 4 Gläser geben und weitere 2–3 Std. kalt stellen. Dazu passt Vanillesauce.

* **Zubereitungszeit:** 30 Minuten (plus Kühlzeiten)
  Pro Portion: 3 g E , 1 g F, 32 g KH = 197 kcal (826 kJ)

Curryspargel

*Asiatische Aromen wie Curry und Kokos beleben die sehr
bodenständigen Spargel und Möhren – und den Stoffwechsel gleich mit*

Für 2 Portionen:

500 g weißer Spargel

250 g Bundmöhren

1 Zwiebel

1 rote Chilischote

20 g Butter

2 El Currypulver

125 ml Gemüsefond

200 ml Kokosmilch

1–2 El Limettensaft

Salz

weißer Pfeffer

4 Schweinefiletmedaillons
(à 60 g)

1 El Öl

1 Den Spargel und die Möhren schälen. Holzige Enden vom Spargel abschneiden. Zwiebel würfeln. Chilischote halbieren, entkernen und würfeln.

2 Die Butter in einem Topf zerlassen, Zwiebeln und Chili darin glasig dünsten. Spargel und Möhren dazugeben und ebenfalls kurz andünsten. Mit dem Curry bestreuen. Fond dazugießen, Gemüse zugedeckt bei mittlerer Hitze 12 Min. köcheln lassen. Kokosmilch dazugeben und offen 3 Min. kochen. Mit Limettensaft, Salz und Pfeffer würzen.

3 Inzwischen Schweinemedaillons salzen und pfeffern, eventuell auf Spieße stecken. In einer Pfanne im heißen Öl von jeder Seite 3–4 Min. braten und zum Spargel servieren.

Zubereitungszeit: 40 Minuten
Pro Portion: 32 g E, 33 g F, 11 g KH = 469 kcal (1966 kJ)

DIE MISCHUNG MACHT'S: CURRY
Bis zu 20 Gewürze und mehr mischen Gewürzhändler zum aromatischen gelben Pulver: darunter Kurkuma, Ingwer, Kardamom, Pfeffer, Koriander, Piment, Paprika, Zimt, Macis, Kreuzkümmel und Bockshornklee. Je nach Zusammensetzung von mild bis scharf.

Seeteufel aus dem Ofen

Wenn das keine Idee für ein Sonntagsessen ist: Alle Zutaten zusammen in die Form geben, ab in den Ofen – und dann die Sonntagszeitung lesen

Für 4 Portionen: **1** 400 g **Tomaten** vierteln, entkernen und grob zerschneiden. 200 g **Zucchini** putzen, längs halbieren, in Scheiben schneiden. 30 g **schwarze Oliven** abgießen. 1 Bund **Petersilie** und ½ Bund **Thymian** abzupfen. 800 g **Seeteufelfilet** (küchenfertig) mit Salz und Pfeffer würzen. In eine ofenfeste Form (ca. 35 cm Länge) setzen. **2** Mit ½ **Zitrone (unbehandelt)** in dünnen Scheiben belegen und mit Petersilie und Thymian bestreuen. Tomaten, Zucchini und Oliven drumherum verteilen. Mit Salz, Pfeffer und 1 **Knoblauchzehe** in Scheiben würzen. Mit je 6 El **Weißwein** und **Olivenöl** beträufeln. Im vorgeheizten Ofen bei 200 Grad auf der 2. Schiene von unten 25–30 Min. garen (Umluft nicht empfehlenswert).

** **Zubereitungszeit:** 50 Minuten **Pro Portion:** 32 g E, 21 g F, 4 g KH = 340 kcal (1427 kJ)

Nudeln mit Räucherforelle

Hier wird es richtig elegant: Die feine, cremige Zitronensauce, die die Bandnudeln umhüllt, harmoniert mit dem Räucheraroma der Forelle

Für 2 Portionen: **1** 250 g <u>**grünen Spargel**</u> nur im unteren Drittel schälen. Die holzigen Enden abschneiden. Stangen in Scheiben schneiden. 1 <u>**Zwiebel**</u> würfeln, in 1 El zerlassener **Butter** andünsten. 100 ml <u>**Weißwein**</u>, 1 Prise <u>**Zucker**</u>, ½ Tl abgeriebene <u>**Zitronen-schale (unbehandelt)**</u> und 2 El <u>**Zitronensaft**</u> zugeben und offen 3 Min. köcheln lassen. **2** 4 El <u>**Crème fraîche**</u> und 100 ml <u>**Gemüsebrühe**</u> zugeben und offen 5 Min. köcheln lassen. 200 g helle <u>**Band-nudeln**</u> in kochendem Salzwasser nach Packungsanweisung garen. Spargel 4 Min. vor Ende der Garzeit zugeben und mitkochen. **3** 150 g geräucherte <u>**Forellenfilets**</u> in Stücke schneiden. ½ Bund <u>**Dill**</u> abzupfen, hacken, zur Sauce geben und kräftig abschmecken. Spargelnudeln abgießen, mit der Sauce und den Forellenfilets an-richten. Eventuell mit <u>**Zitronenspalten**</u> garnieren.

Zubereitungszeit: 25 Minuten **Pro Portion**: 32 g E, 27 g F, 76 g KH = 692 kcal (2897 kJ)

Gemüsespaghetti mit Pernod

*Zarte Frühlingsgemüse, Kerbel, Zitronenschale und ein Schuss
Pernod – einfach ein Gedicht!*

Für 4 Portionen: **1** 500 g **weißen Spargel** schälen, die holzigen Enden
abschneiden. Stangen in dünne Scheiben schneiden. 150 g **Zucker-
schoten** halbieren. 200 g **Möhren** schälen, in dünne Scheiben schnei-
den und in kochendem Salzwasser 5 Min. garen. Spargel und Zucker-
schoten nach 3 Min. zugeben und mitkochen. Gemüse abgießen,
200 ml Kochwasser auffangen. **2** 400 g **Spaghetti** in reichlich kochen-
dem Salzwasser nach Packungsanweisung garen. 1 **Zwiebel** würfeln,
in 2 El **Butter** andünsten. Die 200 ml Kochwasser, 1 Tl abgeriebene
Zitronenschale (unbehandelt) und 5 El **Zitronensaft** zugeben. Offen
3 Min. kochen lassen. 150 g **Crème fraîche** zugeben und weitere
3–5 Min. offen kochen lassen. Mit Salz, Pfeffer und 3–4 El **Pernod**
abschmecken. **3** Nudeln abgießen, mit dem Gemüse unter die
Sauce mischen. Mit 4 El **Kerbelblättchen** und evtl. einigen Zitronen-
schalenstreifen bestreuen.

Zubereitungszeit: 35 Minuten
Pro Portion: 15 g E, 20 g F, 78 g KH = 574 kcal (2406 kJ)

Spargel-Risotto

Spargel-Risotto pur ist eine edle Vorspeise, mit Salat wird's ein feines Abendessen und mit Fleisch ein super Hauptgericht. Vielseitig, oder?

Für 2 Portionen: **1** 1 __Zwiebel__ würfeln, mit 150 g __Risottoreis__ in 1 El zerlassener __Butter__ glasig andünsten. 500 ml __Gemüsebrühe__ aufkochen. Risottoreis mit 4 El __Weißwein__ ablöschen, so viel heiße Brühe zugeben, dass der Reis bedeckt ist. Offen bei mittlerer Hitze quellen lassen, bis die Brühe aufgesogen ist, dabei ab und zu rühren. **2** Mit der übrigen Brühe ebenso verfahren, bis der Reis gar ist (ca. 25 Min.). 250 g __weißen Spargel__ ganz, 250 g __grünen Spargel__ nur im unteren Drittel schälen. Holzige Enden abschneiden, Stangen in Stücke schneiden. In 2 El __Butter__ und etwas __Zucker__ 5 Min. anbraten, salzen und pfeffern. 2 El __Pinienkerne__ in einer Pfanne ohne Fett anrösten. **3** Spargel zusammen mit 2 El geriebenem __Parmesan__ und 2 El gehacktem __Kerbel__ unter den Reis mischen. Mit Pinienkernen und 2 El Parmesan bestreut servieren.

* **Zubereitungszeit:** 40 Minuten
 Pro Portion: 18 g E, 32 g F, 67 g KH = 631 kcal (2647 kJ)

Gnocchi mit Bärlauchpesto

In weniger als 30 Minuten fertig – und so würzig!

Für 2 Portionen: **1** 30 g **Pinienkerne** in einer Pfanne ohne Fett anrös-
ten, abkühlen lassen. 100 g **Bärlauch** waschen, trockentupfen und fein
hacken. 20 g Pinienkerne grob hacken, 30 g **Parmesan** fein reiben. Al-
les mit 6 El **Olivenöl**, etwas Salz und Pfeffer mit dem Schneidstab fein
pürieren, evtl. nachwürzen. **2** 400 g **Gnocchi** (Frischepack) in reichlich
kochendem Salzwasser nach Packungsanweisung garen. Dann abgie-
ßen, dabei 5–6 El Kochwasser auffangen. Gnocchi sofort heiß mit dem
Pesto mischen, evtl. vorher mit etwas Kochwasser geschmeidig
rühren. Mit 20 g gehobeltem Parmesan, 10 g Pinienkernen und
evtl. einigen Bärlauchstreifen bestreuen.

* **Zubereitungszeit**: 25 Minuten **Pro Portion**: 19 g E, 48 g F, 74 g KH = 802 kcal (3374 kJ)

Matjes nach Hausfrauenart

Klassisch gut und immer ein Genuss: Matjes mit einer Sauce aus saurer Sahne, Apfel, Zwiebel, Gurke und viel Dill

Für 2 Portionen: **1** 150 ml **Schlagsahne**, 2 Tl **Essig-Essenz**, etwas Salz, Pfeffer, ½ Tl getrockneten **Majoran**, ½ Tl **Zucker** und 5 El gehackten **Dill** verrühren und evtl. nachwürzen. 1 roten **Apfel** waschen, vierteln, entkernen und quer in sehr dünne Spalten schneiden. Sofort mit der Sauce verrühren. **2** 4 **Matjesfilets** (à ca. 60 g) für 10 Min. in 150 ml **Mineralwasser** legen. 1 **Zwiebel** halbieren und in sehr feine halbe Ringe schneiden. 100 g **Gewürzgurken** in dünne Scheiben schneiden, beides in die Sauce geben. Mit den Matjes servieren. Dazu passen Bratkartoffeln.

Zubereitungszeit: 25 Minuten
Pro Portion: 25 g E, 50 g F, 17 g KH = 620 kcal (2596 kJ)

Mai-Minestrone

*Italienische Gemüsesuppen sind die besten der Welt. Warum? Weil
die Italiener darauf achten, dass ihre Suppen stets zur Jahreszeit passen*

Für 2 Portionen: **1** 2 **Möhren** schälen und fein würfeln.
200 g **TK-Dicke-Bohnen** heiß abspülen und aus den Außenhäuten lösen.
300 g **Blumenkohl** in Röschen teilen. **2** 1 **Knoblauchzehe** durch-
pressen. 1 **Zwiebel** würfeln und mit dem Knoblauch in 2 El **Olivenöl**
andünsten. Gemüse dazugeben, 750 ml **Hühnerbrühe** (Instant)
dazugießen und 50 g **10-Minutenreis** dazugeben. 10 Min. kochen lassen.
3 Kurz vor Ende der Garzeit 175 g grob gewürfelte **geräucherte
Putenbrust** zur Suppe geben. Mit etwas **Pesto** (Glas) servieren.

Zubereitungszeit: 35 Minuten Pro Portion: 50 g E, 13 g F, 31 g KH = 447 kcal (1869 kJ)

Gratinierte Erdbeeren

Äußerste Raffinesse: Der Marzipanschaum wird locker und fluffig,
die Erdbeeren sind aromatisch und heiß, aber noch nicht weich

Für 4 Portionen: **1** 400 g kleine **Erdbeeren** waschen und putzen, mit
2 El **Erdbeerlikör** mischen. In 4 kleine Auflaufförmchen (oder 1 Form
von ca. 30 cm Länge) setzen. 100 g **Marzipanrohmasse** grob raspeln, mit
2 **Eigelb** (Kl. M) und 1 El **Zucker** mit den Quirlen des Handrührers sehr
cremig rühren. **2** 2 **Eiweiß** (Kl. M) mit 1 Prise Salz steif schlagen, dabei
2 El Zucker einrieseln lassen und 2 Min. weiterschlagen, unter die
Marzipanmasse heben. Über die Erdbeeren verteilen. Im vorgeheizten
Ofen bei 200 Grad auf der 2. Schiene von oben 8–10 Min. gratinieren
(Umluft nicht empfehlenswert). Mit **Puderzucker** bestäuben.

Zubereitungszeit: 25 Minuten Pro Portion: 8 g E, 12 g F, 36 g KH = 298 kcal (1250 kJ)

Chickenwings mit Barbecuesauce

Was die Amerikaner am liebsten zu ihren gegrillten Steaks essen, kommt hier zum Überbacken auf die Hühnerflügel: süßsaure Tomatensauce

Für 2–4 Portionen:

12 Hühnerflügel

Salz

Pfeffer oder Cayennepfeffer

1 El Öl

100 g Ketchup

3 El Orangensaft

2–3 El Honig

1 El Rotweinessig

Tabasco

1 El scharfer Senf

1 Flügel im Gelenk durchtrennen, salzen, pfeffern und in einer Schüssel im Öl wenden. Auf ein mit Alufolie belegtes Blech legen. Im vorgeheizten Ofen bei 230 Grad (Umluft 220 Grad) auf der 2. Schiene von unten 10 Min. braten, wenden und 7 Min. weiterbraten.

2 Ketchup, Orangensaft, Honig, Essig, einige Spritzer Tabasco und Senf verrühren. Heiße Flügel darin wenden und erneut auf das Blech geben. Weitere 10 Min. wie oben beschrieben braten.

*** Zubereitungszeit:** 35 Minuten
Pro Portion (bei 4): 16 g E, 17 g F, 14 g KH = 276 kcal (1155 kJ)

DIE IDEALE SAUCE ZUM HÄHNCHEN
Die süßsauer-scharfe Sauce wird beim Überbacken um so knuspriger, je mehr Honig dazukommt. Aber Vorsicht, zuckersüß soll die klassische Grillsauce nun auch nicht schmecken!

Erdbeercreme

Sieht aus wie Omas Pudding, schmeckt aber wie Spitzenküche:
schaumiger Erdbeerpudding mit Erdbeerpüree

Für 6–8 Portionen: **1** 5 Blatt **rote Gelatine** in kaltem Wasser einweichen.
500 g **Erdbeeren** waschen, putzen, mit 2 El **Zitronensaft** und
80 g **Zucker** pürieren. 200 ml **Milch** und Mark von 1 **Vanilleschote**
aufkochen. 2 El **Speisestärke**, 2 **Eigelb** (KL. M) und 50 ml **Milch**
verrühren, zur Milch geben, erneut gut aufkochen. **2** In eine Schüssel
füllen. Gelatine ausdrücken, darin auflösen, 300 g Erdbeerpüree
unterrühren und kalt stellen. Wenn die Masse fest zu werden beginnt,
250 ml **Schlagsahne** mit 1 Pk. **Vanillezucker** steif schlagen und
unterheben. Masse in 6–8 Förmchen oder Tassen (à ca. 130 ml Inhalt)
füllen und 4 Std. kalt stellen. **3** Förmchen kurz in heißes Wasser
tauchen, Rand mit einem spitzen Messer lösen, Creme auf Teller stürzen,
mit dem übrigen Püree und ein paar extra Erdbeeren garnieren.

Zubereitungszeit: 45 Minuten (plus Kühlzeiten)
Pro Portion (bei 8): 4 g E , 12 g F, 19 g KH = 206 kcal (865 kJ)

Blumenkohlauflauf mit Curry

Erstaunlich, wie raffiniert Blumenkohl, Kartoffeln und gekochter Schinken auftreten, wenn man Curry ins Spiel bringt

Für 4 Portionen: **1** 1 kleinen **Blumenkohl** (ca. 1 kg) waschen, putzen und in Röschen zerteilen. 1 große **Kartoffel** (ca. 200 g) schälen, waschen und in ca. 1,5 cm große Würfel schneiden. Blumenkohl und Kartoffeln in einen Topf geben und knapp mit Wasser bedecken. 5 El **Milch** und ½ Tl Salz ins Kochwasser geben, zum Kochen bringen und ca. 5–8 Min. kochen. Abgießen. **2** 2 El **Butter** in einem kleinen Topf zerlassen. 2 El **Mehl** darüber stäuben und bei mittlerer Hitze 2–3 Min. unter Rühren anschwitzen. 1½ El **mildes Currypulver** kurz mit- dünsten. Mit 300 ml Milch und 200 ml **Hühnerbrühe** aufgießen und glatt rühren. Bei milder Hitze unter Rühren 5 Min. kochen lassen. Mit Salz, Pfeffer und 1 El **Zitronensaft** abschmecken. Sauce beiseite stellen. **3** 150 g **gekochten Schinken** grob würfeln. Eine Auflaufform (25 x 15 cm) fetten. Schinken, Kartoffeln, Blumenkohl und 100 g **TK-Erbsen** mischen und in die Auflaufform geben. Mit der Currysauce übergießen und im vorgeheizten Ofen bei 175 Grad (Umluft 160 Grad) auf der 2. Schiene von unten 20–25 Min. überbacken.

* **Zubereitungszeit:** 45 Minuten
  Pro Portion: 16 g E, 11 g F, 20 g KH = 243 kcal (1020 kJ)

Schweinefilet mit roter Zwiebelsauce

Ein Gericht wie aus der modernen Bistro-Küche – mit vielen Zwiebeln, Portwein und Rosmarin. Robust und schnell, aber mit Raffinesse

Für 4 Portionen:

500 g rote Zwiebeln

3 lange Rosmarinzweige

3 Schweinefilets
(insgesamt ca. 800 g)

Salz

schwarzer Pfeffer

2 El Öl

175 ml weißer Portwein

100 ml Kalbsfond
(oder -brühe)

1–2 Tl flüssiger Honig

1 El gehackte Petersilie

1 Zwiebeln in 2 cm dicke Scheiben schneiden. Rosmarinzweige halbieren und auf die Schweinefilets legen (siehe Foto unten). Salzen und pfeffern. Filets in einem Bräter im heißen Öl rundherum scharf anbraten.

2 Filets herausnehmen. Zwiebeln hineingeben, unter Wenden 3 Min. anbraten. Mit dem Portwein und dem Fond ablöschen. Schweinefilets wieder in den Bräter geben und im vorgeheizten Ofen bei 200 Grad auf der 2. Schiene von unten 20 Min. garen (Umluft nicht empfehlenswert).

3 Fleisch herausnehmen, in Alufolie wickeln und 5 Min. ruhen lassen. Die Zwiebeln mit Salz, Pfeffer und dem Honig abschmecken. Petersilie unterheben. Filets in Scheiben schneiden und mit den Zwiebeln servieren.

Zubereitungszeit: 45 Minuten
Pro Portion: 46 g E, 9 g F, 8 g KH =
312 kcal (1308 kJ)

WÜRZE DIREKT
So würzt Rosmarin das Fleisch unmittelbar: Zweige längs auf die Filets legen und mit Küchengarn festbinden.

Endlich ist der Sommer da

DER 21. JUNI ist der Tag der Sommersonnenwende: Der Sommer fängt an. Das wird besonders in Nordeuropa begeistert gefeiert. In Schweden z. B. werden bei diesem Anlass die ersten jungen Kartoffeln verzehrt. Die können Sie bei uns natürlich auch haben – aber wir haben noch wesentlich mehr auf der Pfanne. Damit nicht nur der längste Tag des Jahres, sondern der ganze Monat zum kulinarischen Ereignis wird.

Erdbeer-Biskuitrolle

Das sonntägliche Kaffeetrinken von seiner schönsten Seite: glückliches Beisammensein bei gefüllter Biskuitrolle, mit Sahne und Erdbeeren

Für 12 Stücke:

3 Eier (Kl. M, getrennt)

Salz

150 g Zucker
plus Zucker für das Tuch

1 Tl abgeriebene Zitronen-schale (unbehandelt)

100 g Mehl

20 g Speisestärke

½ Tl Backpulver

600 g Erdbeeren

500 ml Schlagsahne

2 Pk. Vanillezucker

2 Pk. Sahnesteif

ZUCKER AUF DAS TUCH
Damit der Teig beim Aufrollen nicht am Geschirrtuch festklebt, bestreut man es dünn mit Zucker.

1 Ein Blech (40 x 30 cm) mit Backpapier belegen. Eiweiß mit 1 Prise Salz und 3 El kaltem Wasser mit den Quirlen des Handrührers steif schlagen. 120 g Zucker nach und nach unter Schlagen einrieseln lassen und 3 Min. weiterschlagen. Zitronenschale und Eigelb kurz auf langsamer Stufe unterrühren. Mehl, Stärke und Backpulver darauf sieben und unterheben.

2 Teig auf das Blech streichen. Im vorgeheizten Ofen bei 210 Grad (Umluft 7 Min. bei 190 Grad) auf der 2. Schiene von unten 8 Min. backen. Sofort auf ein dünn mit Zucker bestreutes Geschirrtuch stürzen. Das Papier mit etwas kaltem Wasser bepinseln und abziehen. Teigplatte mit Hilfe des gezuckerten Tuches aufrollen, abkühlen lassen.

3 400 g Erdbeeren waschen, putzen und in dünne Spalten schneiden. Sahne, Vanillezucker, 30 g Zucker und Sahnesteif steif schlagen. Biskuit auseinander rollen, ⅔ der Sahne auf die Platte streichen, dicht an dicht mit den Erdbeerspalten belegen, leicht in die Sahne drücken.

4 Erneut mit Hilfe des Tuches aufrollen, mit übriger Sahne bestreichen. 200 g Erdbeeren putzen und halbieren. Mit den Erdbeeren garnieren.

* **Zubereitungszeit:** 50 Minuten
   Pro Stück: 4 g E, 14 g F, 28 g KH = 260 kcal (1090 kJ)

Beeren-Cassis-Sorbet

*Schnell gemacht und
festlich: tiefgefrorene,
pürierte Johannisbeeren
mit Sekt aufgegossen*

Für 4 Portionen: **1** 200 g <u>rote
TK-Johannisbeeren</u> oder <u>TK-Erdbeeren</u>
mit 2 El **Cassis** (schwarzem Johannisbeerlikör),
1 Pk. **Vanillezucker** und 3 El **Puderzucker**
mischen und 10 Min. leicht antauen lassen.
Dann mit einem Schneidstab fein pürieren.
2 Aus der Masse 8 Nocken abstechen,
auf einen mit Frischhaltefolie belegten Teller
setzen und 1 Std. einfrieren. Dann in
4 Sektschalen geben, mit je 150 ml eiskaltem,
trockenem **Sekt** auffüllen und
sofort servieren.

* **Zubereitungszeit:** 15 Minuten (plus Antau- und Gefrierzeit)
  Pro Portion: 1 g E, 0 g F, 20 g KH = 189 kcal (791 kJ)

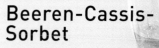

Krabbenomelett mit Sauerampfer

Die schönste Rolle für Sauerampfer: gemischt mit Nordseekrabben und Frühlingszwiebeln, eingehüllt in ein lockeres Omelett

Für 2 Portionen: **1** 5 **Eier** in einer Schüssel verquirlen, 2 El **Schlag-sahne** unterrühren. 75 g (1 Bund) **Sauerampfer** waschen, trocken-schleudern und in feine Streifen schneiden. Von 2 **Frühlingszwiebeln** das Weiße und Hellgrüne in feine Scheiben schneiden. **2** 20 g **Butter** in einer beschichteten Pfanne erhitzen. Eier hineingeben und bei mitt-lerer Htize unter Rütteln der Pfanne stocken lassen. **3** Die Hälfte des Sauerampfers, Frühlingszwiebeln und 75 g **Nordseekrabben** auf dem Omelett verteilen. Omelett zusammenrollen und mit dem restlichen Sauerampfer bestreuen.

* **Zubereitungszeit**: 25 Minuten **Pro Portion**: 28 g E, 29 g F, 5 g KH = 388 kcal (1624 kJ)

Kräuter-Schweinefilet

Macht optisch was her, ist schön saftig und voller Aroma: Schweinefilet in einem Mantel aus Lorbeer, Thymian und Rosmarin

Für 2–4 Portionen: **1** 1 **Schweinefilet** (500 g) trockentupfen und salzen. Fleisch mit 5 **Lorbeerblättern,** 5 Stielen **Thymian** und 5 Zweigen **Rosmarin** belegen und mit Küchengarn fest umwickeln. **2** 4 **Zwiebeln** vierteln. 4 **Knoblauchzehen** halbieren. 2 El **Öl** in einer Pfanne erhitzen und das Fleisch mit Zwiebeln und Knoblauch anbraten. **3** 125 ml **Weißwein** und 175 ml **Geflügelbrühe** zugießen und aufkochen. **4** Im heißen Ofen bei 200 Grad auf der 2. Schiene von unten ca. 25 Min. braten (Umluft nicht empfehlenswert). Fleisch in Alufolie wickeln und 3–4 Min. ruhen lassen. Sud erneut aufkochen und mit Salz und Pfeffer würzen. Fleisch in Scheiben schneiden und mit der Sauce servieren.

* **Zubereitungszeit**: 45 Minuten **Pro Portion (bei 4)**: 28 g E, 8 g F, 3 g KH = 200 kcal (840 kJ)

Gemüse vom Blech

*Ob als Beilage zu Fleisch, Fisch oder einfach mit Baguette genossen –
nichts ist gesünder und knackiger als bunte, schonend gegarte Gemüse*

Für 2 Portionen: **1** 250 g **Blumenkohl** in Röschen teilen. 150 g **Möhren**
schälen und längs sechsteln. 1 **rote** und 1 **gelbe Paprikaschote** vier-
teln, entkernen und in 3 cm große Stücke schneiden. 2 **Knoblauch-
zehen** in feine Scheiben schneiden. **2** Gemüse auf ein Backblech mit
2 Zweigen **Rosmarin**, 3 Stielen **Petersilie**, 4 Stielen **Thymian** und
2 **Lorbeerblättern** geben, mit Salz und Pfeffer würzen. **3** Gemüse mit
150 ml **Weißwein** und 4 El **Olivenöl** mischen. Im vorgeheizten Ofen bei
200 Grad auf der 2. Schiene von unten 20–25 Min. backen (Umluft nicht
empfehlenswert). 200 g **Kirschtomaten** nach 15 Min. zugeben.

* **Zubereitungszeit:** 50 Minuten
  Pro Portion: 6 g E, 21 g F, 14 g KH = 283 kcal (1186 kJ)

Pasta, Bohnen & Speck

Keine deutsch-italienische Fusionsküche, sondern ein schlichtes und ergreifendes Pastagericht. Nudelissimo!

Für 2 Portionen: **1** 350 g **dicke Bohnen (TK)** 4 Min. in Salzwasser kochen, abgießen und abschrecken. Die Kerne aus der Pelle drücken und beiseite stellen. **2** 230 g **Nudeln** (z. B. Penne rigate) nach Packungsanweisung in reichlich Salzwasser bissfest kochen und abgießen.
3 2 **Knoblauchzehen** fein hacken und 3 Scheiben **Frühstücksspeck** in breite Streifen schneiden. Speck in eine kalte Pfanne geben und bei mittlerer Hitze knusprig braten. Knoblauch und Bohnenkerne dazugeben und ca. 2 Min. mitbraten. Mit Salz, Pfeffer und 1–2 Tl **Zitronensaft** würzen, unter die Nudeln mischen und auf Tellern anrichten.

* **Zubereitungszeit**: 25 Minuten **Pro Portion**: 52 g E, 6 g F, 121 g KH = 756 kcal (3167 kJ)

Rumpsteaks mit Salsa verde

Die italienische grüne Sauce aus Gewürzgurke, Knoblauch, Basilikum,
Kerbel und Petersilie passt hervorragend zu schnell gebratenem Fleisch

Für 2 Portionen:

1 Ei

1 Bund Basilikum

1 Bund glatte Petersilie

½ Bund Kerbel

50 g Gewürzgurken

2 Schalotten

4 kleine Knoblauchzehen

1 El Kapern (abgetropft)

7–8 El Olivenöl

1 El Zitronensaft

Salz

Pfeffer

1 El Öl

2 Rumpsteaks (à 200 g)

2 Zweige Rosmarin

2 Lorbeerblätter

1 Das Ei hart kochen, abschrecken, pellen und hacken. Basilikum, Petersile und Kerbel von den Stielen zupfen und die Blätter fein hacken. Gurken, Schalotten und 2 Knoblauchzehen sehr fein würfeln. Kapern hacken.

2 Alles in einer Schüssel mit Olivenöl und Zitronensaft verrühren. Mit Salz und Pfeffer würzen.

3 Das Öl in einer Pfanne erhitzen. Die Rumpsteaks mit Salz und Pfeffer würzen und im heißen Fett mit Rosmarin, Lorbeer und 2 Knoblauchzehen von jeder Seite 4–5 Min. braten. In Alufolie wickeln und 2 Min. ruhen lassen. Mit der Salsa verde servieren.

* **Zubereitungszeit:** 35 Minuten
Pro Portion: 50 g E, 52 g F, 6 g KH =
693 kcal (2906 kJ)

KRÄUTERSAUCE MIT SCHMAND
Wer die Sauce zum Steak etwas
sahniger mag, ersetzt das Öl bei der
Salsa verde durch Schmand.

Spargelsuppe mit Vanille

Auf den ersten Blick eine kühne Komposition. Doch schon beim ersten Löffel ist klar: Spargel & Vanille passen zusammen wie Ginger & Fred

Für 4 Portionen: **1** 750 g **weißen Spargel** schälen und die holzigen Enden abschneiden. Spargelspitzen abschneiden, längs halbieren und beiseite stellen. Stangen in Stücke schneiden und 1 **Zwiebel** würfeln. 1 El **Butter** in einem Topf zerlassen und beides bei niedriger Hitze darin andünsten. Mit Salz, Pfeffer und ¼ Tl **Zucker** würzen. 800 ml **Gemüsebrühe** dazugießen, aufkochen und zugedeckt 15–20 Min. köcheln lassen. **2** Fein pürieren, 150 ml **Schlagsahne** dazugießen und erneut kurz aufkochen. Mit Salz, Pfeffer und 1–2 El **Orangensaft** abschmecken. 1 El Butter in einer Pfanne schmelzen und Spargelspitzen, Mark von ½ **Vanilleschote** und 1 Tl unbehandelte **Orangenschalenstreifen** 3–4 Min. darin braten. Mit Salz, Pfeffer und 1 Prise Zucker würzen. Suppe mit Spargelspitzen und 2 El **Kerbelblättchen** anrichten.

Zubereitungszeit: 35 Minuten
Pro Portion: 4 g E, 15 g F, 7 g KH = 189 kcal (783 kJ)

Kaninchenkeulen

*Feines zum Schwelgen: Geschmorte Kaninchenkeulen harmonieren
exzellent mit der sahnigen Senf-Estragon-Sauce*

Für 4 Portionen: **1** 2 **Zwiebeln** in feine Streifen schneiden. 2 **Knoblauchzehen** durchpressen. **2** 2 El **Öl** in einem breiten Topf erhitzen,
4 **Kaninchenkeulen** (à 250 g) salzen und in **Mehl** wenden. Im Fett
von jeder Seite goldbraun anbraten, herausnehmen. Zwiebeln und
Knoblauch zugeben, 3–4 Min. bei mittlerer Hitze glasig dünsten.
3 100 ml **Weißwein** und 150 ml **Hühnerbrühe** zugießen. Keulen wieder
zugeben und im vorgeheizten Ofen bei 190 Grad (Umluft 170 Grad)
auf der 2. Schiene von unten zugedeckt 40 Min. schmoren. **4** Am Ende
der Garzeit Keulen herausnehmen und warm halten. Die Sauce durch
ein Sieb geben, 150 g **Crème fraîche** und 2 El gehackten **Estragon**
zugeben und aufkochen. 2 El körnigen **Dijon-Senf** unterrühren,
salzen, pfeffern und mit den Keulen servieren.

Zubereitungszeit: 1 Stunde. Pro Portion: 43 g F, 21 g E, 7 g KH – 600 kcal (1671 kJ)

Drei-Käse-Spaghetti

Fein abgestimmt: Milder Mascarpone, würziger Gorgonzola und pikanter Parmesan umhüllen die Nudeln aufs Köstlichste

Für 2 Portionen: **1** 200 g **<u>Spaghetti</u>** nach Packungsanweisung in Salzwasser kochen. **2** Inzwischen ½ Bund **<u>Petersilie</u>** grob hacken. 75 g **<u>Mascarpone</u>** in einer beschichteten Pfanne bei mittlerer Hitze schmelzen. 100 g **<u>Gorgonzola</u>** zerbröseln und zum Mascarpone geben. **3** Spaghetti abgießen, etwas Kochwasser auffangen. Spaghetti in die Pfanne geben, salzen und pfeffern, evtl. 2–3 El Kochwasser untermischen. 30 g geriebenen **<u>Parmesan</u>** und die Petersilie zugeben, sofort servieren.

Zubereitungszeit: 20 Minuten **Pro Portion:** 29 g E, 41 g F, 70 g KH = 768 kcal (3218 kJ)

Zitronen-Kohlrabigemüse

Das frische Aroma von Zitronenschale und die Schärfe der Kresse harmonieren perfekt mit knackigem Kohlrabi

Für 2 Portionen: **1** 400 g **Kohlrabi** schälen, in 1 cm breite Stifte schneiden und in 1 El **Butter** andünsten. Mit Salz, Pfeffer und ¼ Tl **Zucker** würzen. 100 ml **Gemüsebrühe** zugießen und zugedeckt bei mittlerer Hitze 5 Min. garen. **2** Dann 2 El **Crème fraîche** zugeben und offen 3–5 Min. garen. 1 Tl abgeriebene **Zitronenschale (unbehandelt)** zugeben und mit 1–2 El **Zitronensaft**, evtl. Salz und Pfeffer würzen. 6 El **Kresse** locker unter den Kohlrabi heben.

* **Zubereitungszeit:** 20 Minuten
  Pro Portion: 4 g E, 14 g F, 9 g KH = 178 kcal (745 kJ)

Grießkuchen

Das Einfache ist oftmals das Beste: schlichter und sehr saftiger Rührkuchen mit Grieß und Sahnejoghurt, getränkt mit Orangensirup

Für 14 Stücke: **1** Von je 1 **Orange (unbehandelt)** und 1 **Zitrone (unbehandelt)** die Schale abreiben und je 4 El Saft auspressen. 100 g **Butter** zerlassen. 4 **Eier** (Kl. M), 1 Prise Salz und 160 g **Zucker** mit den Quirlen des Handrührers 8 Min. cremig rühren. 400 g **Sahnejoghurt**, Orangen-, Zitronenschale und -saft und Butter unterrühren. **2** 320 g **Hartweizengrieß** und 3 Tl **Backpulver** mischen, mit einem Teigspatel gut unterziehen. In eine gebutterte und bemehlte Margaritenform (26 cm Ø oder Springform) füllen. Im vorgeheizten Ofen bei 180 Grad (Umluft 160 Grad) auf der 2. Schiene von unten 35 Min. backen. **3** 200 ml **Orangensaft,** Mark von 1 **Vanilleschote** und 120 g Zucker 2 Min. kochen, dann lauwarm abkühlen lassen. Kuchen auf eine tiefe Platte stürzen, mehrfach einstechen und mit dem Sirup übergießen, 30 Min. durchziehen lassen.

**Zubereitungszeit: 1 Stunde
(plus Zeit zum Durchziehen)
Pro Stück: 6 g E, 12 g F, 40 g KH =
288 kcal (1204 kJ)**

Vanilletörtchen

*Sind am besten frisch aus dem Ofen, weil dann der Blätterteig
so herrlich knusprig und die Vanillecreme weich wie Pudding ist*

Für 12 Stück: 1 300 g **TK-Blätterteig** auftauen lassen.
250 ml **Schlagsahne**, 200 ml **Milch** und Mark von 1 **Vanilleschote**
aufkochen. 50 ml Milch, 1 Pk. **Vanille-Puddingpulver** (zum Kochen),
2 **Eigelb** (Kl. M) und 50 g **Zucker** verrühren. Zur kochenden Sahnemilch
geben, erneut gut aufkochen. In eine Schüssel füllen, lauwarm ab-
kühlen lassen. **2** Blätterteigplatten aufeinander legen und auf einer
bemehlten Fläche auf 45 x 35 cm ausrollen und in 12 Kreise von
11 cm Ø schneiden. In die Mulden einer gefetteten Muffinform legen
und andrücken. Vanillecreme gut durchrühren, in die Mulden geben.
3 Törtchen im vorgeheizten Ofen bei 230 Grad auf der untersten
Schiene 20 Min. backen (Umluft nicht empfehlenswert). Abkühlen
lassen, mit **Puderzucker** bestäuben.

* Zubereitungszeit: 50 Minuten (plus Kühlzeit)
Pro Stück: 3 g E, 13 g F, 18 g KH = 200 kcal (839 kJ)

Leichtes Hühnerfrikassee

Übersetzt heißt Frikassee nichts weiter als Sammelsurium. Mit Huhn,
Spargel und Joghurt handelt es sich hier um ein besonders leckeres

Für 2 Portionen:

150 g Champignons

250 g grüner Spargel

300 g Hähnchenbrustfilet

2 El Öl

Salz

Pfeffer

2 El Butter

200 ml Hühnerbrühe

100 g Sahnejoghurt

1 gestrichener El Mehl

4–5 Stiele Estragon

Muskat

1–2 Tl Zitronensaft

1 Champignons putzen und größere Pilze halbieren. Spargel im unteren Drittel schälen und die holzigen Enden abschneiden. Stangen in schräge Stücke schneiden und Spargelköpfe längs halbieren. Fleisch in 3 cm große Würfel schneiden. 1 El Öl in einem Topf erhitzen und Pilze darin anbraten. Salzen, pfeffern und herausnehmen.

2 Öl und Butter erhitzen. Fleisch und Spargel darin anbraten, salzen und pfeffern. Brühe dazugießen und aufkochen. Joghurt und Mehl verrühren, dazugeben und 5 Min. zugedeckt köcheln lassen. Estragonblättchen von den Stielen abzupfen und fein hacken. Mit den Pilzen zum Frikassee geben und erhitzen. Mit Salz, Pfeffer, Muskat und Zitronensaft würzen.

* **Zubereitungszeit:** 35 Minuten
 Pro Portion: 40 g E, 37 g F, 8 g KH = 537 kcal (2242 kJ)

OMAS KÜCHENTRICK
Verrühren Sie den Joghurt unbedingt mit Mehl, bevor Sie ihn in die heiße Flüssigkeit rühren. Warum? Die Stärkemoleküle im Mehl verhindern, dass der Joghurt in der heißen Masse ausflockt. Bei Sahne oder Crème fraîche ist der Zusatz von Mehl nicht nötig, da die Produkte einen höheren Fettgehalt aufweisen.

Lachs-Gurken-Pfanne

Schon mal Salatgurken geschmort? Sie sollten es wagen! Zusammen mit Lachswürfeln, einem Schuss Sahne und etwas körnigem Senf ein Gedicht

Für 2 Portionen: **1** 1 **Salatgurke** (ca. 500 g) schälen, halbieren, mit einem Löffel die Kerne herausschaben und die Gurke in 1,5 cm breite Halbringe schneiden. 1 kleine **Zwiebel** fein würfeln. 1 El **Öl** in einer Pfanne erhitzen und die Zwiebeln darin andünsten. Gurken dazugeben und 2 Min. mitbraten. 2 Tl **Mehl** darüber stäuben und kurz mitbraten. **2** 150 ml **Schlagsahne**, 250 ml **Gemüsebrühe** und 2–3 Tl **körnigen Senf** dazugeben und bei mittlerer Hitze 8 Min. zugedeckt schmoren lassen. 350 g **Lachsfilet** (ohne Haut) in 2,5 x 2,5 cm große Würfel schneiden. Zu den Gurken geben und 7–8 Min. weiterschmoren. Mit Salz, Pfeffer und etwas **Zitronensaft** würzen. **3** ¼ Bund **glatte Petersilie** fein hacken und vor dem Servieren unter die Lachs-Gurken-Pfanne heben.

* **Zubereitungszeit**: 25 Minuten **Pro Portion**: 37 g E, 39 g F, 12 g KH = 546 kcal (2282 kJ)

Fächerbaguette

*Heiß aus dem Ofen und direkt zum Anbeißen: Baguette, mit
Kräuterbutter, Tomaten und Basilikum verfeinert*

Für 2 Portionen: **1** 3 kleine **Tomaten** in Scheiben schneiden.
16 **Basilikumblätter** abzupfen. ½ **Baguette** (ca. 100 g) im Abstand
von je 1,5 cm ein-, aber nicht durchschneiden. 50 g **Kräuter-
butter** in die Einschnitte streichen. Je 1 Tomatenscheibe und 1 Basili-
kumblatt in die Einschnitte stecken. **2** Baguette auf ein Blech
setzen. Im vorgeheizten Ofen bei 200 Grad (Umluft 180 Grad) auf der
2. Schiene von unten 8–10 Min. backen.

* **Zubereitungszeit**: 30 Minuten **Pro Portion**: 5 g E, 22 g F, 28 g KH = 322 kcal (1352 kJ)

Kalbsleber mit Kirschen

Mut zur Leber: Bei mittlerer bis großer Skepsis raten wir Ihnen, einfach mal blindlings unseren Köchen zu vertrauen...

Für 4 Portionen: **1** 100 g **Zwiebeln** in feine Streifen schneiden und 1 **Knoblauchzehe** durchpressen. In einem Topf 1 El **Öl** erhitzen und beides darin andünsten. 1 El **Kirschkonfitüre**, 250 ml **Rinderbrühe** und 2 El **Aceto balsamico** dazugeben und bei mittlerer Hitze 5 Min. offen einkochen lassen. 150 g **Süßkirschen** putzen, halbieren, entsteinen (oder 100 g **Kirschen** a. d. Glas verwenden) und weitere 3 Min. in der Sauce mitköcheln lassen. **2** 4 Scheiben **Kalbsleber** (à 150 g, küchenfertig) in 4 El **Mehl** wenden. Überschüssiges Mehl abklopfen. 1 El **Butter** und 2 El Öl in einer großen beschichteten Pfanne erhitzen. Die Leber von jeder Seite 2 Min. darin braten. Mit Salz und Pfeffer würzen. Nach 2 Min. 8 **Salbeiblätter** dazugeben und mitbraten. Sauce mit Salz, Pfeffer und evtl. Kirschkonfitüre würzen und zur Leber servieren.

Zubereitungszeit: 25 Minuten. Pro Portion: 32 g E, 16 g F, 20 g KH = 380 kcal (1589 kJ)

Puten-Rosmarin-Spieße

Sieht toll aus und würzt zugleich: Putenwürfel und Kirschtomaten auf Rosmarinzweige gesteckt und goldgelb gebraten

Für 2 Portionen: 1 1 **Zwiebel** fein würfeln. 300 g **Putenfilet** in 12 Würfel schneiden. In die Würfel und 12 **Kirschtomaten** mit einem Holzspieß Löcher vorbohren. Dann je 3 Würfel Geflügel und 3 Kirschtomaten auf 4 Zweige **Rosmarin** stecken. Mit Salz und Pfeffer würzen. In 2 El heißem **Olivenöl** rundherum kurz und scharf anbraten.
2 Spieße in eine feuerfeste Form geben. Im vorgeheizten Ofen bei 200 Grad (Umluft 180 Grad) auf der 2. Schiene von unten 10 Min. garen. Zwiebeln im Bratensatz kurz andünsten. Mit 150 ml **Gemüsebrühe** ablöschen und offen 3–4 Min. einkochen lassen. Mit 1–2 Tl **dunklem Saucenbinder** binden. Mit den Spießen servieren.

* **Zubereitungszeit: 25 Minuten**
  Pro Portion: 37 g E, 12 g F, 5 g KH = 274 kcal (1147 kJ)

Gefüllte Kalbsschnitzel

Dünne Schnitzel sind wie geschaffen zum Füllen: Vier aufregende Varianten mit Mozzarella bieten wir Ihnen an. Wählen Sie!

Für 2 Portionen: **1** 1 <u>Mozzarella</u> (125 g) abgießen und in dünne Scheiben, 2 <u>Tomaten</u> (ca. 150 g) in Scheiben schneiden. Mit Salz und Pfeffer würzen. 4 <u>Kalbsschnitzel</u> (à 80 g) auf je einer Hälfte mit den Mozzarella- und Tomatenscheiben belegen. Mit je 4 <u>Basilikumblättern</u> belegen. **2** Die unbelegten Seiten darüber klappen und rundherum mit Holzspießchen zustecken. 3 El <u>Öl</u> in einer Pfanne erhitzen. Fleisch darin bei mittlerer bis starker Hitze von jeder Seite 2 Min. braun anbraten, mit Salz und Pfeffer würzen und in Folie gewickelt warm halten. **3** 100 ml <u>Weißwein</u> in die Pfanne gießen und den Bratensatz loskochen. 100 ml <u>Kalbsfond</u> zugeben und mit 1 El <u>dunklem Saucenbinder</u> aufkochen. Mit Salz und Pfeffer abschmecken. Mit dem Fleisch und evtl. Basilikum anrichten.

* **Zubereitungszeit: 35 Minuten Pro Portion: 47 g E, 30 g F, 4 g KH = 488 kcal (2045 kJ)**

Salami	**Spinat**	**Mango**
1 **Mozzarella** (125 g) in Scheiben, 50 g **Salami** in dünnen Scheiben und nach Belieben 8 mit **Paprika gefüllte Oliven** in Scheiben als Füllung verwenden.	225 g **TK-Blattspinat** auftauen, ausdrücken, mit 1 gewürfelten **Zwiebel** und 1 **Knoblauchzehe** in 1 El **Butter** andünsten, mit Salz und Pfeffer würzen und mit 1 **Mozzarella** (125 g) in Scheiben als Füllung verwenden.	200 g **Mangofleisch** in Spalten, 1 **Mozzarella** (125 g) in Scheiben, 2 Tl **Currypulver** und 1 El **Koriander- oder Petersilienblätter** als Füllung verwenden.

Feta-Zucchini

Die Akropolis griechischer Kulinarik: Die Variante mit Zucchini eignet sich – in Alufolie verpackt – auch bestens zum Grillen

Für 2 Portionen: **1** 100 g **<u>schwarze Oliven</u>** (ohne Stein) und 50 g **<u>Mandelkerne</u>** hacken. Beides mit 1 El **<u>Kapern</u>**, 3 El **<u>Olivenöl</u>** und 1 durchgepressten **<u>Knoblauchzehe</u>** mit dem Schneidstab zu einer Paste verarbeiten. Mit Pfeffer, **<u>Tabasco</u>** und evtl. Salz würzen. 2 El gehackte **<u>glatte Petersilie</u>** dazugeben. **2** 2 mittelgroße **<u>Zucchini</u>** (à ca. 200 g) putzen und der Länge nach in ca. ½ cm dünne Scheiben schneiden. Olivenmasse locker darauf verteilen, dann die Zucchini-scheiben dachziegelartig in eine mit Olivenöl gefettete Auflaufform (30 x 20 cm) schichten. 100 g halbierte **<u>Kirschtomaten</u>** dazugeben und mit 150 g grob zerbröseltem **<u>Feta</u>** bestreuen. Mit 2 El Olivenöl beträufeln. **3** Im vorgeheizten Ofen bei 220 Grad (Umluft 200 Grad) auf der untersten Schiene 20 Min. backen.

* Zubereitungszeit: 40 Minuten
 Pro Portion: 21 g E, 59 g F, 8 g KH = 664 kcal (2752 kJ)

Rindersteaks in Kruste

*Mediterraner Genuss: Italienische Kräuter würzen die Panade, Thymian-
blättchen das Tomatengemüse*

Für 2 Portionen: 1 400 g <u>**Tomaten**</u> achteln und entkernen. 1 <u>**Zwiebel**</u>
in feine Spalten schneiden. 2 El <u>**Öl**</u> erhitzen. Zwiebeln darin 3–5 Min.
bei mittlerer Hitze andünsten. Tomaten und 2 El <u>**Thymianblättchen**</u>
zugeben und 3–4 Min. weiterdünsten. Mit Salz und Pfeffer kräftig wür-
zen. **2** 300 g <u>**Rinderfilet**</u> in 6 Scheiben schneiden. 80 g <u>**Semmelbrösel**</u>
mit 1 Tl getrockneten <u>**italienischen Kräutern**</u> mischen. 1 <u>**Ei**</u>, etwas
Salz und Pfeffer verquirlen. Filetscheiben zuerst in 5 El <u>**Mehl**</u>, dann im
Ei, dann in der Bröselmischung wenden. **3** In einer Pfanne 6 El Öl
erhitzen. Fleisch darin von jeder Seite 1 Min. knusprig anbraten, auf
Küchenpapier abtropfen lassen. Fleisch mit den Tomaten anrichten.

* **Zubereitungszeit:** 25 Minuten **Pro Portion:** 42 g E, 40 g F, 37 g KH = 680 kcal (2854 kJ)

Rhabarber-Gratin

*In Vanillezucker karamellisierter Rhabarber mit einer luftigen Quark-
masse im Ofen gratiniert – dem Himmel sei Dank für dieses Rezept*

Für 2 Portionen: **1** 50 g **Marzipanrohmasse** fein raspeln. Marzipan,
100 g **Quark**, 2 **Eigelb** (Kl. M), 25 g zerlassene **Butter**, 2–3 El **Weißwein**,
1 Pk. **Vanillezucker**, 2 El **Zucker** und 1 gehäuften El **Speisestärke**
mit den Quirlen des Handrührers cremig rühren. 2 **Eiweiß** (Kl. M) mit
1 Prise Salz steif schlagen, 1 El Zucker unterrühren und 1–2 Min.
weiterschlagen. Vorsichtig unter den Quark heben. **2** 400 g **Rhabarber**
putzen und in 5 cm lange schräge Streifen schneiden. 1 El Butter in
einer beschichteten Pfanne erhitzen und Rhabarber mit 1 Pk. Vanille-
zucker bei starker Hitze 3–5 Min. darin karamellisieren. **3** Quarkcreme
und Rhabarber in eine Auflaufform (ca. 24 cm Ø) geben, mit
30 g **Mandelstiften** bestreuen und im vorgeheizten Ofen bei 200 Grad
auf der 2. Schiene von unten 20–25 Min. backen (Umluft nicht
empfehlenswert). Mit 1 El **Puderzucker** bestäuben.

* **Zubereitungszeit:** 35 Minuten **Pro Portion:** 21 g E, 38 g F, 66 g KH = 711 kcal (2965 kJ)

Salzburger Nockerln

Die schaumige Eiermasse fällt zusammen wie ein Soufflé, wenn sie nicht sofort nach dem Backen serviert wird. Zum Klassiker passt Erdbeersauce

Für 2 Portionen: **1** 1 El **Butter** in einer flachen feuerfesten Form (ca. 20 cm Länge) im vorgeheizten Ofen bei 200 Grad auf der 2. Schiene von unten zerlassen (Umluft nicht empfehlenswert). **2 Eiweiß** (Kl. M) und 1 Prise Salz steif schlagen. 50 g **Zucker** einrieseln lassen und 3 Min. weiterschlagen. **2** Mark von 1 **Vanilleschote** und 2 **Ei-gelb** (Kl. M) verrühren, mit 15 g **Mehl** vorsichtig unter den Eischnee heben. Masse in 2 großen Nocken in die Form setzen. Bei 200 Grad auf der 2. Schiene von unten 12–14 Min. goldgelb backen (Umluft nicht empfehlenswert). **3** 250 g **Erdbeeren** putzen, mit 1 El **Zitronen-saft** und 2 El Zucker pürieren. Nockerln sofort mit etwas **Puder-zucker** bestäuben und mit Erdbeersauce servieren.

Zubereitungszeit: 30 Minuten
Pro Portion: 9 g E, 13 g F, 58 g KH = 395 kcal (1656 kJ)

Italienischer Spargelsalat

Essen in den Farben Italiens kann nur Gutes verheißen: Tomaten, Mozzarella und Avocado versorgen uns mit einem Mix aus Vitaminen

Für 2 Portionen:

500 g weißer Spargel

Zucker

Salz

150 g Kirschtomaten

125 g Mozzarella

4–5 Stiele Basilikum

4 El weißer Balsamessig

5–6 El Olivenöl

Pfeffer

1 Avocado (ca. 160 g)

1 Spargel schälen und die holzigen Enden abschneiden. Mit 1 Prise Zucker in Salzwasser 10–14 Min. kochen, abgießen. Kirschtomaten halbieren. Mozzarella abtropfen lassen und in dünne Scheiben schneiden.

2 Basilikumblätter fein hacken und mit Essig, Olivenöl, 1 Prise Zucker, Salz und Pfeffer verrühren.

3 Avocado halbieren, Stein entfernen, Avocado schälen und quer in dünne Scheiben schneiden. Dicke Spargelstangen längs halbieren. Spargel, Mozzarella und Avocado auf einer Platte anrichten. Tomaten darauf verteilen. Vinaigrette darüber gießen. Evtl. einige Basilikumblättchen darüber streuen.

* **Zubereitungszeit:** 40 Minuten
 Pro Portion: 17 g E, 52 g F, 12 g KH = 576 kcal (2418 kJ)

SPECK LANGSAM AUSBRATEN
Wer den Salat herzhafter haben möchte, verfeinert ihn mit Tiroler Speck. Damit möglichst viel Fett ausbrät, gibt man die Speckscheiben in eine kalte Pfanne und brät sie dann langsam aus. Speck danach abtropfen lassen, um überschüssiges Fett zu entfernen.

Kartoffel-Kräuter-Salat

Die Frankfurter Kräuter, sieben an der Zahl, verleihen dem
schlanken Kartoffelsalat mit Geflügel-Vinaigrette viel grüne Frische

Für 2 Portionen: **1** 500 g kleine **Salatkartoffeln** waschen und in
Salzwasser 18 Min. kochen. Abgießen, pellen und etwas abkühlen
lassen. **2** ½ Bund **Grüne-Sauce-Kräuter** waschen und hacken.
2 kleine **Zwiebeln** fein würfeln. 125 ml kalte **Geflügelbrühe**, 2 El
Weißweinessig und 2 El **Sonnenblumenöl** mit Salz, Pfeffer und
1 Prise Zucker verrühren. **3** Die noch warmen Kartoffeln in Scheiben
schneiden, mit den Zwiebeln, der Vinaigrette und den Kräutern
mischen und 15 Min. ziehen lassen. Mit Salz und Pfeffer würzen.

* **Zubereitungszeit:** 45 Minuten
  Pro Portion: 9 g E, 11 g F, 40 g KH = 303 kcal (1284 kJ)

Frankfurter Kräutersuppe

Grüner geht's nicht: schnelle, sommerfrische Suppe mit Frankfurter Kräutern. Sie schmeckt als Vorspeise oder Hauptgericht

Für 2 Portionen: **1** 2 kleine **<u>Zwiebeln</u>** fein würfeln. In 30 g **<u>Butter</u>** glasig dünsten. Mit 40 g **<u>Mehl</u>** bestreuen und kurz anschwitzen. 750 ml **<u>Gemüsebrühe</u>** unter Rühren zugießen und 15 Min. kochen lassen. **2** 1 Bund **<u>Grüne-Sauce-Kräuter</u>** entstielen, waschen und grob hacken. **3** Kräuter und 50 g **<u>Crème fraîche</u>** zur Suppe geben und fein pürieren. Mit Salz, Pfeffer und etwas **<u>Zitronensaft</u>** würzen.

* **Zubereitungszeit**: 35 Minuten **Pro Portion**: 7 g E, 21 g F, 24 g KH = 307 kcal (1284 kJ)

Stachelbeerkuchen

Die Liebe zu den süßsäuerlichen Beeren gipfelt bei den Briten in Gooseberry Competitions. Rekord der größten Einzelbeere: fette 58 g!

Für 14 Stücke:

¼ l Milch

120 g Zucker

Salz

80 g Mehl

5 Eier (Kl. M, getrennt)

300 g grüne Stachelbeeren

150 ml heller Traubensaft (oder Apfelsaft)

50 ml grüner Waldmeistersirup

1 Pk. klarer Tortenguss

2 Kiwis

1 El Puderzucker

1 Milch, 60 g Zucker, 1 Prise Salz und Mehl in einem Topf mischen und unter ständigem, kräftigem Rühren einmal gut aufkochen. In eine Schüssel füllen und abkühlen lassen. Eigelb mit den Quirlen des Handrührers nacheinander gut unterrühren. Eiweiß und 1 Prise Salz mit sauberen Quirlen steif schlagen, dabei 60 g Zucker einrieseln lassen und 2 Min. weiterschlagen. Eischnee unter den Teig heben.

2 Teig in eine am Boden mit Backpapier ausgelegte Springform (24 cm Ø) streichen. Im vorgeheizten Ofen bei 180 Grad (Umluft 160 Grad) auf der untersten Schiene 1 Std. backen, dabei nach 30 Min. mit Backpapier abdecken. In der Form abkühlen lassen.

3 Für das Kompott die Stachelbeeren putzen. Saft, Sirup und Tortenguss mischen und unter Rühren aufkochen. Die Beeren untermischen und 3–5 Min. zugedeckt köcheln lassen, bis die Beeren weich, jedoch nicht zerfallen sind. Kiwis schälen, längs halbieren, in Scheiben schneiden und unter das Kompott heben. Kompott in die Tortenmulde geben und fest werden lassen. Mit Puderzucker bestäuben.

* **Zubereitungszeit:** 1:30 Stunden (plus Kühlzeit)
Pro Stück: 4 g E, 3 g F, 22 g KH = 135 kcal (571 kJ)

NICHTS ALS HEISSE LUFT
Erst geht der Teig im Ofen auf, dann sackt er zusammen. Doch keine Panik: Die Teigmulde ist das Geheimnis versunkener Obstkuchen.

Grüner Salat mit Zitrussauce

Ganz schlicht, ganz schnell und doch mit Pfiff: Der Tomaten-Eichblatt-
salat wird durch geröstete Pinienkerne und Orangensaft aromatisiert

Für 2 Portionen: **1** 1 **hellen Eichblattsalat** putzen, waschen und tro-
ckenschleudern. 2 El **Pinienkerne** in einer Pfanne ohne Fett rösten.
4 kleine **Tomaten** in Scheiben schneiden. 1 **Schalotte** fein würfeln, mit
½ Tl abgeriebener **Zitronenschale (unbehandelt)** , 2 El **Zitronensaft**,
4 El **Orangensaft**, etwas Salz, Pfeffer, 1 Prise **Zucker** und 4 El **Olivenöl**
gut verschlagen. **2** Salat und Tomaten vorsichtig mit der Vinaigrette
mischen und mit Pinienkernen bestreuen.

* **Zubereitungszeit:** 15 Minuten **Pro Portion:** 4 g E, 25 g F, 10 g KH = 287 kcal (1203 kJ)

Gestampfte Kartoffeln

*Hier ist der ultimative Kartoffelstampf: mit gebratenem Speck,
Schnittlauch und einer guten Portion Schmand*

Für 2 Portionen: **1** 400 g mehlig kochende <u>Kartoffeln</u> schälen,
grob würfeln und in kochendem Salzwasser garen. **2** Inzwischen
30 g <u>**Speckwürfel**</u> in einer Pfanne ohne Fett kross ausbraten. ½ Bund
<u>**Schnittlauch**</u> in feine Röllchen schneiden. **3** 4 El <u>**Schmand**</u>, etwas
Salz, Pfeffer, <u>**Muskat**</u> und ⅔ vom Schnittlauch verrühren. Kartoffeln
abgießen, im Topf bei ausgeschalteter Platte auf den Herd stellen,
bis alle Flüssigkeit verdampft ist. Kartoffeln und 1 El Schmand
grob zerstampfen, mit dem restlichen Schmand, Schnittlauch und
Speck servieren.

* **Zubereitungszeit:** 30 Minuten
  Pro Portion: 7 g E, 16 g F, 26 g KH = 283 kcal (1187 kJ)

Cannelloni mit Ricotta und Mangold

Meistens werden die Röhrennudeln mit Hackfleisch gefüllt, unsere vegetarische Variante ist aber feiner durch Mangold und Ricotta – traumhaft!

Für 4 Portionen:

250 g Ricotta

300 g Mangold
(ersatzweise Spinat)

Salz

2 Eigelb

Pfeffer

Muskat

8 Cannelloni-Hülsen

300 ml Tomatensauce

100 g Pizzakäse

1 Ricotta in einem Sieb abtropfen lassen. Inzwischen Mangold waschen, Stiele abschneiden und in feine Würfel schneiden. Blätter in feine Streifen schneiden. Zusammen in kochendem Salzwasser 3 Min. garen, abgießen, abschrecken, in einem Tuch ausdrücken und hacken.

2 Ricotta mit Eigelb, Salz, Pfeffer und Muskat verrühren. Mangold unterheben.

3 Ricotta-Füllung in einen Spritzbeutel geben und in die Cannelloni füllen. Cannelloni in eine ofenfeste Form geben und mit der Tomatensauce übergießen.

4 Cannelloni im vorgeheizten Ofen bei 200 Grad (Umluft 180 Grad) auf der 2. Schiene von unten 35 Min. backen. 15 Min. vor Ende der Garzeit mit dem Käse bestreuen.

* **Zubereitungszeit:** 50 Minuten
 Pro Portion: 18 g E, 20 g F, 29 g KH = 377 kcal (1576 kJ)

FERTIGE TOMATENSAUCE
Einfacher geht es nicht: zum Überbacken der Cannelloni eignet sich fix und fertig gewürzte Tomatensauce.

Nicht nur Kuchen

DIE FRANZÖSISCHE

Königin Marie Antoinette empfahl angeblich dem hungernden Volk einst: „Wenn sie kein Brot haben, sollen sie doch Kuchen essen." Wohin solche Tipps führen können: am 14. Juli 1789 stürmte das Volk die Bastille, begann die französische Revolution. Unsere Tipps sind wesentlich nützlicher: tolle Rezepte, die vorrevolutionäre Tendenzen in Ihrer Familie garantiert verhindern. Kuchen gibt es übrigens auch ...

Zitronen-Kräuter-Risotto

*Zarter Kerbel und viel Zitronenschale bringen reichlich
Sommerfrische in den Möhren-Risotto*

Für 2 Portionen:

1 Knoblauchzehe

2 Möhren (ca. 150 g)

1 unbehandelte Zitrone

1/2 Bund Kerbel

600 ml Gemüsebrühe

2 El Olivenöl

120 g Risotto-Reis
(oder Rundkornreis)

50 g geriebener Parmesan

Salz

Pfeffer

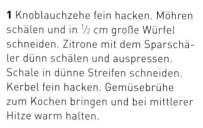

1 Knoblauchzehe fein hacken. Möhren schälen und in 1/2 cm große Würfel schneiden. Zitrone mit dem Sparschäler dünn schälen und auspressen. Schale in dünne Streifen schneiden. Kerbel fein hacken. Gemüsebrühe zum Kochen bringen und bei mittlerer Hitze warm halten.

2 In einem Topf das Olivenöl erhitzen. Möhren, Reis und Knoblauch 2–3 Min. unter Rühren anrösten. Mit der Hälfte der heißen Brühe ablöschen. Bei mittlerer Hitze unter Rühren so lange kochen lassen, bis die Flüssigkeit fast vom Reis aufgenommen wurde. Restliche Flüssigkeit zugeben und den Reis unter Rühren weiterkochen.

3 Sobald die Flüssigkeit aufgesogen ist, Topf vom Herd nehmen. Geriebenen Parmesan, Kerbel und 2 Tl Zitronenschale unterheben. Mit Salz, Pfeffer und Zitronensaft abschmecken. Evtl. mit Kerbel bestreuen.

Zubereitungszeit: 35 Minuten
Pro Portion: 14 g E, 19 g F, 51 g KH = 435 kcal (1821 kJ)

FÜR ZITRONENSCHALE, INGWER UND MUSKAT
Eigentlich bleibt doch immer die Hälfte der Zitronenschale in der Reibe – bei diesem Prinzip nicht: Der Abrieb haftet auf dem vorgelagerten Lochblech und kann einfach abgestreift werden.

Zwiebel-Apfel-Kotelett

Auch ein Kotelett kann gelegentlich etwas Abwechslung vertragen: Versuchen Sie es mal mit Frühlingszwiebeln, Äpfeln und Majoran

Für 2 Portionen: **1** 150 g **Frühlingszwiebeln** putzen und in dünne Ringe schneiden. 1 **roten Apfel** halbieren, entkernen und in dünne Spalten schneiden. 2 **Schweinekoteletts** (à 200 g) mit Salz und Pfeffer würzen. In einer großen Pfanne 3 El **Öl** erhitzen, die Koteletts von beiden Seiten 1 Min. scharf anbraten. In eine feuerfeste Form setzen, mit je 2 Stielen **Majoran** belegen (oder mit je ½ Tl **getrocknetem Majoran** bestreuen). **2** Im vorgeheizten Ofen bei 180 Grad auf der 2. Schiene von unten 12–14 Min. garen (Umluft nicht empfehlenswert). Frühlingszwiebeln und Äpfel im Bratenfett in der Pfanne 3–4 Min. andünsten. 2 Stiele Majoran abzupfen, hacken und zugeben (oder ½ Tl getrockneten Majoran). Mit Salz, Pfeffer, **Muskat** und etwas **Zucker** würzen und mit den Koteletts servieren.

Zubereitungszeit: 25 Minuten Pro Portion: 39 g E, 24 g F, 16 g KH = 440 kcal (1840 kJ)

Griechische Paprikaschoten

Fantastische Füllung für einen Sommerklassiker:
Reis, Pinienkerne, Paprikaschoten, Knoblauch und Feta

Für 2 Portionen: **1** 100 g **Langkornreis** in Salzwasser nach Packungs-
anweisung garen. 80 g **Frühlingszwiebeln** und 1 **gelbe Paprikaschote**
putzen und würfeln. Mit 1 gehackten **Knoblauchzehe** in 2 El **Olivenöl**
andünsten. Mit Salz und Pfeffer würzen. 2 El **Pinienkerne** in einer
Pfanne ohne Fett rösten. Abgetropften Reis, Zwiebelmasse, Pinien-
kerne, 80 g zerkrümelten **Feta**, 4 El **Schmand** und 1 **Eigelb** mischen
und würzen. **2** 2 **rote Paprikaschoten** längs halbieren und putzen.
Mit der Reismasse füllen. In eine feuerfeste Form setzen. 150 ml
Gemüsebrühe angießen. Im vorgeheizten Ofen bei 180 Grad auf der
2. Schiene von unten 30 Min. backen (Umluft nicht empfehlenswert).

Zubereitungszeit: 45 Minuten
Pro Portion: 19 g E, 39 g F, 51 g KH = 632 kcal (2649 kJ)

Schnippelbohnen

Zu Recht ein klassisches Sommergericht. Besonders geschmeidig werden die Bohnen durch die Zugabe von ein wenig Schlagsahne

Für 2 Portionen: **1** 400 g <u>Schneidebohnen</u> putzen und in schräge, dünne Streifen schneiden. 1 <u>Zwiebel</u> fein würfeln. Mit den Bohnen in 1 El zerlassener <u>Butter</u> andünsten. 1 Tl <u>Mehl</u> darüber stäuben und kurz anschwitzen. 150 ml <u>Gemüsefond</u> zugeben. Mit Salz und Pfeffer würzen und zugedeckt 8–10 Min. garen, bis die Bohnen bissfest sind. **2** 2 El <u>Bohnenkraut</u> oder <u>Petersilie</u> fein hacken. Mit 6 El <u>Schlagsahne</u> unter die Bohnen heben, kurz erhitzen. Mit 1–2 Tl <u>mittelscharfem Senf</u>, Salz, Pfeffer und <u>Zucker</u> abschmecken. Mit gehacktem Bohnenkraut oder Petersilie bestreuen.

*** Zubereitungszeit: 20 Minuten Pro Portion: 6 g E, 16 g F, 12 g KH = 218 kcal (914 kJ)

Kirschenmichel

Der Sommerhit! Sie können den Auflauf in der Saison auch mit frischen Kirschen herstellen. Dafür 400 g Sauerkirschen waschen und entsteinen

Für 4 Portionen:

6 altbackene Milchbrötchen (250 g oder Brot)

250 ml Milch

½ Tl Zimtpulver

100 g Butter

80 g Zucker

1 Pk. Vanillezucker

3 Eier (Kl. M, getrennt)

125 g Schmand

Salz

50 gehackte Mandeln

50 g Schokotropfen

300 g Schattenmorellen (Glas)

1–2 El Puderzucker

1 Brötchen würfeln, Milch und Zimt verrühren, über die Würfel geben und 10 Min. durchziehen lassen. Weiche Butter, 40 g Zucker und Vanillezucker mit den Quirlen des Handrührers cremig rühren. Eigelb einzeln unterziehen. Schmand unterrühren. Eiweiß und 1 Prise Salz steif schlagen, restlichen Zucker einrieseln lassen und 2 Min. weiterschlagen. Eischnee mit Brötchen, Mandeln und Schokotropfen unterheben.

2 Kirschen gut trockentupfen. Mit der Brotmasse in eine gefettete Auflaufform (30 cm Länge) schichten. Im vorgeheizten Ofen bei 170 Grad (Umluft 150 Grad) auf der 2. Schiene von unten 45 Min. backen, dabei evtl. nach 25 Min. abdecken. Kurz ruhen lassen und mit Puderzucker bestäuben. Dazu passt Vanillesauce.

Zubereitungszeit: 75 Minuten
Pro Portion: 17 g E, 46 g F, 80 g KH = 807 kcal (3382 kJ)

FRUCHTIGE VARIANTE
Vanillesauce mit Orange: ¼ l Milch aufkochen. ¼ l Orangensaft, 1 Pk. Vanillesauce (zum Kochen) und 50 g Zucker verrühren, mit 1 Tl abgeriebener Orangenschale (unbehandelt) in die Milch rühren und erneut kurz aufkochen.

Plattes Paprikahuhn

Ein ganz spezielles Huhn: besonders würzig, besonders knusprig und besonders saftig

Für 4 Portionen: 1 1 **Knoblauchzehe** fein hacken oder pressen.
In einer Schüssel mit 1 El **rosenscharfem Paprikapulver** und
1 El **edelsüßem Paprikapulver** mischen. **2** Rückgrat von 1 **Poularde**
(1,5 kg) mit einer Schere entfernen und das Huhn flach drücken.
Rundherum salzen und pfeffern und mit **Öl** einreiben. **3** Auf ein tiefes
Backblech 150 ml **Geflügelbrühe** und 100 ml **Weißwein** gießen. Huhn
auf den Bratrost darüber setzen. Im heißen Ofen bei 210 Grad auf der
untersten Schiene 50 Min. braten (Umluft nicht empfehlenswert).
1 **Zitrone (unbehandelt)** in Scheiben schneiden, mit 4 **Rosmarin-
zweigen** nach 30 Min. auf die Poularde legen und mitbraten.

* Zubereitungszeit: 1 Stunde
  Pro Portion: 55 g E, 26 g F, 0 g KH = 457 kcal (1912 kJ)

Schnelles Carpaccio mit Roter Bete

*Die Idealkombination: Gewürzgurken und Rote Bete aufs Feinste
zum Appetizer angerichtet*

Für 4 Portionen: **1** 75 g <u>Gewürzgurken</u> fein würfeln. 1 <u>Zwiebel</u> fein
würfeln. Beides mit 2 El <u>Weißweinessig</u>, 5 El <u>Öl</u>, Salz, Pfeffer und
<u>Zucker</u> verrühren. 1 El <u>Schnittlauchröllchen</u> untermischen.
2 200 g <u>Rote Bete</u> waschen und schälen. Auf einer Haushaltsreibe in
Streifen hobeln. In einer Schüssel mit 1 El Öl, 1 Tl <u>Essig</u>, Salz und
Pfeffer vermischen. **3** 200 g <u>Schweinebratenaufschnitt</u> (8 Scheiben)
flach auf 4 Teller legen. Rote Bete darauf geben und mit der Gurken-
Vinaigrette umgießen.

Zubereitungszeit: 40 Minuten **Pro Portion**: 15 g E, 21 g F, 4 g KH = 264 kcal (1106 kJ)

Gazpachoquark

Als erfrischende kalte Suppe ist Ihnen Gazpacho ein Begriff, im Quark aber werden Gurken, Paprika, Tomaten und Knoblauch zur Offenbarung!

Für 2 Portionen: **1** 500 g **Buttermilchquark** (ersatzweise Magerquark) mit 4–5 El **Milch** glatt rühren. Mit Salz und Pfeffer würzen. 300 g **Salatgurke** schälen, entkernen und klein würfeln. 300 g **Tomaten** vierteln, entkernen, klein würfeln. 1 **gelbe Paprikaschote** putzen und klein würfeln. **2** 1 **Knoblauchzehe** fein hacken und mit den Gemüsewürfelchen unter den Quark heben. 1 **Frühlingszwiebel** putzen, in feine Ringe schneiden und über den Quark streuen.

Zubereitungszeit: 15 Minuten **Pro Portion**: 38 g E, 2 g F, 20 g KH = 262 kcal (1100 kJ)

Cajun-Burger

Knoblauch, Paprika und Chili geben dem Fleischklops Schärfe und Würze. Und er schmeckt auch mit krossem Bacon!

Für 2 Portionen: **1** 4 El **Mayonnaise** mit 1 durchgepressten **Knoblauchzehe** und 2–3 Tl **Limettensaft** verrühren. Mit Salz und Pfeffer würzen. **2** 500 g **Rinderhack** in einer Schüssel mit 2 El **Grill-Barbecue-Würzmischung** (z. B. von Fuchs) mischen. Zu 4 gleich großen Burgern formen und auf dem mittelheißen Grill von jeder Seite 4 Min. grillen. **3** Die Burger mit je 1 Scheibe **Tomate** und roher **Zwiebel** und etwas **Salat** auf 4 Hamburger-Brötchen geben. Mit der Knoblauchmayonnaise servieren.

Zubereitungszeit: 15 Minuten
Pro Portion: 57 g E, 77 g F, 50 g KH = 1116 kcal (4673 kJ)

247

Kartoffeln in Salzkruste

Endlich eine Salzkartoffel, die ihren Namen zu Recht trägt:
Diese spanischen Ofenkartoffeln sind eine salzige Offenbarung

Für 2 Portionen: **1** 120 g **Salz** in 500 ml heißem Wasser auflösen.
500 g kleine **Kartoffeln** gründlich schrubben. Mit dem Salzwasser in
einen Topf geben, aufkochen und offen 15–20 Min. garen. Abtropfen
lassen. Nass auf ein Blech geben. Sofort im vorgeheizten Ofen bei
200 Grad (Umluft 180 Grad) auf der 2. Schiene von unten ca. 12 Min.
trocknen lassen, bis sich auf der Schale eine feine Salzkruste
bildet. **2** 100 ml **Hot-Chili-Sauce**, 3 **eingelegte Paprikastreifen** und
2 El gehackte **Petersilie** verrühren und zu den Kartoffeln servieren.

Zubereitungszeit: 40 Minuten
Pro Portion: 5 g E, 0 g F, 46 g KH = 212 kcal (894 kJ)

Der ganz andere Gurkensalat:
exotisch, scharf und dennoch
sehr erfrischend

Für 2 Portionen: **1** 1 <u>**rote Chili-**</u>
<u>**schote**</u> einritzen, entkernen und
in feine Streifen schneiden.
3 Stiele <u>**Koriander**</u> (oder <u>**Peter-**</u>
<u>**silie**</u>) abzupfen und fein hacken.
Beides mit 2 El <u>**Limettensaft**</u>,
1 El <u>**Sojasauce**</u> ,1 Tl <u>**Zucker**</u> und
2 El <u>**Öl**</u> gut verrühren. 1 <u>**Gurke**</u>
waschen, putzen und quer halbie-
ren. Mit einem Sparschäler der
Länge nach rund um das weiche
Innere in lange Locken schneiden,
das weiche Innere dabei übrig
lassen. **2** Gurkenlocken vorsichtig
mit der Sauce mischen und mit
3 El <u>**gesalzenen Erdnüssen**</u>
bestreut sofort servieren.

* **Zubereitungszeit:** 15 Minuten
Pro Portion: 5 g E, 18 g F, 10 g KH =
226 kcal (944 kJ)

Asiatische Nudelpfanne

Exotische Abwechslung: Spaghetti mit viel Gemüse und einer bemerkenswerten süß-scharfen Würzung

Für 2 Portionen:

100 g Gabelspaghetti

Salz

150 g Möhren

100 g Frühlingszwiebeln

100 g kleine Champignons

80 g Zuckerschoten

2 El Öl

evtl. 1 El Sesamöl
(ersatzweise neutrales Öl)

100 ml Gemüsebrühe

3 El süße Sojasauce

½–1 Tl Sambal oelek

2 El gesalzene
Cashewkerne

1 Nudeln in reichlich kochendem Salzwasser nach Packungsanweisung garen, abschrecken und gut abtropfen lassen. Möhren in Stifte hobeln oder schneiden. Frühlingszwiebeln putzen und in Streifen schneiden. Champignons putzen und halbieren. Zuckerschoten halbieren.

2 Möhren und Champignons in heißem Öl und Sesamöl 2 Min. unter Rühren anbraten. Frühlingszwiebeln und Zuckerschoten kurz mitbraten. Gemüsebrühe, Sojasauce und etwas Sambal oelek zugeben. Offen 3 Min. kochen lassen. Die Nudeln untermischen, kurz erhitzen, evtl. nachwürzen und mit Cashewkernen bestreuen.

Zubereitungszeit: 35 Minuten
Pro Portion: 12 g E, 22 g F, 45 g KH = 424 kcal (1777 kJ)

SÜSS UND SCHARF

Die Mischung aus süßer Sojasauce und dem sehr scharfen Sambal oelek ergibt eine raffinierte süß-scharfe Würzung. Sollten Sie keine süße Sojasauce bekommen, nehmen Sie 3 El normale Sojasauce und süßen sie mit 1 Tl Zucker.

Schmorgurkenpfanne

Die würzigste Art, eine Gurke zu genießen: geschmort mit Dill

Für 2 Portionen: **1** 500 g **Schmorgurken** schälen, halbieren, das weiche Innere mit einem Löffel entfernen. Gurke ca. 2 cm groß würfeln. 400 g **fest kochende Kartoffeln** schälen und grob würfeln. 1 **Zwiebel** fein würfeln, in 2 El **Öl** andünsten. Kartoffeln, Gurken und 1 Tl **Senfsaat** (oder 2 Tl **Senf**) kurz mitbraten. 100 g **saure Sahne** und 2 Tl **Mehl** verrühren, mit 150 ml **Gemüsebrühe** zu den Kartoffeln geben. Mit Salz, Pfeffer und 1 Prise **Zucker** würzen. **2** Aufkochen und zugedeckt bei milder Hitze 13–15 Min. garen. 2 **Bratwurst-schnecken** (oder 2 **Bratwürste** à 150–200 g) in 2 El Öl rundherum knusprig anbraten. ½ Bund **Dill** abzupfen, fein hacken, zu den Kartoffeln geben. Evtl. nachwürzen und mit den Würstchen servieren.

* Zubereitungszeit: 35 Minuten **Pro Portion:** 25 g E, 63 g F, 36 g KH = 813 kcal (3404 kJ)

Würzige Tortilla

So etwas wie ein mediterranes Bauernfrühstück. Besonders einfach,
wenn Sie vom Vortag noch Kartoffeln übrig haben

Für 2 Portionen: **1** 400 g **fest kochende Kartoffeln** waschen und in
kochendem Salzwasser garen. 200 g **Zucchini** putzen und in dünne
Scheiben schneiden. 1 **Zwiebel** und 1 **Knoblauchzehe** hacken. 3 **Eier**
(Kl. M), 200 ml **Milch**, etwas Salz, Pfeffer und ½ Tl **scharfes Paprika-
pulver** verquirlen. **2** Kartoffeln pellen und in Scheiben schneiden.
2 El **Olivenöl** in einer beschichteten Pfanne (20 cm Ø) erhitzen,
Zucchini, Zwiebeln, Knoblauch und 2 El **Mandelblättchen** darin an-
braten, mit Salz und Pfeffer würzen, herausnehmen. Kartoffeln
in 2 El Olivenöl anbraten, mit Salz und Pfeffer würzen.
Zucchinimasse untermischen. **3** Eiermasse darüber gießen.
Im vorgeheizten Ofen bei 180 Grad (Umluft 160 Grad)
auf der 2. Schiene von unten 20–25 Min. stocken lassen.
(Pfannenstiel aus Kunststoff mit Alufolie umwickeln.)
Kurz ruhen lassen, aus der Pfanne stürzen.

* **Zubereitungszeit:** 45 Minuten
  Pro Portion: 22 g E, 39 g F, 32 g KH = 571 kcal (2396 kJ)

Gelbe Grütze

Aus Aprikosen, Nektarinen und Melonen: Sie kann es jederzeit mit ihrer bekannten Schwester, der roten Grütze, aufnehmen

Für 4 Portionen: **1** 250 g **Aprikosen** halbieren, entsteinen und in Spalten schneiden. 1 **Nektarine** (200 g) halbieren, entsteinen und in Spalten schneiden. 300 g **Cantaloupe-Melone** entkernen, von der Schale schneiden, in Spalten schneiden. 250 ml **Orangensaft**, 100 ml **Weißwein** (oder nur Orangensaft), 1 **Zimtstange**, 6 El **Zucker**, abgeschälte Schale von ½ **Zitrone (unbehandelt)** und 3 El **Zitronensaft** aufkochen. **2** 3 gestrichene El **Speisestärke** in 4 El Wasser glatt rühren, zu der Grütze geben, erneut kurz aufkochen. Obst zur Grütze geben, kurz aufkochen, in eine Schüssel füllen und abkühlen lassen. 200 ml **Schlagsahne**, 1 El Zucker und etwas **Zimtpulver** steif schlagen, zur Grütze servieren.

Zubereitungszeit: 20 Minuten (plus Kühlzeit)
Pro Portion: 3 g E , 15 g F, 63 g KH = 415 kcal (1743 kJ)

Pfirsich-Keks-Gratin

*Mindestens so gut wie der berühmte Pfirsich Melba,
nur viel, viel knuspriger.*

Für 4 Portionen: **1** 4 **Pfirsiche** am oberen Ende kreuzweise einritzen,
kurz in kochendes Wasser tauchen, eiskalt abschrecken und häuten.
Pfirsiche halbieren und entsteinen. 100 g **Löffelbiskuits** mit der
gezuckerten Seite nach oben in eine gefettete Aufflaufform
(ca. 25 x 15 cm) legen. Mit 5 El **Mandellikör** (z. B. Amaretto, ersatz-
weise **Orangensaft**) beträufeln. Pfirsiche mit der Rundung nach oben
darauf legen. **2** 200 ml **Milch**, je 2 **Eiweiß** und **Eigelb** (Kl. M), 4 El
Zucker und 1 Pk. **Vanillezucker** verquirlen, über die Pfirsiche gießen.
Im vorgeheizten Ofen bei 180 Grad (Umluft 160 Grad) auf der 2. Schie-
ne von unten 40 Min. backen. 1 El **Mandelblättchen** in einer Pfanne
ohne Fett rösten, über den Auflauf streuen und servieren. Dazu passt Eis.

* **Zubereitungszeit:** 55 Minuten. **Pro Portion:** 12 g E, 14 g F, 56 g KH = 398 kcal (1672 kJ)

Hähnchen mit Spinat

*Sehr praktisch und sehr köstlich. Fast ohne Aufwand bekommen Sie
pikante saftige Hähnchenkeulen*

Für 2 Portionen:

½ rote Pfefferschote

1 Zwiebel

1 Knoblauchzehe

4 Hähnchen-Unterkeulen
(à ca. 150 g)

Salz

Pfeffer

3 El Olivenöl

5 El Weißwein

150 ml Geflügelfond

½ unbehandelte Zitrone

110 g TK-Blattspinat

1 Pfefferschote einritzen, entkernen,
mit Zwiebel und Knoblauch in feine
Streifen schneiden. Unterkeulen
mit Salz und Pfeffer würzen. In einem
kleinen Bräter im heißen Olivenöl
rundherum knusprig anbraten.
Zwiebeln, Knoblauch und Pfefferschote
kurz mitbraten, Wein und Fond
angießen. Im vorgeheizten Ofen bei
200 Grad auf der 2. Schiene von
unten 30 Min. braten (Umluft 180 Grad,
dabei 50 ml Geflügelfond zusätzlich
angießen).

2 Zitrone in Spalten schneiden. Spinat
nach Packungsanweisung auftauen,
gut ausdrücken. Mit den Zitronenspal-
ten nach 20 Min. in den Bräter
geben. Evtl. nachwürzen und mit Brot
oder Risotto servieren.

* **Zubereitungszeit:** 45 Minuten
Pro Portion: 32 g E, 33 g F, 1 g KH =
434 kcal (1814 kJ)

SCHÖN PRAKTISCH
Sie nennen sich Göffel, weil sie die
Vorteile von Gabel und Löffel verbinden.
Gut für saucenreiche Gerichte.

Sizilianische Gemüsesauce

Wie viele Vitamine passen in ein Nudelgericht? Jede Menge!
Diese Sauce aus dem Süden Italiens zeigt es Ihnen!

Für 4 Portionen: **1** 1 **rote Paprikaschote** und 1 **Zwiebel** in feine Würfel
schneiden. 500 g **Fleischtomaten** vierteln, entkernen und in feine Wür-
fel schneiden. 250 g **Auberginen** in feine Würfel schneiden. In einem
Topf 3 El **Olivenöl** erhitzen und die Auberginen darin scharf anbraten.
Paprika- und Zwiebelwürfel, 1 durchgepresste **Knoblauchzehe** und
2 El **Tomatenmark** kurz mitbraten. Mit Salz und Pfeffer würzen.
Tomaten dazugeben und alles zugedeckt 10 Min. garen. **2** Inzwischen
4 Stangen **Staudensellerie** in feine Scheiben schneiden. Mit 1 El
Kapern und 1 Tl **Zucker** in die Sauce geben und weitere 10 Min.
köcheln lassen. 400 g **Nudeln** (z. B. Penne) nach Packungsanweisung
garen. Sauce mit Salz, Pfeffer, **Rotweinessig** und Zucker würzen.
3 Blätter von 2 Stielen **Oregano** abzupfen und grob hacken. Nudeln
abgießen und abtropfen lassen. Oregano und Sauce mit den
Nudeln mischen. Mit 80 g geraspeltem **Parmesan** bestreuen.

Zubereitungszeit: 40 Minuten
Pro Portion: 22 g E, 17 g F, 79 g KH = 570 kcal (2390 kJ)

Tomatenpesto

Schlicht und paradiesisch: So ungefähr könnte das Glück schmecken, wenn es denn essbar wäre

Für 2 Portionen: **1** 60 g **getrocknete Tomaten** (ohne Öl) 5 Min. in kochendem Salzwasser mit 1 Tl getrocknetem **Thymian** garen. Abgießen, dabei 100 ml Kochsud auffangen. Tomaten abtropfen lassen. 60 g **Pinienkerne** in einer Pfanne ohne Fett anrösten. 40 g **Parmesan** reiben. Tomaten grob hacken und mit 40 g Pinienkernen, 2 El **Paprika-paste** (z. B. Ajvar), dem Kochsud, 3 Tl **Olivenöl** und Parmesan fein pürieren. **2** Mit Salz, Pfeffer und **Zucker** würzen. 200 g **Nudeln** (z. B. Bavette oder Spaghetti) nach Packungsanweisung garen. In einer Pfanne 2 El Olivenöl erhitzen und 100 g **Kirschtomaten** (evtl. am Strunk) darin anbraten. 1 El **Thymianblättchen** dazugeben und kurz mitbraten. Mit Salz und Pfeffer würzen. Nudeln abgießen und tropfnass mit dem Pesto mischen. Mit Tomaten, Thymian und 20 g Pinienkernen anrichten.

* Zubereitungszeit: 30 Minuten
   Pro Portion: 27 g E, 43 g F, 76 g KH = 804 kcal (3365 kJ)

Ziegenkäsefeigen

Drei Zutaten mit ein paar Handgriffen edel kombiniert –
so schlicht und ergreifend kann feine Küche sein

Für 2 Portionen: **1** 4 frische **<u>Feigen</u>** waschen und vorsichtig trocken-
tupfen. An der spitzen Seite kreuzweise bis zur Hälfte einschneiden
und leicht auseinander drücken. Mit etwas Pfeffer würzen.
75 g **<u>französische Ziegenkäserolle</u>** (z. B. Soignon) grob zerkrümeln
und in die Feigen drücken. **2** Feigen auf ein gefettetes Backblech
setzen und im vorgeheizten Ofen bei 220 Grad (Umluft 200 Grad) auf
der 2. Schiene von oben 8–10 Min. überbacken. Vor dem Servieren
mit frisch gemahlenem Pfeffer würzen. Dazu passt frisches Brot.

* **Zubereitungszeit:** 15 Minuten
  Pro Portion: 5 g E, 12 g F, 16 g KH = 200 kcal (843 kJ)

Blätterteigtaschen

Hübsch und saftig: In der knusprigen Blätterteighülle verbirgt sich eine würzige Hackmasse mit Salzmandeln und Rosinen

Für 10 Stück: **1** 1 Pk. **Ruck-Zuck-TK-Blätterteig** (450 g, 10 Platten) auftauen lassen. 2 El **Rosinen** und 2 El **geröstete Salzmandeln** fein hacken. Beides mit 400 g **Rinderhack** und 2 **Eiern** (Kl. M) verkneten. Kräftig mit Salz, Pfeffer und **rosenscharfem Paprikapulver** würzen. **2** Hackmasse auf den Blätterteigplatten verteilen und zu Dreiecken zusammenklappen. Die Ränder mit einer bemehlten Gabel gut andrücken. Auf ein Blech mit Backpapier setzen und mit 50 g geraspeltem **Manchego** (oder **Gouda**) bestreuen. Im vorgeheizten Ofen bei 220 Grad (Umluft 200 Grad) auf der untersten Schiene 20–25 Min. backen.

* **Zubereitungszeit:** 40 Minuten
  Pro Stück: 14 g E, 21 g F, 19 g KH = 324 kcal (1354 kJ)

Lachsspieße

*Lax gesagt ist dieses Fischgericht die Wucht. Dazu gibt es in Weißwein
gedünstetes Paprika-Zwiebel-Gemüse, das zart nach Honig schmeckt*

Für 2 Portionen:

600 g rote und gelbe
Paprikaschoten

2 Knoblauchzehen

1 Bund Frühlingszwiebeln

4 Scheiben Lachsfilet
(à 90 g, ohne Haut)

3 El Öl

1 El flüssiger Honig

2 El Zitronensaft

100 ml Weißwein

Salz

Pfeffer

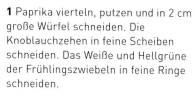

1 Paprika vierteln, putzen und in 2 cm
große Würfel schneiden. Die
Knoblauchzehen in feine Scheiben
schneiden. Das Weiße und Hellgrüne
der Frühlingszwiebeln in feine Ringe
schneiden.

2 Die Lachsscheiben zu Schnecken
aufdrehen, auf 2 Holzspieße stecken
und kalt stellen.

3 2 El Öl in einem Topf erhitzen.
Knoblauch bei milder Hitze darin gla-
sig dünsten. Paprika dazugeben und
weitere 4–5 Min. bei kleiner Hitze unter
Rühren dünsten.

4 Honig, Zitronensaft und Weißwein
dazugeben. Aufkochen und halb zuge-
deckt 7–8 Min. köcheln lassen. Salzen,
pfeffern und die Frühlingszwiebeln
untermischen.

5 Die Lachsspieße salzen und pfeffern.
In einer beschichteten Pfanne 1 El
Öl erhitzen. Den Lachs von jeder Seite
2 Min. darin braten. Mit dem
Gemüse anrichten.

Zubereitungszeit: 35 Minuten
Pro Portion: 36 g E, 27 g F, 19 g KH =
482 kcal (2016 kJ)

SO MACHEN SIE DEN LACHS ZUR SCHNECKE
Einfach und wirkungsvoll: Rund aufgedreht
und auf Holzspieße gesteckt sieht der Fisch
gleich viel schicker aus.

Erdbeerkaltschale mit Croûtons

Eine köstliche Verbindung: süße Erdbeeren und würziges Basilikum.
Probieren Sie diese ganz und gar andere Suppe!

Für 2 Portionen: **1** 600 g **Erdbeeren** waschen, putzen und vierteln.
400 g Erdbeeren mit 100 ml **rotem Traubensaft**, 1 Msp. **Zimtpulver**,
50 g **Zucker** und 2 El **Zitronensaft** fein pürieren. 200 g Erdbeeren
untermischen, 2 Std. kalt stellen. **2** 100 g **Butter-Brioche** ca. 1 cm
groß würfeln. 30 g **Butter** in einer beschichteten Pfanne aufschäumen,
Brotwürfel darin bei milder Hitze goldbraun rösten. 1 Pk. **Vanillin-
zucker** dazugeben und kurz schmelzen lassen. 4 Stiele **Basilikum** ab-
zupfen und in Streifen schneiden. Unter die Briochewürfel mischen,
auf die eiskalte Suppe geben und sofort servieren.

* **Zubereitungszeit:** 25 Minuten (plus Kühlzeit)
  Pro Portion: 5 g E, 24 g F, 83 g KH = 590 kcal (2470 kJ)

Aprikosen-Brombeer-Focaccia

Kein Taekwondo-Wurf, sondern eine italienische Art, Hefeteig zuzubereiten

Für 16 Stücke:

1 1 Pk. Grundmischung **Hefeteig** (357 g, z. B. von Dr. Oetker) mit 50 g weicher **Butter**, 150 ml lauwarmer **Milch** und 1 **Ei** (Kl. M) nach Packungsanweisung zu einem glatten Teig verkneten. Zugedeckt an einem warmen Ort ca. 30 Min. gehen lassen.

600 g **Aprikosen** halbieren, entsteinen und in Spalten schneiden. 250 g **Brombeeren** verlesen. **2** Teig auf einer bemehlten Fläche nochmals gut durchkneten. In 2 Stücke teilen. Auf einer bemehlten Fläche zu 2 länglichen Fladen (à 35 x 25 cm) ausrollen. Auf jeweils ein Blech mit Backpapier legen. Fladen dünn mit je 80 g **Aprikosenkonfitüre** bestreichen, mit Obst belegen und mit 1 Pk. **Vanillezucker** bestreuen. **3** Nacheinander im vorgeheizten Ofen bei 200 Grad (Umluft 180 Grad) auf der untersten Schiene je 20 Min. backen. Warm mit **Schlagsahne** oder **Crème fraîche** servieren.

Zubereitungszeit: 1 Stunde (plus Gehzeit)
Pro Stück: 3 g E, 3 g F, 26 g KH = 156 kcal (660 kJ)

Bohnen mit Walnussbutter

Saison für Schnippelbohnen! Die knubbeligen Stangen
schmecken rustikal im Eintopf oder edel mit Walnussbutter

Für 2 Portionen: **1** 500 g **Schnippelbohnen** putzen und
8–10 Min. in kochendem Salzwasser garen. **2** Inzwischen 1 **Knob-
lauchzehe** in feine Scheiben schneiden. 50 g **Walnusskerne** grob
hacken. 1 **rote Chilischote** längs halbieren, entkernen und fein hacken.
3 50 g **Butter** in einer Pfanne aufschäumen. Knoblauch, Nüsse und
Chili darin bei niedriger Hitze 1 Min. andünsten. 1 El gehackte **Peter-
silie** dazugeben. **4** Bohnen abgießen, gut abtropfen lassen und
mit der Butter mischen. Mit Salz und Pfeffer würzen.

Zubereitungszeit: 20 Minuten
Pro Portion: 9 g E, 37 g F, 10 g KH = 406 kcal (1702 kJ)

Kartoffel-Käse-Taler

Wer die Kartoffel nicht ehrt, ist des Talers nicht wert: Mit Camembert und Rosmarin glänzt diese Beilage auch als Hauptgericht

Für 4 Portionen: **1** 300 ml Wasser aufkochen. Topf vom Herd nehmen und das Wasser 1 Min. abkühlen lassen. 1 Beutel **Kartoffelpüree** (mit Milch, für 3 Portionen) unterrühren. Masse in eine Schüssel füllen und etwas abkühlen lassen. **2** Die Nadeln von 2 Zweigen **Rosmarin** abzupfen und fein hacken. 50 g **Camembert** fein würfeln. Beides unter die lauwarme Kartoffelmasse heben. Zu einer Rolle von 16 cm Länge formen und in 8 Scheiben schneiden. Rundum in 4 El **Semmelbröseln** wenden. 2 El **Öl** und 2 El **Butter** in einer Pfanne aufschäumen. Die Taler darin von jeder Seite 3–4 Min. goldbraun braten.

Zubereitungszeit: 25 Minuten (plus Kühlzeit)
Pro Portion: 6 g E, 14 g F, 25 g KH = 254 kcal (1064 kJ)

Senfletten

Scharfe Schwester aus der Frikadellensippe: Neben Magerquark haben wir eine zünftige Portion Senf darin verhackstückt

Für 2 Portionen: **1** 1 **Zwiebel** und 1 kleine **Knoblauchzehe** fein hacken. 1 El **Öl** in einer Pfanne erhitzen, Zwiebeln und Knoblauch darin glasig dünsten und abkühlen lassen.
2 Mit 400 g **gemischtem Hack** in einer Schüssel verkneten.
1 El **Semmelbrösel** und 2 El **Magerquark** unterheben.
Mit Salz, Pfeffer und 1–2 El **extrascharfem Senf** würzen.
Aus der Hackmasse 6 Buletten formen. **3** 2–3 El Öl in einer Pfanne erhitzen und die Senfletten darin bei starker Hitze scharf anbraten. Temperatur reduzieren und bei mittlerer Hitze von jeder Seite 6 Min. braten.

* **Zubereitungszeit:** 30 Minuten
  Pro Portion: 43 g E, 48 g F, 7 g KH = 629 kcal (2636 kJ)

Romeo-Salat

Nicht nur für Julia: Das geschmeidige Dressing aus Rotweinessig, Honig, Senf und Ei schmeckt einfach verführerisch

Für 4 Portionen: **1** 2 **Eigelb** mit 2 El **mittelscharfem Senf**, 1 **Knoblauchzehe**, 2 El **Rotweinessig**, 1 El **flüssigen Honig** und 150 ml **Öl** in eine hohe Schüssel geben. **2** Mit dem Schneidstab auf höchster Stufe zu einer glatten Sauce mixen. Mit Salz und Pfeffer würzen. **3** 100 g **Baguette** in Scheiben schneiden, mit 2 El **Olivenöl** bestreichen und unter dem vorgeheizten Backofengrill von beiden Seiten goldgelb rösten. **4** 3 **Römersalatherzen** in Spalten schneiden und mit der Sauce mischen. **5** Mit klein gebrochenen Baguette-Croûtons und 30 g gehobeltem **Bergkäse** mischen.

* **Zubereitungszeit**: 30 Minuten
Pro Portion: 7 g E, 49 g F, 17 g KH = 537 kcal (2247 kJ)

Fenchel-Melonen-Salat

Roher Fenchel im Salat? Die gesunde Knolle mit dem typischen Anisgeschmack passt perfekt zu Wassermelone und Parmaschinken!

Für 4 Portionen: **1** 1 <u>**Fenchelknolle**</u> (650 g) putzen und so fein wie möglich hobeln. **2** In einer Schüssel mit Salz, Pfeffer und 1 El gehacktem <u>**Basilikum**</u> mischen und 2–3 Min. kräftig kneten. 2 Tl <u>**Zitronensaft**</u> und 2 El <u>**Olivenöl**</u> dazugeben. 10 Min. ziehen lassen. **3** Inzwischen 600 g <u>**Wassermelone**</u> schälen und die Kerne so gut es geht entfernen. Melone in Würfel schneiden. Unter den Fenchel mischen. **4** 8 Scheiben <u>**Parmaschinken**</u> auf 4 Teller geben und den Salat dazugeben. Mit etwas Pfeffer bestreuen.

Zubereitungszeit: 30 Minuten
Pro Portion: 9 g E, 7 g F, 6 g KH = 139 kcal (580 kJ)

Kohlrabi-Apfel-Salat

Ein Sommersalat, wie er sein soll: fruchtig, saftig und knackig

Für 2 Portionen: **1** 300 g **Kohlrabi** schälen, vierteln und in sehr dünne Scheiben hobeln oder schneiden. Scheiben mit ½ Tl **Salz** bestreuen, vorsichtig mischen und 10 Min. ziehen lassen. 2 El **Pinienkerne** in einer Pfanne ohne Fett anrösten. 1 El **Thymianblättchen** fein hacken, mit 2 El **Weißweinessig**, 1–2 Tl **Honig**, etwas Salz, Pfeffer und 4 El **Öl** verschlagen. **2** 1 **roten Apfel** vierteln, entkernen, in sehr dünne Spalten schneiden, sofort mit der Sauce mischen. Kohlrabi trockentupfen, ebenfalls unter die Sauce mischen und mit Pinienkernen bestreuen.

* **Zubereitungszeit:** 20 Minuten **Pro Portion:** 5 g E, 25 g F, 18 g KH = 322 kcal (1349 kJ)

Johannisbeer-Blechkuchen

Ein halber Quadratmeter Beerengenuss. Backen Sie sicherheitshalber gleich zwei – er ist nämlich unwiderstehlich

Für 12 Stücke:

750 g rote Johannisbeeren

375 g Mehl

1 Pk. Hefeteig Garant (Backpulver und Trockenhefe, Dr. Oetker)

250 g Zucker

1 Pk. Vanillezucker

Salz

200 ml Milch

75 g Butter oder Margarine

4 Eier (Kl. M)

Mark von 1 Vanilleschote

500 g Magerquark

20 g Speisestärke

1 Johannisbeeren vorsichtig waschen, abtropfen lassen und von den Rispen streifen. Mehl und Hefeteig Garant mischen. 50 g Zucker, Vanillezucker, 1 Prise Salz, Milch und weiches Fett zugeben. Mit den Knethaken des Handrührers zu einem glatten Teig verkneten. Auf einer bemehlten Fläche 40 x 30 cm groß ausrollen. Mit Hilfe des Nudelholzes aufrollen und über einem gefetteten, tiefen Blech (40 x 30 cm) wieder abrollen.

2 Eier, 200 g Zucker und Vanillemark mit den Quirlen des Handrührers 5 Min. cremig rühren. Quark und Stärke unterrühren. Auf den Teig geben, mit den Johannisbeeren bestreuen. 5 Min. ruhen lassen. Im vorgeheizten Ofen bei 200 Grad (Umluft 180 Grad) auf der 2. Schiene von unten 30–35 Min. backen. Abkühlen lassen.

Zubereitungszeit: 70 Minuten (plus Kühlzeit)
Pro Stück: 12 g E, 8 g F, 52 g KH = 350 kcal (1466kJ)

PUTZEN
Ohne große Mühe befreien Sie die Johannisbeeren von ihren Rispen, indem Sie die Stängel locker durch die Zinken einer Gabel ziehen.

Genießen wie ein Kaiser

WAS KAISER AUGUSTUS sich am liebsten servieren ließ, wissen wir nicht. Er soll aber dem Genuss durchaus zugetan gewesen sein. Der Monat, der nach Augustus benannt ist, bietet jedenfalls alles, was man sich an Obst, Gemüse und Salaten auch nur wünschen kann. Mit den Rezepten, die wir uns damit ausgedacht haben, können Sie wirklich kaiserlich genießen. Besser kann auch Augustus nicht gegessen haben.

Caesar-Sandwich

Für diesen Snack stand der Klassiker Caesar's Salad Pate: Der Salat kommt auf Toastbrot und wird mit Grillhähnchen belegt. Köstlich!

Für 2 Portionen:

75 g Mayonnaise

1 Knoblauchzehe

2 Tl Zitronensaft

Salz

schwarzer Pfeffer

1 Römersalatherz

50 g Parmesan im Stück

2 Scheiben Toastbrot

½ gegrilltes Hähnchen (aus dem Imbiss oder von der heißen Theke)

1 Mayonnaise mit der durchgepressten Knoblauchzehe, Zitronensaft, Salz und Pfeffer verrühren.

2 Salat putzen, waschen und trockenschleudern. Parmesan mit einem Sparschäler in Späne hobeln.

3 Toastbrot im Toaster oder unter dem vorgeheizten Backofengrill rösten. Den Salat mit jeweils der Hälfte vom Käse und der Zitronenmayonnaise mischen und auf den Toasts verteilen. Das Hähnchenfleisch vom Knochen lösen und etwas zerzupfen. Auf dem Toast verteilen.

4 Mit der restlichen Mayonnaise beträufeln und mit dem restlichen Käse bestreuen.

* **Zubereitungszeit:** 25 Minuten
Pro Portion: 36 g E, 53 g F, 14 g KH = 671 kcal (2812 kJ)

WENN WAS ÜBRIG BLEIBT
Fleischreste vom Hähnchen für einen Nudelsalat oder eine Suppe verwenden oder gleich Geflügelaufschnitt kaufen.

Lauwarmer Tomatensalat

Klein, aber oho: Diesen erlesenen Salat mit Rucola, Sauerampfer und gegrillter Tomate krönen edle Garnelen

Für 4 Portionen: **1** 6 <u>Eiertomaten</u> halbieren. Mit der Schnittfläche nach oben auf ein Blech legen und mit Salz und Pfeffer würzen. Mit 2 El <u>Olivenöl</u> beträufeln und mit 2 El <u>Zucker</u> bestreuen. Unter dem heißen Backofengrill auf der 2. Schiene von unten 7–8 Min. rösten. **2** Inzwischen je 50 g <u>Sauerampfer</u> und <u>Rucola</u> waschen und in mundgerechte Stücke zupfen. 1 <u>rote Zwiebel</u> in feine Streifen schneiden. **3** 4 <u>Garnelen</u> (à 60 g, mit Kopf und Schale) in 1 El <u>Öl</u> von jeder Seite 3 Min. braten. Salzen und pfeffern. **4** Tomaten mit Zwiebeln, Rucola und Sauerampfer auf 4 Teller verteilen. 3 El Olivenöl mit 2 El <u>Zitronensaft</u> mischen, salzen und pfeffern. Über den Salat geben, mit den Garnelen servieren.

* Zubereitungszeit: 30 Minuten **Pro Portion:** 11 g E, 16 g F, 15 g KH = 254 kcal (1063 kJ)

Frischer Erbseneintopf

Klassische Moderne: Mit Zitronengras und Basilikum erfährt der Eintopf in diesem Rezept sein grünes Wunder

Für 2 Portionen: **1** 750 ml **Gemüsebrühe** mit 1 zerdrückten Stange **Zitronengras** (oder Schale von 1 **unbehandelten Zitrone** in Streifen) aufkochen. **2** 100 g **Möhren**, 100 g **Knollensellerie** und 100 g **Porree** in 1 cm große Würfel schneiden. In die Brühe geben und 8 Min. kochen. **3** 250 g **Kasseler** in Würfel schneiden, mit 200 g **TK-Erbsen** dazugeben und 3–4 Min. kochen. **4** Die Suppe unter Rühren mit 3–4 El **Kartoffelpüreepulver** binden. Mit Salz, Pfeffer und 1 El gehacktem **Basilikum** würzen.

* **Zubereitungszeit**: 25 Minuten
  Pro Portion: 33 g E, 6 g F, 23 g KH = 286 kcal (1200 kJ)

Pfifferlingsrisotto

Seelenfutter für Daheimgebliebene: mit Pfifferlingen, Speck und Rucola ein Genuss, der Hunger und Sehnsucht stillt

Für 2 Portionen: 1 1 **Schalotte** in feine Würfel schneiden. 1 **Knoblauchzehe** fein hacken. In einer Pfanne 1 El **Öl** erhitzen und Schalotten und Knoblauch darin glasig dünsten. 150 g **Risotto-Reis** dazugeben und 1 Min. mitdünsten. Mit 150 ml **Weißwein** ablöschen und bei mittlerer Hitze vollständig einkochen lassen. **2** Den Reis weitere 20 Min. unter Rühren garen, dabei nach und nach 600 ml heiße **Gemüsebrühe** zum Reis geben. **3** Inzwischen 75 g **durchwachsenen Speck** würfeln und 250 g **Pfifferlinge** putzen. **4** 1 El Öl in einer Pfanne erhitzen und den Speck darin knusprig braten. Pfifferlinge dazugeben und 3 Min. mitbraten, salzen und pfeffern. **5** 2 Min. vor Ende der Garzeit des Risottos die Pilze, 40 g frisch geriebenen **Parmesan** und 25 g grob zerzupftem **Rucola** unter den Reis mischen.

* **Zubereitungszeit:** 40 Minuten **Pro Portion:** 20 g E, 29 g F, 62 g KH = 607 kcal (2543 kJ)

Ingwer-Putensteaks

Es muss nicht immer Braten sein: Mit Spitzkohl und Kirschtomaten wird aus schlichten Putensteaks ein sonntägliches Leichtgewicht.

Für 4 Portionen: **1** 30 g frischen **Ingwer** schälen und fein reiben, mit 1 durchgepressten **Knoblauchzehe**, ½ Tl gem. **schwarzem Pfeffer** und 4 El **Sojasauce** mischen. 4 **Putenmedaillons** (à 180 g) mit der Mischung einreiben und ½ Std. im Kühlschrank marinieren. 1 **Spitzkohl** (ca. 500 g) putzen, vierteln, den harten Strunk entfernen. Den Kohl in ca. 2 cm breite Streifen schneiden. 150 g **Kirschtomaten** waschen und trocknen. **2** 3 El **Öl** in einer beschichteten Pfanne erhitzen. Das Fleisch trockentupfen, aber die Marinade aufbewahren. Fleisch von beiden Seiten 1–2 Min. scharf anbraten und in eine Auflaufform setzen. Im vorgeheizten Ofen bei 180 Grad (Umluft 160 Grad) auf der 2. Schiene von unten 12–17 Min. garen. 2 El Öl in der Pfanne erhitzen. Spitzkohl darin 3–4 Min. unter Rühren anbraten. **3** Die Marinade und die Tomaten zum Spitzkohl geben und aufkochen. Mit Salz und Pfeffer abschmecken, mit dem Fleisch und 2 El gehacktem **Koriandergrün** (oder **glatter Petersilie**) anrichten.

* Zubereitungszeit: 30 Minuten (plus Zeit zum Marinieren)
  Pro Portion: 47 g E, 15 g F, 4 g KH = 342 kcal (1429 kJ)

Thousand-Island-Salat

Falls Sie sich nicht gerade selbst auf einer Insel befinden,
bleibt Ihnen ja immer noch dieser Salat

Für 4 Portionen: **1** 1 **Ei** in kochendes Wasser geben und 8 Min.
garen. Abgießen, abschrecken und pellen. **2** 1 **rote Paprikaschote**
vierteln, entkernen und fein würfeln. 1 **Gewürzgurke** und 1 **rote Zwie-
bel** fein würfeln. Das Ei und 25 g **grüne Oliven** (ohne Stein) hacken.
⅓ aller Zutaten beiseite legen. **3** ⅔ der Zutaten in eine Schüssel ge-
ben. 150 g **Mayonnaise**, 5 El **Gewürzgurkenwasser** und 5 El **Ketchup**
dazugeben und mischen. Mit Salz, Pfeffer und **Tabasco** würzen.
4 1 großen Kopf **Blattsalat** putzen, waschen und trockenschleudern.
In mundgerechte Stücke zupfen und auf einer Platte anrichten. **5** Die
Sauce über den Salat geben und mit restlichen Zutaten bestreuen.

* **Zubereitungszeit:** 25 Minuten
  Pro Portion: 4 g E, 33 g F, 7 g KH = 344 kcal (1443 kJ)

Tomaten-Mozzarella-Gratin

Hauen Sie Lasagneplatten in Stücke. Das macht nicht nur Spaß, sondern ist die kreative Basis für dieses blitzschnelle Gratin

Für 2 Portionen:

150 g helle Lasagneplatten

Salz

4 El Olivenöl

300 g reife Strauchtomaten

1 Kugel Mozzarella (125 g)

Pfeffer

½ Topf Basilikum

1 Die Lasagneplatten in Stücke brechen und in reichlich kochendem Salzwasser mit 2 El Olivenöl 10 Min. garen. Dabei öfter umrühren, damit die Stücke nicht zusammenkleben. Abgießen, abschrecken und gut abtropfen lassen.

2 Tomaten in ca. ½ cm dicke Scheiben schneiden. Mozzarella in Scheiben schneiden. Die Hälfte der Lasagnestücke in eine gefettete Auflaufform (ca. 25 x 20 cm) verteilen. Tomaten, Mozzarella und restliche Nudeln fächerförmig darauf einschichten. Mit 2 El Olivenöl beträufeln und mit Salz und Pfeffer würzen.

3 Im vorgeheizten Ofen bei 220 Grad (Umluft 200 Grad) auf der mittleren Schiene 12–15 Min. überbacken. Basilikumblätter grob zerzupfen und vor dem Servieren über den Auflauf streuen.

* **Zubereitungszeit:** 30 Minuten
Pro Portion: 22 g E, 24 g F, 55 g KH = 537 kcal (2250 kJ)

SCHERBEN BRINGEN GLÜCK
Lasagneplatten in scherbenartige Stücke brechen. In reichlich kochendem Salzwasser mit einem Schuss Öl garen, dabei öfter umrühren, damit die Pasta nicht zusammenklebt. Das Glück stellt sich mit dem ersten Bissen ein – dabei am besten die Augen schließen!

Kirsch-Himbeer-Grütze

In Dänemark nennt man sie Rød Grød med Fløde, die ganz köstlich mit feiner Minzsahne schmeckt

Für 4 Portionen: **1** 300 g <u>Sauerkirschen</u> waschen und entsteinen. 250 g <u>Himbeeren</u> verlesen. Von 250 ml <u>Sauerkirschnektar</u> 6 El mit 20 g <u>Speisestärke</u> anrühren. Den restlichen Saft zum Kochen bringen, angerührte Speisestärke und Obst unterrühren und aufkochen lassen. In eine Schüssel füllen und erkalten lassen. **2** 50 g <u>Minzschokoladen-täfelchen</u> hacken. 200 ml <u>Schlagsahne</u> steif schlagen und die Schokoladenstückchen unterheben. Die Sahne zur Grütze servieren. Nach Belieben mit <u>Minzeblättchen</u> garnieren.

* **Zubereitungszeit**: 25 Minuten (plus Zeit zum Abkühlen)
  Pro Portion: 3 g E, 17 g F, 33 g KH = 306 kcal (1284 kJ)

Oreo-Cheesecake

*Oreos sind Kult! Die amerikanischen dunklen Kekse mit Cremefüllung
haben wir als Käsekuchen in der Cheesecake-Factory in Chicago probiert*

Für 14–16 Stücke: **1** 180 g (16 Stück) <u>Oreo-Kekse</u> in einem Gefrier-
beutel mit dem Nudelholz fein zerkrümeln. 50 g <u>Butter</u> (oder <u>Margari-
ne</u>) zerlassen, mit den Kekskrümeln in einer Schüssel verkneten. Auf
dem Boden einer Springform (24 cm Ø) mit einem Löffel festdrücken.
Den Rand mit weiteren 14 abgekratzten <u>Oreo-Kekshälften</u> auskleiden.
2 750 g <u>Magerquark</u>, 300 g <u>Doppelrahmfrischkäse</u>, 2 Pk. <u>Vanillezu-
cker</u>, 1½ Tl abgeriebene <u>Orangenschale (unbehandelt)</u>, 110 g <u>Zucker</u>
und 80 g <u>Mehl</u> mit den Quirlen des Handrührers auf mittlerer Stufe
cremig rühren. 3 <u>Eier</u> (Kl. M) nacheinander gut unterrühren. Masse in
die Springform gießen und glatt streichen. **3** Oberfläche nach Be-
lieben mit abgekratzten Kekshälften belegen. Im vorgeheizten Ofen
bei 160 Grad (Umluft 150 Grad) auf der 2. Schiene von unten 40–50 Min.
backen. 1 Std. bei Zimmertemperatur abkühlen lassen, dann mind.
5 Std. (am besten über Nacht) im Kühlschrank durchkühlen lassen.
<u>**Tipp:**</u> Als Ersatz für Oreo-Kekse kann man auch Haselnussgebäck
mit Cremefüllung nehmen.

* **Zubereitungszeit:** 1 Stunde (plus Kühlzeit)
  Pro Stück (bei 16): 13 g E, 12 g F, 28 g KH = 273 kcal (1145 kJ)

Tomatensalat

*Ein schlichter Salat, der keine Fisimatenten zulässt und
mit ein paar ursprünglichen Zutaten auskommt*

Für 2 Portionen: **1** 400 g reife **Tomaten** waschen, putzen und in Scheiben schneiden. Das Weiße und Hellgrüne von 2 **Frühlingszwiebeln** in dünne Ringe schneiden. Für die Vinaigrette 2 El **Balsamico bianco**, etwas Salz, Pfeffer, 1 Prise **Zucker**, 1 durchgepresste **Knoblauchzehe**, 8 El **Tomatensaft** und 4 El **Olivenöl** verrühren. Frühlingszwiebeln unter die Sauce rühren. **2** ½ Bund **glatte Petersilie** grob zerzupfen und mit den Tomaten und der Sauce mischen.

* **Zubereitungszeit:** 20 Minuten
Pro Portion: 2 g E, 20 g F, 13 g KH = 247 kcal (1038 kJ)

Pfifferlingsmedaillons

*Bevor sich die Saison des köstlichen Pfifferlings dem Ende zuneigt,
kommt der Kleine in diesem Gericht noch mal groß raus*

Für 4 Portionen: **1** 500 g **Pfifferlinge** putzen, in stehendem Wasser
waschen und gut trockentupfen. 1 **Zwiebel** fein würfeln. **2** 25 g **Butter**
in einer Pfanne erhitzen und die Zwiebeln darin glasig dünsten. Pfiffer-
linge dazugeben und 4 Min. mitbraten. 2 El **grüne Pfefferkörner** (Glas)
zerdrücken. Mit 1–2 El Lake und 100 ml **Weißwein** in die Pfanne geben
und zur Hälfte einkochen. **3** 200 ml **Schlagsahne** dazugießen,
aufkochen und cremig einkochen. Salzen, pfeffern und warm halten.
4 8 **Rinderfiletmedaillons** (à 75 g) salzen und pfeffern.
In einer 2. Pfanne 1 El **Öl** erhitzen und die Medaillons von jeder Seite
3–4 Min. braten. **5** ½ Bund **Schnittlauch** fein schneiden und in die
Sauce geben. Medaillons und Sauce auf Tellern anrichten.

* **Zubereitungszeit:** 35 Minuten **Pro Portion:** 35 g E, 29 g F, 2 g KH = 416 kcal (1748 kJ)

Pfannkuchen-Wrap

Snack für Bastler: Eilige können natürlich auch auf fertige Pfannkuchen aus dem Kühlregal zurückgreifen

Für 6 Portionen:

12 TK-Garnelen (gegart, geschält und ohne Kopf)

4 Eier (Kl. M)

150 ml Milch

2 Tl Currypulver

Salz

150 g Mehl

100 g Zuckerschoten

200 g Möhren

6 Tl Öl

2 El Salatmayonnaise

1 Tl abgeriebene Limetten-schale (unbehandelt)

2 El Limettensaft

150 g Vollmilchjoghurt

Pfeffer

Zucker

½ Bund Koriandergrün (oder glatte Petersilie)

1 Garnelen auftauen. Eier, Milch, Curry und 1 Prise Salz verquirlen. Mehl esslöffelweise unter Rühren dazugeben, den Teig 15 Min. ruhen lassen. Zuckerschoten in schräge, dünne Streifen schneiden. Möhren schälen und in dünne, ca. 5 cm lange Stifte schneiden. Zuckerschoten und Möhren in Salzwasser 3 Min. kochen, abschrecken und abtropfen lassen.

2 Pfannkuchenteig erneut gut durchrühren. Je 1 Tl Öl in einer beschichteten Pfanne (24 cm Ø) erhitzen und nacheinander 6 Pfannkuchen backen. Pfannkuchen abkühlen lassen. Mayonnaise, Limettenschale, Limettensaft und Joghurt mischen. Mit Salz und Pfeffer und 1 Prise Zucker würzen.

3 Korianderblätter abzupfen, hacken und untermischen. Pfannkuchen mit dem Joghurt bestreichen, dabei rundum einen 2 cm breiten Rand lassen. Möhren und Zuckerschoten darauf verteilen. Je 2 Garnelen in die Mitte legen. Pfannkuchen aufrollen, in Frischhaltefolie wickeln, 30 Min. kalt stellen und halbieren.

* **Zubereitungszeit:** 1 Stunde
(plus Zeit zum Durchziehen)
Pro Portion: 19 g E, 14 g F, 23 g KH = 310 kcal (1297 kJ)

Bohnensalat mit Crostini

Salat aus grünen, Kidney- und Wachsbohnen

Für 2 Port. Bohnensalat: 1 250 g **grüne Bohnen** und
250 g **Wachsbohnen** putzen und in 4 cm lange Stücke brechen.
Mit 3 Stielen **Bohnenkraut** (ersatzweise ½ Tl **getrocknetem Bohnen-
kraut**) in Salzwasser ca. 8–10 Min. kochen. Abschrecken, gut abtropfen
lassen, Bohnenkraut entfernen. 1 Dose **Kidneybohnen** (425 g EW) in
einem Sieb abbrausen und gut abtropfen lassen. **2** 150 g **Zwiebeln** in
dünne Halbringe schneiden. In einer kleinen Schüssel 2 El **Weißwein-
essig**, 1 Tl **mittelscharfen Senf**, 5 El **Sonnenblumenöl**, etwas Salz,
Pfeffer und 1 Prise **Zucker** mit einem Schneebesen gut verschlagen.
50 g **schwarze Oliven** entsteinen und grob hacken. Vinaigrette mit
Bohnen, Oliven und Zwiebeln mischen.
Für 2 Port. Crostini: ½ Baguette in schräge Scheiben schneiden, auf
ein Backblech legen und im vorgeheizten Ofen bei 200 Grad (Umluft
180 Grad) auf der 2. Schiene von oben 5–7 Min. rösten. 150 g **Ziegen-
frischkäsetaler** halbieren, auf jede Brotscheibe ½ Käsetaler legen und
weitere 8–10 Min. backen. Mit etwas **getrocknetem Oregano** bestreuen
und zum Salat servieren. **Tipp:** Anstelle der Crostini schmeckt auch
Lachssteak hervorragend dazu.

* **Zubereitungszeit:** 25 Minuten **Pro Portion:** 28 g E, 59 g F, 60 g KH = 882 kcal (3695 kJ)

Gemüsehuhn aus dem Ofen

Das simpelste Huhn der Welt: Auf einem Gemüsebett schmurgelt
es im Ofen seinem perfekten Garpunkt entgegen

Für 2 Portionen: **1** 250 g <u>Zucchini</u>, 1 <u>grüne</u> <u>Paprikaschote</u>, 1 <u>rote Zwiebel</u> und 100 g <u>Staudensellerie</u> in mundgerechte Stücke schneiden. **2** 3–4 El <u>Olivenöl</u>, Salz, Pfeffer und je 1 El gehackte <u>Petersilie</u> und <u>Basilikum</u> in einer Schüssel verrühren. 1 <u>Knoblauchzehe</u> dazupressen. Das Gemüse dazugeben, gut mischen und in eine Auflaufform geben. **3** 1 <u>Hühnerbrust</u> mit Knochen (650 g) rundum salzen, pfeffern und mit 1 Tl <u>Öl</u> einreiben. Auf das Gemüse legen. **4** Im vorgeheizten Ofen bei 200 Grad (Umluft 180 Grad) auf der 2. Schiene von unten 45 Min. garen. Nach 20 Min. 200 ml <u>Gemüse-brühe</u> dazugießen.

* **Zubereitungszeit:** 1 Stunde
Pro Portion: 52 g E, 28 g F, 5 g KH = 489 kcal (2047 kJ)

Maiskolben

Wer es exotisch mag, würzt das gelbe Getreide mit der Limettenbutter.
Für die klassische Variante nimmt man Knoblauch- oder Kräuterbutter

Für 4 Portionen: **1** 1 l **Milch**, ½ l Wasser und 1 Tl **Zucker** in einem
weiten Topf erhitzen. 4 geputzte **Maiskolben** 20 Min. bei mittelstarker
Hitze darin kochen. Aus der Milch nehmen, gut abtropfen lassen.
2 ½ **unbehandelte Limette** mit dem Sparschäler dünn abschälen.
Schale fein hacken. 1 **rote Chilischote** halbieren, entkernen und fein
hacken. 40 g zimmerwarme **Butter** mit der Limettenschale, Chili-
schote und etwas Salz vermischen. **3** Maiskolben 5–8 Min.
grillen. Vom Grill nehmen und mit je ¼ der Limettenbutter servieren.
Tipp: Maiskolben erst zum Schluss salzen, sonst werden die
Körner hart.

* Zubereitungszeit: 30 Minuten
 Pro Portion: 3 g E, 10 g F, 16 g KH = 163 kcal (685 kJ)

Italienischer Nudelsalat

Wer denkt bei diesen Zutaten nicht an Sonnenschein und Meeresrauschen?

Für 4–6 Portionen: **1** 400 g <u>**kurze Makkaroni**</u> nach Packungsanweisung kochen, abgießen und abschrecken. 200 g <u>**getrocknete Tomaten in Öl**</u> abtropfen lassen und klein schneiden. 6 El <u>**Pinienkerne**</u> in einer Pfanne ohne Fett goldbraun rösten. 2 <u>**Knoblauchzehen**</u> grob hacken. **2** Die Hälfte der getrockneten Tomaten und des Knoblauchs und 3 El geröstete Pinienkerne mit dem Schneidstab fein pürieren. 500 g <u>**Tomaten**</u> vierteln und die Viertel quer halbieren. 1 Bund <u>**Basilikum**</u> zerzupfen, große Blätter halbieren. **3** 3 El <u>**Olivenöl**</u>, 3 El <u>**Balsamico bianco**</u>, pürierte Tomaten, 2 El Wasser, Salz, Pfeffer, 1 Prise <u>**Zucker**</u>, restliche getrocknete Tomaten und restlichen Knoblauch verrühren. Nudeln, Tomaten, Pinienkerne, Basilikum und Vinaigrette mischen.

* Zubereitungszeit: 20 Minuten **Pro Portion (bei 6):** 12 g E, 15 g F, 54 g KH = 399 kcal (1672 kJ)

Picknickbrot

Statt Salami können Sie auch Thunfisch aus der Dose verwenden.
Auch lecker: die Kombination Salami und Ziegenfrischkäse

Für 8 Portionen:

1 rundes helles Bauern-
oder Krustenbrot
(ca. 500 g, ca. 18 cm Ø)

70 g Tomaten-Pesto (Glas)

100 g Salatgurke

Salz

Pfeffer

100 g Saint-Albray-Käse

½ Topf Basilikum

100 g gegrillte,
eingelegte rote Paprika-
schoten (Glas)

80 g hauchdünne
Salamischeiben

3 El Olivenöl

1 Vom Brot einen flachen Deckel ab-
schneiden. Das Innere des Brotes aus-
lösen, dabei einen 1 cm breiten Krus-
tenrand stehen lassen (Inneres
trocknen lassen und anderweitig als
Semmelbrösel verwenden). Das Brot
von innen mit Pesto ausstreichen.
Ungeschälte Gurke in hauchdünne
Scheiben hobeln. Mit Salz und Pfeffer
würzen.

2 Käse in dünne Scheiben schneiden.
Basilikumblätter abzupfen. Paprika gut
trockentupfen. Nacheinander die Hälfte
der Paprika, Käse, die Hälfte des Basi-
likums, Salami, die Hälfte der Gurke,
restliche Paprika, restliche Gurke
und restliches Basilikum in das Brot
schichten. Mit Olivenöl beträufeln.

3 Deckel darauf setzen und das Brot
fest in Folie wickeln. Mit einer Konser-
vendose beschweren und über Nacht
kalt stellen. Erst beim Picknick in
Stücke schneiden.

* **Zubereitungszeit:** 45 Minuten (plus Kühlzeit)
Pro Portion: 7 g E, 12 g F, 19 g KH =
217 kcal (910 kJ)

FETTES BROT
Köstlicher Happen für unterwegs: am
Abend vorher das hohle Brot üppig
mit Pesto ausstreichen. Dann nach-
einander die Zutaten ins Brot stapeln,
dabei Schicht für Schicht gut an-
drücken, sodass keine Hohlräume ent-
stehen. Über Nacht mit einer Konser-
vendose im Kühlschrank beschweren.
So wird das Picknickbrot schön kompakt.

Süße Beerenpasteten

Alles, was der Markt an Beeren bietet, in einer luftigen Pastete, verfeinert mit einem kleinen Schuss Exotik

Für 4 Portionen: **1** 4 **Blätterteigpasteten** (à 25 g), mit 2–3 El **Puder-zucker** bestäuben, auf ein Blech setzen. Im heißen Ofen bei 220 Grad auf der 2. Schiene von oben 8–10 Min backen, bis der Zucker schmilzt (Umluft nicht empfehlenswert). 3 El **Kokoschips** oder **-raspel** in einer Pfanne ohne Fett anrösten. 100 g **Erdbeeren** waschen, putzen, vierteln, mit je 100 g **Himbeeren** und **Heidelbeeren**, 2 El **Limettensaft** und 2 El Puderzucker mischen. **2** 200 ml **Schlagsahne**, 1 Pk. **Sahnesteif** und 1 El **Puderzucker** steif schlagen. 100 g **Kokosjoghurt**, 3 El **Kokoslikör** oder **-sirup** und abgeriebene Schale von 1 **Limette (unbehandelt)** kurz unterrühren. ⅔ der Sahne und die Beeren üppig in die Pasteten füllen. Mit Kokos bestreuen. Übrige Sahne extra dazu servieren.

Zubereitungszeit: 20 Minuten **Pro Portion**: 7 g E, 38 g F, 40 g KH = 538 kcal (2250 kJ)

Sangriagelee

Hier gibt es das spanische Nationalgetränk zum Löffeln.
Für ein Stück Mallorca auf Balkonien

Für 6 Portionen: **1** 4 Blatt **weiße** und 2 Blatt **rote Gelatine** in kaltem
Wasser einweichen. Je 300 g **Honig-**, **Wasser-** und **Cantaloupe-Melone**
entkernen und in kleine Stücke schneiden. 500 ml **Rotwein**,
1 **Zimtstange**, abgeschälte Schale von ½ unbehandelten **Orange**, 1 Pk.
Vanillezucker und 80 g **Zucker** aufkochen und offen auf 250 ml einko-
chen lassen. **2** Durch ein Sieb in eine Schüssel gießen. Gelatine aus-
drücken und in der heißen Flüssigkeit auflösen. 250 ml **Orangensaft**
unterrühren. Melonenstücke in 6 Gläser (à 250 ml Inhalt) geben und
mit der Rotweinmischung auffüllen. Über Nacht im Kühlschrank fest
werden lassen. Dazu passt Vanillesauce.

* **Zubereitungszeit:** 30 Minuten (plus Kühlzeit)
  Pro Portion: 3 g E, 0 g F, 28 g KH = 144 kcal (604 kJ)

Griechischer Bauernsalat

Der Renner auf jeder Grillparty! Schmeckt auch toll mit Reis

Für 4 Portionen: **1** 400 g **Salatgurke** schälen, halbieren und in grobe Stücke schneiden. 600 g **Tomaten** achteln. 1 **Zwiebel** in Ringe schneiden. 500 g **gelbe Paprikaschoten** putzen und in grobe Streifen schneiden. 250 g **Feta** grob zerkrümeln. Von ¼ Bund **Oregano** (ersatzweise **Petersilie**) die Blätter abzupfen und grob hacken.
2 Alle Zutaten und 100 g **schwarze Oliven** mit Stein in eine Schüssel geben. 2 **Knoblauchzehen** fein hacken, mit 3 El **Zitronensaft**, 6 El **Olivenöl**, Salz, 1 Prise **Zucker** und Pfeffer verrühren. Vinaigrette zu den restlichen Zutaten geben und alles miteinander mischen.

* **Zubereitungszeit**: 20 Minuten
Pro Portion: 14 g E, 36 g F, 12 g KH = 432 kcal (1811 kJ)

Würzige Hackspieße

*Diese pikante südosteuropäische
Spezialität ist vielen
auch als Cevapcici bekannt*

Für 4 Portionen: **1** 1 <u>Zwiebel</u>,
1 <u>Knoblauchzehe</u> und
200 g **rote Paprikaschoten** fein
würfeln. Alles mit 400 g <u>**Rinder-
hack**</u>, 1 <u>**Ei**</u>, 3 El **Semmel-
bröseln** und 1 Tl <u>getrocknetem
Thymian</u> zu einem glatten
Teig verkneten. Mit Salz, Pfeffer
und scharfem <u>**Paprikapulver**</u>
kräftig würzen. Masse mit leicht
geölten Händen zu 8 Röll-
chen (ca. 8 cm Länge) formen.
2 Auf 8 <u>**Metall-**</u> oder <u>**Holzspieße**</u>
stecken und auf dem heißen
Grill rundherum 8–10 Min. grillen.
1 <u>**unbehandelte Zitrone**</u> in
Spalten schneiden. Kurz mit-
grillen. Dazu passt grüner Salat
mit Peperoni-Vinaigrette.

* **Zubereitungszeit:** 25 Minuten
 Pro Portion: 23 g E, 16 g F, 8 g KH =
 263 kcal (1103 kJ)

Kalte Tomatensauce

*Zwei Gründe, die für diese Sauce sprechen: Das Raspeln der Tomaten
baut Stress ab. Und geschmacklich ist sie eine Offenbarung*

Für 4 Portionen: **1** 500 g reife, feste **Strauchtomaten** auf der groben
Seite einer Haushaltsreibe reiben, bis nur noch die Schale übrig bleibt.
Dafür die Reibe am besten in eine Schüssel stellen und die Tomaten
unter festem Druck raspeln. 1 **rote Zwiebel** fein würfeln. 8 El **Olivenöl**
und 2 El **Paprikapaste** (z. B. Ajvar) in die Tomatenmasse rühren. Kräf-
tig mit Salz und Pfeffer würzen. **2** 400 g **Spaghetti** nach Packungsan-
weisung kochen. Die Blätter von 1 Bund **Basilikum** grob zerzupfen.
Spaghetti abgießen und sofort unter die kalte Tomatensauce mischen.
Basilikum unterheben und mit 40 g gehobeltem **Parmesan** bestreuen.

* **Zubereitungszeit**: 30 Minuten
  Pro Portion: 17 g E, 27 g F, 73 g KH = 606 kcal (2537 kJ)

Exotische Tomatensauce

Eine Sauce aus dem fernsten Osten: Mit Kokosmilch, Ingwer und Koriander schmecken die Gnocchi herrlich exotisch

Für 4 Portionen: **1** 2 **Zwiebeln** und 1 **Knoblauchzehe** in feine Würfel schneiden. 500 g **Tomaten** in 2 cm große Würfel schneiden. 30 g frischen **Ingwer** schälen und fein reiben. 2 El **Öl** in einem Topf erhitzen und die Zwiebeln darin hellbraun anbraten. Knoblauch und Ingwer dazugeben und kurz mitbraten. Je 1 Tl **Kreuzkümmel-**, **Koriander-** und **Paprikapulver** und je ¼ Tl **Kurkuma** und **Chilipulver** (oder statt aller Gewürze 3 Tl **Currypulver**) kurz mitrösten. **2** Tomaten und 400 ml **Kokosmilch** dazugeben und salzen. Zugedeckt bei mittlerer Hitze 10 Min. köcheln lassen. 800 g **Gnocchi** (Frischepack) nach Packungsanweisung garen. Sauce evtl. nachwürzen und mit den Gnocchi mischen. Mit 2 El **Korianderblättchen** (oder **glatter Petersilie**) und 30 g gerösteten **Erdnusskernen** bestreuen.

Zubereitungszeit: 25 Minuten
Pro Portion: 11 g E, 27 g F, 76 g KH = 598 kcal (2512 kJ)

Schwarzwälder Kirschkonfitüre

Verwöhnen Sie Ihr Frühstücksbrötchen: mit einer Kirschkonfitüre, die nach einem Hauch Schokolade schmeckt

Für ca. 1,2 l: 1 1,2 kg **<u>Sauerkirschen</u>** putzen und entsteinen. 1 kg **<u>Kirschen</u>** abwiegen, mit 500 g **<u>Extra Gelier Zucker</u>** (2:1) in einem hohen Topf mischen und 1 Std. Saft ziehen lassen. Dann die Hälfte der Früchte im Topf mit einem Schneidstab pürieren. Mark von 1 **<u>Vanilleschote</u>** und die Schote dazugeben. Alles unter Rühren mit einem Kochlöffel bei starker Hitze aufkochen. Ab dem Zeitpunkt des sprudelnden Kochens 3 Min. bei starker Hitze unter Rühren kochen lassen. **2** 4 El **<u>klaren Schokoladenlikör</u>** (z. B. Crème de Cacao) unterrühren. Saubere Gläser mit **<u>Schokoladenlikör</u>** ausschwenken und sofort die heiße Konfitüre randvoll einfüllen. Gläser mit Twist-off-Deckeln fest verschließen und 5 Min. auf den Kopf stellen.

Zubereitungszeit: 30 Minuten (plus Zieh- und Kühlzeit)
Pro Teelöffel: 0 g E, 0 g F, 4 g KH = 17 kcal (72 kJ)

Brombeer-Erdbeer-Limetten-Konfitüre

Verwöhnprogramm am Morgen:
frisch, fruchtig und ungemein beerig

Für ca. 1,2 l: 1 Die Schale von 1 **unbehandelten Limette** dünn mit einem Sparschäler abschälen und in feine Streifen schneiden. 1 Beutel **Gelfix Extra** (2:1, 25 g) und 500 g **braunen Zucker** mischen. Mit 500 g geputzten, geviertelten **Erdbeeren** (ca. 600 g brutto), 500 g **Brombeeren**, 5 El **Limettensaft** und der Limettenschale in einem großen Topf vermengen und 30 Min. Saft ziehen lassen. **2** Dann die Hälfte der Masse im Topf mit einem Schneidstab pürieren. Alles unter Rühren mit einem Kochlöffel bei starker Hitze aufkochen. Ab dem Zeitpunkt des sprudelnden Kochens 3 Min. bei starker Hitze unter Rühren kochen lassen. Sofort randvoll in saubere Gläser füllen. Gläser mit Twist-off-Deckeln fest verschließen und 5 Min. auf den Kopf stellen.

* Zubereitungszeit: 20 Minuten
(plus Zieh- und Kühlzeit)
Pro Teelöffel: 0 g E, 0 g F, 3 g KH = 15 kcal (63 kJ)

Rotbarsch aus der Folie

*Delikater Gaumenschmaus für Kalorienbewusste. In der Folie
bleibt das fettarme Fischfilet schön zart und saftig*

Für 4 Portionen: **1** 4 Stücke **Alufolie** (à 40 x 40 cm) mit **Olivenöl**
bestreichen. Auf jedes Stück Folie 1 **Rotbarschfilet** (à 150 g) legen.
Fisch mit Salz, Pfeffer und **Zitronensaft** würzen. **2** Je 1 Stiel
Basilikum und **Petersilie** auf den Fisch legen. 5 **Kirsch-
tomaten** und 5 **grüne Oliven** auf jedes Filet geben.
3 Alufolie zu Päckchen verschließen. Auf dem mittel-
heißen Grill ohne zu wenden 8–9 Min. grillen.

* **Zubereitungszeit:** 25 Minuten
   Pro Portion: 29 g E, 12 g F, 3 g KH = 240 kcal (1008 kJ)

Puten-Radieschen-Salat

Eine schnelle, leichte Erfrischung: zartes Putenfleisch mit Kopfsalat, Rettich und Radieschen

Für 2 Portionen: **1** 1 **Zwiebel** fein würfeln. 1 **Kopfsalat** putzen, waschen, trockenschleudern, größere Blätter in grobe Stücke zupfen. 1 Bund **Radieschen** putzen, waschen und dünn hobeln oder schneiden. 200 g **Rettich** schälen und dünn hobeln oder schneiden. 4 Stiele **Kerbel** abzupfen und grob zerzupfen. **2** 2 **Putenschnitzel** (à ca. 120 g) dritteln. In 2 El heißem **Öl** von beiden Seiten 1–2 Min. scharf anbraten, mit Salz und Pfeffer würzen. In Alufolie gewickelt beiseite stellen. Zwiebeln und ¼ Tl **Zucker** im Bratensatz andünsten. Dann mit 2 El **Zitronensaft**, 4 El **Gemüsefond**, 4 El Öl, 2 Tl **Sahne-Meerrettich**, Salz und Pfeffer verschlagen. **3** Sauce, Kerbel und Salatzutaten vorsichtig mischen, mit den Schnitzeln anrichten.

* **Zubereitungszeit**: 30 Minuten **Pro Portion**: 32 g E, 33 g F, 8 g KH = 463 kcal (1937 kJ)

Raffaelo-Joghurt-Mousse

Kokos-Traum mit Himbeeren und Nektarinen: ein süßer Genuss der Extraklasse – und das ganz ohne Schokolade

Für 4 Portionen:

8 gefüllte Kokoskugeln (z. B. Raffaelo)

4 Blatt weiße Gelatine

300 g Vollmilchjoghurt

abgeriebene Schale von 1 Limette (unbehandelt)

4 El Limettensaft

4 El Puderzucker

6 El Kokossirup

150 ml Schlagsahne

2 Nektarinen

100 g Himbeeren

1 Kokoskugeln hacken. Gelatine in kaltem Wasser einweichen. Joghurt, Limettenschale, 2 El Limettensaft und 2 El Puderzucker verrühren. 4 El Kokossirup erwärmen, die gut ausgedrückte Gelatine darin auflösen. Masse kalt stellen. Sobald die Creme beginnt fest zu werden, Sahne steif schlagen und mit den gehackten Kokoskugeln unterheben.

2 Kokoscreme in eine Schüssel oder 4 Schälchen füllen. Mind. 3 Std. kalt stellen. Nektarinen waschen, halbieren, entsteinen und in dünne Spalten schneiden. Mit 2 El Puderzucker, 2 El Limettensaft, 2 El Kokossirup und Himbeeren mischen.

3 Aus der Mousse mit einem in heißes Wasser getauchten Löffel Nocken abstechen und mit dem Obst anrichten.

* **Zubereitungszeit:** 25 Minuten (plus Kühlzeiten)
 Pro Portion: 7 g E, 23 g F, 41 g KH =
 414 kcal (1734 kJ)

DER TIPP VOM KONDITOR
Wann ist die Creme fest genug, damit man die Zutaten unterheben kann? Nehmen Sie einen Teigspatel und ziehen Sie eine „Straße". Wenn diese sichtbar bleibt, ist die Creme reif für Sahne & Kokoskugeln.

Gefüllte Kalbsröllchen

Kalbfleisch ist sehr eiweißreich und mild im Geschmack. Hat Ihr Supermarkt einmal keines im Angebot, nehmen Sie einfach Putenschnitzel

Für 4 Portionen: **1** 2 Scheiben **Toastbrot** entrinden und fein reiben. 1 **Knoblauchzehe** fein hacken. 100 g **Kräuterfrischkäse**, geriebenes Toastbrot, abgeriebene Schale ¼ **Zitrone (unbehandelt)**, 2–3 El fein gehacktes **Basilikum** und Knoblauch verrühren. 24 **Zahnstocher** in Wasser einweichen. **2** 4 dünne **Kalbsschnitzel** (à 125 g) zwischen 2 Lagen Frischhaltefolie legen und mit einer schweren Pfanne dünn klopfen. Leicht begradigen, halbieren, salzen, pfeffern. **3** Auf jedes Fleischstück ⅛ der Frischkäsecreme streichen, dabei rundum 1½ cm Rand lassen. Fleisch mit der Creme nach innen zuklappen und mit Zahnstochern gut verschließen. Leicht mit **Öl** einpinseln und ca. 10–12 Min. grillen. **Tipp:** Noch leichter lassen sich die Schnitzel mit einem Plattierer dünn klopfen.

* **Zubereitungszeit**: 30 Minuten **Pro Portion**: 30 g E, 13 g F, 8 g KH = 275 kcal (1148 kJ)

Quesadillas

Die Quesadillas kann man schon vormittags zubereiten: Mit Klarsichtfolie abgedeckt bleiben sie im Kühlschrank mehrere Stunden frisch

Für 4 Portionen: **1** 125 g geriebenen <u>**Edamer**</u> und 125 g geriebenen <u>**mittelalten Gouda**</u> mischen. 2 <u>**türkische Paprikaschoten**</u> in Ringe schneiden. 2 <u>**Jalapeños**</u> oder andere <u>**grüne Chilischoten**</u> (Glas) fein hacken. **2** 4 <u>**Weizen-Tortillas**</u> (à 18 cm Ø) auf die Arbeitsfläche geben. Käse, Paprika, Chili und 2 El <u>**dänische Röstzwiebeln**</u> darauf verteilen. **3** Mit 4 weiteren Tortillas abdecken und andrücken. **4** Auf dem mittelheißen Grill von jeder Seite 3–4 Min. grillen.

* **Zubereitungszeit:** 25 Minuten
  Pro Portion: 22 g E, 22 g F, 42 g KH = 454 kcal (1904 kJ)

Medaillons mit Aprikosen-Senf

Was man nicht so alles mit Senf abschmecken kann: süße Aprikosen zum Beispiel. Geschärft passen sie wunderbar zu hellem Fleisch

Für 2 Portionen:

200 g vollreife Aprikosen

1 Zwiebel

2 El Öl

2 Tl Zucker

1–2 El Weißweinessig

50 g körniger Senf

50 g süßer Senf

6 Schweinemedaillons (à 50 g)

Salz

grober schwarzer Pfeffer

1 Knoblauchzehe

2 Zweige Rosmarin

1 Aprikosen halbieren, entsteinen und grob würfeln. Zwiebel in feine Würfel schneiden. 1 El Öl in einem Topf erhitzen, die Zwiebeln bei mittlerer Hitze darin glasig dünsten.

2 Aprikosen dazugeben und mit Zucker bestreuen. Mit Essig ablöschen und 4–5 Min. kochen lassen.

3 Abkühlen lassen und anschließend mit beiden Senfsorten mischen.

4 Medaillons salzen und mit Pfeffer würzen. 1 El Öl in einer Pfanne erhitzen. Das Fleisch, die ganze Knoblauchzehe und Rosmarin darin bei mittlerer Hitze von jeder Seite 3–4 Min. braten und mit Aprikosen-Senf servieren.

* **Zubereitungszeit:** 40 Minuten (plus Kühlzeit)
Pro Portion: 37 g E, 15 g F, 19 g KH = 365 kcal (1531 kJ)

MILDES ZUM WÜRZIGEN BEGLEITER
In einem Glas verschlossen hält sich der Aprikosen-Senf ca. zehn Tage im Kühlschrank. Wozu er noch schmeckt? Zum spanischen Käse Manchego, zu Schweinebraten oder gebratener Lyoner Wurst. Ihrer kulinarischen Fantasie sind keine Grenzen gesetzt!

Die Qual der Wahl

REIN KALENDARISCH
gesehen, beginnt jetzt der Herbst. Kulinarisch betrachtet, ist das nicht ganz so eindeutig – da befinden wir uns in einem wunderbaren Zwischenstadium: Einerseits gibt es noch sommerliche Genüsse, andererseits aber auch schon viel typisch Herbstliches. Das macht den September fast zu einer eigenen Jahreszeit: Jetzt kann man sich beim Essen noch entscheiden zwischen Sommer und Herbst.

Nudelfleckerl

*Schön gemüsig und speckig kross! Dank Brühe ein herrlich leichtes
Pasta-Vergnügen, das locker ohne Sahne auskommt*

Für 4 Portionen:

je 1 rote und
gelbe Paprikaschote

2 Zwiebeln

100 g Tiroler Speck
(in dünnen Scheiben)

400 g Nudeln (z. B. gewellte,
breite Bandnudeln)

Salz

4 El Öl

2 El Butter

150 ml Gemüsebrühe

80 g Comté

1 Bund Schnittlauch

Pfeffer

rosenscharfes
Paprikapulver

1 Paprika putzen, waschen und grob würfeln. Zwiebeln fein würfeln. Speck in breite Streifen schneiden. Nudeln in Stücke brechen und in reichlich Salzwasser nach Packungsanweisung kochen.

2 Inzwischen den Speck in 2 El Öl in einer beschichteten Pfanne kross ausbraten und herausnehmen. 2 El Öl und Butter in die Pfanne geben und Paprika und Zwiebeln darin 2 Min. andünsten. Brühe dazugeben und offen 3–4 Min. köcheln lassen. Käse hobeln oder raspeln. Schnittlauch in Röllchen schneiden. Paprika kräftig mit Salz, Pfeffer und Paprikapulver würzen.

3 Nudeln abgießen, mit Schnittlauch und Speck unter die Paprika mischen. Mit dem Käse bestreuen.

* **Zubereitungszeit:** 30 Minuten
Pro Portion: 23 g E, 32 g F, 71 g KH =
676 kcal (2832 kJ)

NUDELBRUCH
Für dieses Rezept eignen
sich viele Mitglieder der
Pasta-Familie: von breiten
Bandnudeln über Tagliatelle
bis hin zu Lasagneplatten.
Die Teigwaren einfach in
große Stücke brechen und
in reichlich Salzwasser
bissfest kochen.

Schmandfladen

Schlicht überzeugend: Braten Sie Brotteig in der Pfanne und genießen
Sie den krossen Fladen mit einem cremigen Schmand-Zwiebel-Belag

Für 4 Portionen: **1** Aus 250 g **Backmischung für Roggenmischbrot**
nach Packungsanweisung einen Brotteig herstellen. An einem warmen
Ort ca. 30 Min. gehen lassen. 250 g **Schmand** mit 2 El **Schnittlauchröll-**
chen, Salz, Pfeffer und 1 Prise **edelsüßem Paprikapulver** glatt rühren.
Das Weiße und Hellgrüne von 4 **Frühlingszwiebeln** in dünne Ringe
schneiden. **2** Teig erneut gut durchkneten, zu 4 gleich großen
Kugeln formen und auf einer bemehlten Fläche zu dünnen runden
Fladen (ca. 23 cm Ø) ausrollen. Eine beschichtete Pfanne erhitzen
und die Fladen darin bei mittlerer Hitze nacheinander von jeder Seite
ca. 3–4 Min. backen. **3** Nach dem Wenden jeweils ¼ vom Schmand
auf die Fladen verteilen. Mit Frühlingszwiebeln bestreuen und
die Fladen in mundgerechte Stücke schneiden.

Zubereitungszeit: 45 Minuten (plus Zeit zum Gehen)
Pro Portion: 8 g E, 15 g F, 49 g KH = 372 kcal (1568 kJ)

Paprika-Brot-Auflauf

Das bringt Farbe auf den Mittagstisch. Und lässt sich sehr schön fast nebenbei machen

Für 2 Portionen: **1** Je 1 <u>**rote**</u> und <u>**gelbe Paprikaschote**</u> achteln und entkernen. 300 g <u>**altbackenes Weizenbrot**</u> in Scheiben schneiden. In einer Schüssel mit 1 El gehackter <u>**Petersilie**</u>, 1 Tl gehacktem <u>**Rosmarin**</u> und 2 fein geschnittenen <u>**Frühlingswiebeln**</u> mischen. **2** Eine ofenfeste Form mit 1 gepellten <u>**Knoblauchzehe**</u> ausreiben und fetten. Knoblauch hacken, zum Brot geben und alles in die Form geben. Mischung darin gleichmäßig verteilen. **3** 3 <u>**Eier**</u> mit 250 ml <u>**Milch**</u> und 100 ml <u>**Schlagsahne**</u> verquirlen, salzen und pfeffern. Über die Brotmischung gießen. **4** Im heißen Ofen bei 190 Grad auf der 2. Schiene von unten 30–35 Min. backen (Umluft nicht empfehlenswert). Dazu passt grüner Salat.

* **Zubereitungszeit:** 45 Minuten
  Pro Portion: 30 g E, 39 g F, 87 g KH = 826 kcal (3463 kJ)

Hähnchenbruststreifen

*In würziger Panade gebraten, wird das Hähnchenfleisch besonders
knusprig und bleibt schön saftig*

Für 2 Portionen: 1 75 g **Semmelbrösel** mit je 1 Tl gehackter
Petersilie, gehacktem **Thymian**, **Rosmarin** und **Salbei** mischen. 1 **Ei**
verquirlen. **2** 400 g **Hähnchenbrust** ohne Haut und Knochen in Streifen
schneiden. Salzen, in **Mehl** wenden, durch das Ei und anschließend
durch die Semmelbrösel ziehen. **3** In reichlich **Öl** in einer Pfanne bei
mittlerer bis starker Hitze rundherum goldbraun braten.

Zubereitungszeit: 25 Minuten **Pro Portion:** 55 g E, 36 g F, 32 g KH = 668 kcal (2797 kJ)

Balsamicozwiebeln

Ein bisschen süß, ein bisschen sauer, ein bisschen scharf – die Zwiebelchen machen sehr schnell süchtig

Für 2 Portionen: **1** 300 g sehr kleine **Schalotten** schälen. Schalotten, 5 Tl **braunen Zucker**, 200 ml **Aceto balsamico** und 100 ml **Gemüsebrühe** in einen kleinen Topf geben, zum Kochen bringen und bei starker Hitze 8–10 Min. einkochen lassen. Gelegentlich umrühren. **2** Vom Herd nehmen, mit Salz und Pfeffer würzen und nach Belieben mit **frischem Thymian** bestreuen.

* **Zubereitungszeit:** 20 Minuten
  Pro Portion: 2 g E, 0 g F, 55 g KH = 232 kcal (974 kJ)

Auberginen vom Blech

Kein Antipasti-Teller ist vollständig ohne Auberginen.
Wir machen sie zusammen mit Zucchini schlicht und würzig im Ofen

Für 2 Portionen: **1** 1 kleine **Aubergine** waschen, putzen und längs
in 5 mm dicke Scheiben schneiden, mit Salz bestreuen und 10 Min.
stehen lassen. Abspülen und trockentupfen. 2 mittelgroße **Zucchini**
waschen, putzen und längs in 5 mm dicke Scheiben schneiden.
2–3 **Knoblauchzehen** fein hacken. **2** Ein Backblech mit 2–3 El **Olivenöl**
beträufeln, mit Knoblauch und 2 Tl getrocknetem **Oregano** bestreuen.
Auberginen- und Zucchinischeiben nebeneinander auf das Blech legen.
Mit 1 El Olivenöl beträufeln. **3** Im vorgeheizten Ofen bei 220 Grad auf
der 2. Schiene von oben 15–20 Min. backen (Umluft nicht empfehlens-
wert). Mit 2 El **Zitronensaft** und 2 El Olivenöl beträufeln, mit grob
gemahlenem Pfeffer und evtl. Salz würzen. Nach Belieben mit etwas
Salami servieren.

* **Zubereitungszeit:** 35 Minuten **Pro Portion:** 4 g E, 26 g F, 9 g KH = 283 kcal (1189 kJ)

Spinattaschen

*Knusprig dank Blätterteig, saftig dank Spinat und Feta und
köstlich durch unser Rezept*

Für 2 Portionen: **1** 450 g **TK-Spinat** auftauen, gut ausdrücken.
450 g **TK-Blätterteig** nach Packungsanweisung auftauen und auf einer
leicht bemehlten Fläche zu 2 Rechtecken von je 40 x 20 cm ausrollen.
200 g **Feta** zerkrümeln, mit 1 El **Olivenöl** und 1 Tl **getrocknetem
Oregano** vermischen. 1 mittelgroße **Zwiebel** und 1 **Knoblauchzehe** fein
hacken. **2** In einer Pfanne 2 El Olivenöl erhitzen. Zwiebeln und Knob-
lauch bei starker Hitze 1 Min. andünsten. Spinat zugeben und 2–3 Min.
dünsten. Spinat, Feta und 2 **Eier** (Kl. M) vermischen. Mit **Muskat**, Salz
und Pfeffer würzen. **3** Spinatmischung jeweils auf der Hälfte der Teig-
platten verteilen, dabei einen Rand von 2 cm lassen. Die Ränder mit
verquirltem Ei bestreichen. Den Teig über die Füllung schlagen. Die
Ränder mit einer Gabel fest zudrücken, Tasche einstechen und
mit **Eigelb** bestreichen. **4** Auf einem mit Backpapier belegten Blech
im vorgeheizten Ofen bei 200 Grad (Umluft 180 Grad) auf der
2. Schiene von unten 20 Min. backen.

* **Zubereitungszeit: 45 Minuten Pro Portion:** 46 g E, 96 g F, 82 g KH = 1373 kcal (5753 kJ)

Basilikum-Pilze & Minz-Zucchini

Die Champignons gewinnen durch Kräuter an Frische, die Zucchini werden mit Minze zur Delikatesse

Für 2 Portionen Basilikum-Pilze: **1** 1 kleine **Zwiebel** fein würfeln.
1 **Knoblauchzehe** halbieren. 200 g **Champignons** putzen und größere
Pilze halbieren. 2 El **Olivenöl** in einer Pfanne erhitzen. Pilze darin
anbraten. Zwiebeln und Knoblauch zugeben und kurz mitbraten. Mit
Salz, Pfeffer und 1 Prise **Zucker** würzen. 1 El gehackte **Rosmarin-
nadeln**, 8 El **Gemüsebrühe** und 2 El **Aceto balsamico** zugeben.
2 Zugedeckt bei milder Hitze 10 Min. dünsten. Dann 2 El Olivenöl
unterrühren, evtl. nachwürzen. Mind. 3 Std. ziehen lassen, mit 2 El
abgezupften **Basilikumblättern** bestreuen.
Für 2 Portionen Minz-Zucchini: **1** 2 kleine **Zucchini** in 5 mm dicke
Scheiben schneiden. In einer Pfanne 2 El **Olivenöl** erhitzen und die
Zucchinischeiben goldbraun braten. Mit 7 El **Weißwein** ablöschen.
Wein einkochen lassen. Zucchini vom Herd nehmen. Mit Salz und
Pfeffer würzen. **2** Von 2–3 Stielen **Minze** die Blätter abzupfen, in feine
Streifen schneiden, unter die Zucchini heben. Noch warm servieren.

* **Zubereitungszeit:** 25 Minuten (plus Zeit zum Marinieren)
  Pro Portion (Basilikum-Pilze): 3 g E , 20 g F, 5 g KH = 210 kcal (881 kJ)
  Pro Portion (Minz-Zucchini): 2 g E , 10 g F, 4 g KH = 123 kcal (517 kJ)

Spanisches Kaninchen

Hasta luego, Mümmelmann: mit Safran und Sherry abgeschmeckt und mit Kichererbsen und Sultaninen im Ofen geschmort ein zarter Leckerbissen

Für 4 Portionen: **1** 4 <u>**Kaninchenkeulen**</u> (à 250 g) rundum salzen, pfeffern und in einem Bräter in 2 El <u>**Öl**</u> kräftig anbraten. Inzwischen 2 <u>**Zwiebeln**</u> und 2 <u>**Knoblauchzehen**</u> in feine Scheiben schneiden. Zu den Keulen geben und weitere 2 Min. anbraten. **2** 2 <u>**Lorbeerblätter**</u>, 2 Tl <u>**edelsüßes Paprikapulver**</u> und 1 Pk. <u>**Safranfäden**</u> (0,1 g) dazugeben und mit 100 ml <u>**trockenem Sherry**</u> ablöschen. 50 g <u>**Sultaninen**</u> und 200 ml <u>**Geflügelbrühe**</u> dazugeben, aufkochen und zugedeckt bei mittlerer Hitze 55 Min. schmoren. **3** 1 Dose <u>**Kichererbsen**</u> (425 g EW) in einem Sieb abspülen und 10 Min. vor Ende der Garzeit in den Bräter geben. **4** Am Ende der Garzeit mit Salz und Pfeffer würzen und mit reichlich gehackter <u>**glatter Petersilie**</u> bestreuen.

Zubereitungszeit: 1:10 Stunden
Pro Portion: 43 g E, 10 g F, 21 g KH = 372 kcal (1557 kJ)

Bauernsuppe

*Hier werden Sie fürs Gemüseschnippeln belohnt: mit dem Duft und
dem Geschmack des Südens, mit dem diese Suppe betört*

Für 2–4 Portionen: **1** 2 **Zwiebeln** und 2 **Knoblauchzehen** hacken.
100 g **Staudensellerie** entfädeln und in sehr feine Würfel schneiden.
2 El **Olivenöl** in einem Topf erhitzen und Staudensellerie, Zwiebeln und
Knoblauch unter Rühren 5–6 Min. dünsten. **2** 2 Dosen **Pizzatomaten**
(à 425 g EW) dazugeben, 800 ml **Gemüsebrühe** angießen und
25 Min. zugedeckt kochen. Mit Salz, Pfeffer und 1–2 El **Zucker** würzen.
3 Inzwischen 200 g **grüne Bohnen** putzen und in Salzwasser 9 Min.
kochen. Abgießen und abschrecken. **4** Am Ende der Garzeit
1 Dose **Artischockenherzen** (425 g EW) abtropfen lassen und vierteln.
Mit den Bohnen und 1 Tl gehacktem **Thymian** zur Suppe geben
und ca. 1 Min. kochen. Mit Brot servieren.

* Zubereitungszeit: 40 Minuten Pro Portion (bei 4): 6 g E, 5 g F, 16 g KH = 146 kcal (616 kJ)

Blaubeer-Schichtspeise

Viel schöner können Sie Blaubeeren nicht genießen: mit sahniger Quark-creme und knusprig-nussigen Mandelkeksen

Für 2 Portionen: **1** 250 g **Sahnequark**, abgeriebene Schale von
½ **Orange (unbehandelt)**, 4–5 El **Orangensaft**, 1 Pk. **Vanillezucker** und
1 El **Zucker** verrühren. ½ Becher **Schlagsahne** halbsteif schlagen
und unter den Quark heben. **2** 125 g **Blaubeeren** sorgfältig verlesen.
50 g **Cantuccini** (ital. Mandelkekse) in einen Gefrierbeutel geben und
mit einem Nudelholz grob zerkleinern. **3** Abwechselnd Quarkcreme,
Cantuccini und Blaubeeren in eine Schüssel schichten. Für die letzte
Schicht Quark verwenden und einige Blaubeeren darüber streuen.

Zubereitungszeit: 10 Minuten **Pro Portion**: 15 g E, 32 g F, 39 g KH = 508 kcal (2129 kJ)

Erdbeereis am Stiel

Ideal, wenn Sie schnell viele Beeren verarbeiten müssen, die für Kuchen nicht mehr hübsch genug sind. Geht auch mit anderen Früchten

Für 6 Portionen: **1** 300 g **Erdbeeren** waschen, putzen, grob würfeln und in ein hohes Gefäß geben. 100 ml **Erdbeer-sirup** (ersatzweise **Himbeersirup**, z. B. Tritop) zugeben und mit dem Schneidstab sehr fein pürieren. **2** Mischung in 6 Eisförmchen (à 60 ml) füllen und mind. 3 Std. im Gefriergerät einfrieren. Förmchen kurz in den Händen anwärmen und Eis aus der Form ziehen.

* **Zubereitungszeit:** 10 Minuten (plus Kühlzeit)
Pro Portion: 0 g E, 0 g F, 14 g KH = 64 kcal (266 kJ)

Terlaner Weinsuppe

*Schaumig aufgeschlagen und mit krossen Croûtons und jeder Menge
Petersilie ein Süppchen, das man gerne auslöffelt*

Für 4–6 Portionen: **1** 800 ml **Gemüsebrühe** aufkochen. 400 ml
Sauvignon blanc und 200 ml **Schlagsahne** dazugeben. 10 Min. bei
starker Hitze offen einkochen lassen. **2** 80 g **Baguette** in sehr dünne
Scheiben schneiden und auf ein Blech legen. Im vorgeheizten Ofen bei
200 Grad (Umluft 180 Grad) auf der 2. Schiene von oben 6–8 Min. gold-
braun rösten. ½ Bund **Petersilie** abzupfen und hacken. **3** 6 **Eigelb**
(Kl. M) in eine große Schüssel geben. Nach und nach die Suppe unter
Rühren dazugeben. Zurück in den Topf gießen und bei mittlerer Hitze
unter ständigem Rühren dicklich aufschlagen. (Vorsicht: Die Suppe
darf dabei nicht kochen, da sonst das Eigelb gerinnt.) **4** Suppe
mit Salz, Pfeffer, **Muskat** und **Zucker** würzen. Mit Petersilie und
Croûtons in Suppentellern anrichten.

Zubereitungszeit: 35 Minuten
Pro Portion (bei 6): 5 g E, 17 g F, 9 g KH = 225 kcal (944 kJ)

Entenbrust mit Birne

In der Kulinarik gibt es Romanzen, bei denen die Geschmacksnerven Tango tanzen. Zum Beispiel bei Ente und Birne

Für 4 Portionen: **1** 150 g **Feldsalat** waschen und trockenschleudern. **2** Die Haut von 2 **Entenbrustfilets** (à 200 g) mit einem scharfen Messer rautenförmig einritzen. Fleisch mit der Haut nach unten in eine kalte Pfanne legen und bei mittlerer Hitze 7–8 Min. braten. Fleisch mit Salz und Pfeffer würzen. Erst dann wenden und 1 weitere Min. braten. In Alufolie wickeln und ruhen lassen. **3** Das Fett bis auf 1 El aus der Pfanne gießen. 2 **Birnen** in Spalten schneiden, Kerne entfernen und Spalten im heißen Fett rundum hellbraun braten. 40 g gehackte **Walnusskerne** dazugeben. Mit Salz und Pfeffer würzen. **4** Für die Vinaigrette 3 El **Himbeeressig** und 5–6 El **Walnussöl** verrühren und mit dem Salat mischen. Entenbrüste in Scheiben schneiden und mit Salat und Birnenspalten auf Tellern anrichten. Mit 75 g zerbröckeltem **Roquefort** bestreuen.

Zubereitungszeit: 40 Minuten **Pro Portion:** 24 g E, 37 g F, 9 g KH = 460 kcal (1930 kJ)

Fladenbrotpizza

Eine ganz schnelle, besonders köstliche Variante der klassischen Pizza Margherita

Für 2 Portionen: **1** 100 g **getrocknete Tomaten** und 2 **Knoblauchzehen** grob hacken und in ein hohes Gefäß geben. 3 zerdrückte **Wacholderbeeren** und 6 El **Olivenöl** zugeben. Alles mit dem Schneidstab pürieren. Mit Salz und Pfeffer würzen. 3 **Tomaten** quer in Scheiben schneiden. 125 g **Mozzarella** abtropfen lassen, trockentupfen und in Scheiben schneiden. **2** 1 rundes **Fladenbrot** (ca. 20 cm Ø) quer halbieren. Die Hälften mit der Schnittfläche nach oben auf ein Backblech legen und mit den pürierten Tomaten bestreichen, mit Tomatenscheiben und Käse belegen. Im vorgeheizten Ofen bei 220 Grad (Umluft 200 Grad) auf der 2. Schiene von unten 5–8 Min. backen. **3** Blätter von 3 Stielen **Basilikum** abzupfen und kurz vor dem Servieren über die Pizza streuen. **Tipp**: Wer's noch herzhafter mag, kann anstelle des Mozzarellas auch Feta nehmen.

* **Zubereitungszeit**: 20 Minuten **Pro Portion**: 22 g E, 48 g F, 68 g KH = 800 kcal (3347 kJ)

Nudel-Nuss-Salat

Der Noble unter den Nudelsalaten: dank feiner Nüsse und würzigem Ahornsirup an Eleganz und Raffinesse schwer zu überbieten

Für 2 Portionen: **1** 150 g <u>**Nudeln**</u> (z. B. Mini-Penne) in reichlich Salzwasser nach Packungsanweisung kochen. 3 El <u>**Walnusskerne**</u> hacken. Mit je 2 El <u>**Pinienkernen**</u> und gehackten <u>**Haselnusskernen**</u> in einer Pfanne ohne Fett anrösten. 4 El <u>**Zitronensaft**</u>, Salz, Pfeffer und 2 Tl <u>**Ahornsirup**</u> (oder <u>**Honig**</u>) verrühren. 4 El <u>**Olivenöl**</u> und 2 El <u>**Walnussöl**</u> (oder weiteres Olivenöl) nach und nach unterschlagen. **2** Das Weiße und Hellgrüne von 3 <u>**Frühlingszwiebeln**</u> in feine Ringe schneiden. Blätter von 4 Stielen <u>**glatter Petersilie**</u> fein hacken. <u>**Kresse**</u> von 1 Beet abschneiden. Nudeln abgießen, gut abtropfen lassen und unter die Zitronensauce mischen. Nüsse, Kräuter und Frühlingszwiebeln dazugeben, evtl. nachwürzen und anrichten.

* **Zubereitungszeit:** 25 Minuten
 Pro Portion: 15 g E, 52 g F, 67 g KH = 807 kcal (3380 kJ)

Apfel-Kartoffel-Reibekuchen

Eine hochfeine Kombination: der zarte Rauchgeschmack vom Lachs, die
süße Säure des Apfels und die milde Schärfe des Meerrettichs

Für 2 Portionen: **1** 1 <u>**Zwiebel**</u> schälen und auf der Kastenreibe fein
reiben. In eine Schüssel geben. 300 g <u>**Kartoffeln**</u> schälen und waschen,
anschließend auf der Reibe grob raspeln. 1 <u>**Apfel**</u> (150 g) waschen,
auf der Reibe bis zum Kerngehäuse grob raspeln. **2** Beides mit den
Zwiebeln, 1 <u>**Ei**</u>, 2 El <u>**Mehl,**</u> 1 Tl gehackter <u>**Petersilie**</u>, Salz und Pfeffer
mischen. **3** In einer beschichteten Pfanne portionsweise in 3 El
<u>**Öl**</u> 6 flache Reibekuchen backen (von jeder Seite ca. 3–4 Min.).
4 Die Reibekuchen mit 150 g <u>**Räucherlachs**</u> belegen und mit je
1 El <u>**Sahnemeerrettich**</u> und etwas <u>**Dill**</u> garnieren.

* **Zubereitungszeit:** 45 Minuten **Pro Portion:** 24 g E, 39 g F, 40 g KH = 610 kcal (2553 kJ)

Kasseler Geschnetzeltes

*Mit knackigen, in Weißwein gegarten Bohnen schmeckt
das gepökelte Schweinefleisch nochmal so gut*

Für 2 Portionen: **1** 200 g grüne **Bohnen** putzen und schräg quer
halbieren. 6 Min. in kochendem Salzwasser garen, abgießen und ab-
schrecken. **2** 250 g **Kasselerrücken** ohne Knochen in Würfel schnei-
den. 2 **Zwiebeln** fein würfeln. **3** 1 El **Öl** in einer Pfanne erhitzen.
Kasseler darin bei starker Hitze rundherum kräftig anbraten, heraus-
nehmen. 1 El Öl in die Pfanne geben, die Zwiebeln darin bei mittlerer
Hitze kurz andünsten, Bohnen dazugeben, 100 ml **Weißwein** zugießen
und alles zugedeckt 2–3 Min. garen. **4** Kasseler wieder in die
Pfanne geben, alles mit Salz und Pfeffer würzen und mit 1 El gehack-
ter **Zitronenmelisse** bestreut servieren.

* **Zubereitungszeit:** 20 Minuten **Pro Portion:** 25 g E, 16 g F, 5 g KH=272 kcal (1142 kJ)

Melonen-Granita

Schaben Sie sich Ihr Dessert: mit wenig Mühe und viel Kühlzeit
das wohl erfrischendste Dessert, seit es Eiskristalle gibt

Für 4 Portionen: **1** 50 g <u>Zucker</u> und 120 ml Wasser zum Kochen
bringen, dabei gelegentlich umrühren. Beiseite stellen und etwas
abkühlen lassen. 1 kg **Wassermelone** schälen, die Kerne entfernen
und das Melonenfleisch in grobe Stücke schneiden. **2** Melonen-
stücke, 3–4 El <u>Zitronensaft</u> und den Zuckersirup in ein hohes Gefäß
geben und mit dem Schneidstab fein pürieren. Von 1–2 Stielen <u>Minze</u>
die Blätter abzupfen und in feine Streifen schneiden. Minze unter
das Melonenpüree mischen, in eine flache Auflaufform füllen und
in das Gefriergerät stellen. **3** Nach 1 Std. mit einer Gabel durch-
schaben. Dann alle 3–4 Std. die Granita einmal mit einer Gabel
durchrühren. Vor dem Servieren nochmals mit der Gabel auflockern
und in gekühlten Gläsern anrichten.

* **Zubereitungszeit:** 15 Minuten (plus Gefrierzeit)
   Pro Portion: 0 g E, 0 g F, 18 g KH = 77 kcal (321 kJ)

Eis-Sandwiches

Wer sagt denn, dass Eis im Becher serviert werden muss?
Als kühle Stulle mit Beerensauce ist es viel attraktiver

Für 2 Portionen: **1** 150 g **Vanille-Eiscreme** zu 4 Kugeln formen.
1 Eiskugel auf 1 **Haferkeks** legen, 1 weiteren Haferkeks darauf
drücken. So weitere 3 Sandwiches herstellen. Sandwiches bis zum
Servieren wieder in das Gefriergerät stellen. **2** 200 g **gemischte
Beeren (Himbeeren und Blaubeeren)**, 2–3 El **Amaretto**, 1 Pk. **Vanille-
zucker** und 50 g **Zucker** aufkochen. 2 El **Zitronensaft** mit 1 gestr. El
Speisestärke verrühren. Unter die Beeren rühren, aufkochen lassen
und vom Herd nehmen. Vollständig abkühlen lassen, dabei gelegent-
lich umrühren. **3** Kurz vor dem Servieren Eis-Sandwiches aus dem
Gefriergerät nehmen und zusammen mit dem Beerenkompott
servieren. **Tipp:** Außerhalb der Saison können Sie auch wunderbar
TK-Beerenmischungen verwenden.

* **Zubereitungszeit:** 10 Minuten (plus Kühlzeit)
  Pro Portion: 12 g E, 27 g F, 97 g KH = 702 kcal (2941 kJ)

Beeren-Prasselkuchen

*Das knistert, dass es eine Pracht ist: Blätterteig mit
Baiser und Johannisbeeren*

Für 8 Stücke: 1 250 g **TK-Blätterteig** auftauen lassen. 60 g **Mehl**,
½ Tl **Zimt**, 30 g weiche **Butter** und 30 g **Zucker** zu Streuseln kneten.
200 g **rote Johannisbeeren** von den Rispen streifen. Blätterteig-
platten dünn mit Wasser bestreichen, aufeinanderlegen und auf einer
bemehlten Fläche 40 x 20 cm groß ausrollen. In 8 Stücke von 10 cm
Kantenlänge teilen. Mehrfach mit einer Gabel einstechen, auf ein
Blech mit Backpapier setzen. **2** Im vorgeheizten Ofen bei 200 Grad auf
der untersten Schiene 10 Min. vorbacken (Umluft nicht empfehlens-
wert). 2 **Eiweiß** und 1 Prise Salz steif schlagen, dabei 60 g Zucker
einrieseln lassen und 2 Min. weiterschlagen. Heiße Teigstücke mit
100 g **rotem Johannisbeergelee** bestreichen, mit den Beeren
bestreuen. Baiser mit einem Löffel darauf verteilen. Streusel darüber
geben und weitere 20–25 Min. backen.

* **Zubereitungszeit:** 1 Stunde **Pro Stück:** 4 g E, 11 g F, 38 g KH = 265 kcal (1108 kJ)

Süß-scharfe Knuspernüsse

*Vorsicht: Suchtgefahr! Dieser Knabberei zu Wein
oder Bier kann niemand widerstehen*

Für 2 Portionen: **1** 150 g **Cashewkerne** und 150 g **Mandelkerne** in
eine Schüssel geben. 1 getrocknete rote **Chilischote** zerbröseln
und mit 1–2 El flüssigem **Honig** und 1 El **Öl** unter die Nüsse
mischen. **2** Mit Salz, Pfeffer und 1 Tl **rosenscharfem Paprikapulver**
würzen und alles gründlich mischen **3** Auf ein mit Backpapier aus-
gelegtes Blech geben. Im vorgeheizten Ofen bei 220 Grad
(Umluft 200 Grad) unter mehrmaligem Wenden in 9–12 Min. goldbraun
rösten. Herausnehmen und abkühlen lassen.

*Zubereitungszeit: 20 Minuten **Pro Portion:** 9 g E, 26 g F, 10 g KH = 307 kcal (1284 kJ)

Grüne Bohnen mit Mandeln & Chili

Oft sind es nur ein paar Kleinigkeiten, die ein normales Gemüse in eine raffinierte Beilage verwandeln

Für 2 Portionen: **1** 400 g **grüne Bohnen** putzen und 7 Min. in Salzwasser kochen. **2** Inzwischen 30 g **Mandelblättchen** in einer Pfanne ohne Fett rösten. 1 **rote Pfefferschote** längs halbieren, entkernen und längs in Streifen schneiden. **3** 2 El **Olivenöl** in einer Pfanne erhitzen, Pfefferschote darin bei niedriger Hitze andünsten. Bohnen abgießen und in die Pfanne geben. Mandeln dazugeben und mit Salz und Pfeffer würzen. 1 El gehackte **Petersilie** dazugeben und servieren.

Zubereitungszeit: 25 Minuten **Pro Portion:** 7 g E, 18 g F, 6 g KH = 218 kcal (916 kJ)

Pfannendöner

Sie brauchen keinen aufwändigen Drehgrill für Ihren Döner. Die Pfanne tut's auch und das auch noch mit feinstem Hähnchenfleisch!

Für 2 Portionen: **1** ½ <u>Salatgurke</u> schälen, vierteln und in 5 mm dicke Scheiben schneiden. Gurke, 2 El gehackten <u>Dill</u>, 4 El gehackte <u>glatte Petersilie</u>, 1 El <u>Olivenöl</u>, 1 El <u>Zitronensaft</u> mischen, leicht salzen und pfeffern. 1 <u>Knoblauchzehe</u> fein hacken. Knoblauch, 150 g <u>Sahnejoghurt</u>, ½ Tl zerstoßene getrocknete <u>Chilischoten</u> und 1 Prise Salz verrühren. **2** 2 mittelgroße <u>Tomaten</u> waschen, vierteln, entkernen und grob würfeln. ½ <u>gelbe Paprikaschote</u> waschen, putzen und grob würfeln. In einer Pfanne ohne Fett ein rundes <u>Fladenbrot</u> (ca. 20 cm Ø) von jeder Seite 2–3 Min. rösten. Fladenbrot herausnehmen und so einschneiden, dass 2 Taschen entstehen. **3** 300 g <u>Hähnchengeschnetzeltes</u> mit ½ Tl <u>edelsüßem Paprikapulver</u>, Salz und Pfeffer würzen. In einer Pfanne 2 El Olivenöl erhitzen, Fleisch 2–3 Min. bei starker Hitze goldbraun braten. Tomaten und Paprika zugeben, 1 Min. mitbraten. Gurke, Joghurt und Fleischmischung abwechselnd in die Brottaschen schichten und servieren.

Zubereitungszeit: 25 Minuten. Pro Portion: 48 g E, 14 g F, 70 g KH = 627 kcal (2626 kJ)

Mohn-Zwetschgenkuchen

Eine Seele von Kuchen: Genau so stellt man ihn sich vor, den klassischen Zwetschgenkuchen, auf den sich die ganze Familie freut

Für 20 Stücke:

1,2 kg Zwetschgen

250 g Butter oder Margarine

230 g Zucker

Salz

3 Eier (Kl. M)

400 g Mehl

2 Tl Backpulver

120 ml Milch

120 ml Schlagsahne

8 El gemahlener Mohn

1 Pk. Vanillezucker

80 g rotes Johannisbeergelee

1 El Puderzucker

1 Zwetschgen putzen, halbieren und entsteinen. Weiches Fett, 200 g Zucker und 1 Prise Salz mit den Quirlen des Handrührers 8 Min. sehr cremig rühren. Eier nacheinander jeweils $\frac{1}{2}$ Min. gut unterrühren. Mehl und Backpulver sieben und abwechselnd mit Milch und Sahne unterrühren. Mohn rasch unter die Masse ziehen.

2 Teig auf ein gefettetes, tiefes Blech (40 x 30 cm) streichen und mit Zwetschgen belegen. Vanillezucker und 30 g Zucker mischen und darüber streuen. Im vorgeheizten Ofen bei 190 Grad (Umluft 170 Grad) auf der 2. Schiene von unten ca. 35 Min. backen. Gelee erwärmen, die heißen Zwetschgen damit bestreichen und den Kuchen etwas abkühlen lassen. Mit Puderzucker bestäuben.

* **Zubereitungszeit:** 1 Stunde (plus Kühlzeit)
Pro Stück: 4 g E, 15 g F, 36 g KH = 306 kcal (1280 kJ)

MAHL DIR DEN MOHN-MIX
Wer keinen gemahlenen Mohn bekommt (im Reformhaus oder gut sortierten Naturkostabteilungen erhältlich), greift auf Mohnsaat zurück: Die im Rezept angegebene Menge erst 1 Std. in das Gefriergerät legen, dann im Blitzhacker fein mahlen. So wird der Mohn nicht bitter und entwickelt ein intensives Aroma.

Provence-Risotto

Hier dürfen weder Koch noch Reis pampig werden: auch wenn Ungeübte aufgrund des ewigen Rührens über einen Risotto-Arm klagen

Für 2 Portionen: **1** 700 ml <u>**Gemüsebrühe**</u> aufkochen. 1 <u>**Zwiebel**</u> in kleine Würfel schneiden. **2** 2 El <u>**Öl**</u> in einem mittelgroßen Topf erhitzen und Zwiebeln bei mittlerer Hitze darin glasig dünsten. 200 g <u>**Risotto-Reis**</u>, 3 Tl <u>**Kräuter der Provence**</u> und ½ Tl <u>**edelsüßes Paprikapulver**</u> dazugeben und kurz mitdünsten. 120 ml <u>**Weißwein**</u> dazugießen und einkochen lassen. ⅓ der Brühe angießen. Bei milder Hitze 20–25 Min. offen garen, bis der Reis bissfest ist. Dabei häufig umrühren und nach und nach die restliche Brühe dazugießen. **3** 1 kleine <u>**rote Paprikaschote**</u> (ca. 150 g) und 100 g <u>**Zucchini**</u> waschen, putzen und in kleine Würfel schneiden. Ca. 10 Min. vor Ende der Garzeit zum Risotto geben. 2 El geriebenen <u>**Parmesan**</u> untermischen.

* **Zubereitungszeit**: 35–40 Minuten **Pro Portion**: 8 g E, 12 g F, 71 g KH = 442 kcal (1850 kJ)

Backkartoffel mit Pfifferlingen

*Ein Traumpaar auf dem Teller: Pilze und Kartoffeln,
und das ganze auch noch schön einfach*

Für 2 Portionen: **1** 4 große **Kartoffeln** (à 175 g) mehrmals mit einer Gabel einstechen und mit etwas **Olivenöl** einreiben. Je 2 Kartoffeln mit 1 Stiel **Thymian** und 1 Zweig **Rosmarin** in Backpapier geben und wie ein Bonbon eingerollt verschließen. Im heißen Ofen bei 200 Grad (Umluft 180 Grad) auf der 2. Schiene von unten 45 Min. backen. **2** 1 kleine **Zwiebel** schälen und hacken. 50 g geräucherten durchwachsenen **Speck** fein würfeln. 250 g **Pfifferlinge** putzen. 100 g **Schmand** oder **Crème fraîche** mit 1 El **Schnittlauchröllchen** vermischen, salzen und pfeffern. **3** Kurz vor Ende der Garzeit Zwiebeln und Speck zusammen in einer Pfanne knusprig braten. Herausnehmen, Pfanne auswischen und die Pfifferlinge darin in 1 El **Öl** bei starker Hitze rundherum braten. Zwiebel-Speck-Mischung wieder in die Pfanne geben, salzen und pfeffern. **4** Die Kartoffeln aus dem Ofen nehmen und aufschneiden. Pfifferlinge hineingeben und mit dem Schmand servieren.

* **Zubereitungszeit**: 1 Stunde **Pro Portion**: 13 g E, 30 g F, 44 g KH = 506 kcal (2122 kJ)

Eiertomaten mit Rucola

Eine geballte Ladung Sonne und Aroma

Für 2 Portionen: **1** 10 **Eiertomaten** halbieren. In einer Schüssel mit je 1 Tl gehacktem **Rosmarin** und **Thymian**, 2 gehackten **Knoblauchzehen**, Salz, Pfeffer, 2 El **Olivenöl** und 1 El **Aceto balsamico** mischen. **2** Mit den Schnittflächen nach oben auf ein Blech legen und im Ofen bei 180 Grad (Umluft 160 Grad) auf der 2. Schiene von unten15–20 Min. backen. 50 g **Rucola** waschen und trockenschleudern. **3** Rucola am Ende der Garzeit mit den Tomaten mischen.

* **Zubereitungszeit:** 30 Minuten
Pro Portion: 4 g E, 11 g F, 13 g KH = 166 kcal (702 kJ)

Eiertomaten mit Mozzarella und Basilikum

Der klassische Salat in einer heißen Variante – überbacken

Für 2 Portionen: **1** 6 <u>**Eier-tomaten**</u> halbieren. In einer Schüssel mit 1 El <u>**getrocknetem Basilikum**</u>, 2 gehackten <u>**Knoblauchzehen**</u>, Salz, Pfeffer, 2 El <u>**Olivenöl**</u> und 1 El <u>**Aceto balsamico**</u> mischen.
2 Mit den Schnittflächen nach oben auf ein Blech legen. 150 g <u>**Mozzarella**</u> abtropfen lassen und fein würfeln. Auf den Tomaten verteilen. Im heißen Ofen bei 190 Grad (Umluft 180 Grad) auf der 2. Schiene von unten 15 Min. backen.
3 Blätter von 2 Stielen <u>**Basilikum**</u> zupfen und über die Tomaten streuen.

Zubereitungszeit: 25 Minuten
Pro Portion: 17 g E, 25 g F, 9 g KH = 333 kcal (1398 kJ)

Türkischer Brotauflauf

Eine herrlich simple Köstlichkeit, die nicht nur am Schwarzen Meer schmeckt: Fladenbrot, Hack und Tomaten lecker im Ofen gratiniert

Für 2 Portionen:

200 g Rinderhack

3 Eigelb (Kl. M)

2 El Semmelbrösel

2 El gehackter Oregano
(oder ½ Tl getr. Oregano)

Salz

Pfeffer

¼ Tl rosenscharfes
Paprikapulver

1 Zwiebel

2 Knoblauchzehen

5 El Olivenöl

150 g Fladenbrot

250 g griechischer oder
türkischer Sahnejoghurt

¼ Tl Chiliflocken

8 Kirschtomaten

1 Rinderhack, 1 Eigelb, Semmelbrösel, 1 El Oregano, Salz, Pfeffer und Paprikapulver verkneten. Zwiebel fein würfeln, mit 1 durchgepressten Knoblauchzehe unter die Hackmasse mischen. Mit nassen Händen 10 gleich große Bällchen formen. 3 El Öl in einer Pfanne erhitzen und die Fleischbällchen darin 10 Min. rundum anbraten.

2 Eine Auflaufform (25 x 15 cm) mit den Schnittflächen von 1 halbierten Knoblauchzehe ausreiben. Fladenbrot grob würfeln und in die Form geben. Unter dem heißen Backofengrill auf der mittleren Schiene ca. 4 Min. rösten.

3 Für die Sauce Joghurt mit 2 Eigelb, 1–2 El Olivenöl, Salz, Pfeffer und Chiliflocken verrühren.

4 Kirschtomaten halbieren und mit den Fleischbällchen zu den Fladenbrotwürfeln in die Form geben. Die Joghurtsauce darüber gießen. Im vorgeheizten Ofen bei 180 Grad (Umluft 160 Grad) auf der 2. Schiene von unten 15–20 Min. überbacken. Mit 1 El Oregano garnieren.

* **Zubereitungszeit:** 50 Minuten
  Pro Portion: 36 g E, 62 g F, 51 g KH =
  913 kcal (3826 kJ)

ERSTE SAHNE
Aufgrund seiner festen, cremigen Konsistenz eignet sich griechischer oder türkischer Sahnejoghurt besonders gut.

Da lacht der Kürbis

WER GERN kocht und wer vor allem gern isst, für den ist jetzt die schönste Zeit des Jahres angebrochen. Ein Gang über den Wochenmarkt, ja sogar das Gemüseregal des Supermarkts, beflügelt unsere kulinarische Fantasie. Da gibt es Pilze ohne Ende, Birnen und Äpfel im Überfluss. Und eine Auswahl an prächtigen Kürbissen. Bewahren Sie die dicken Dinger endlich vor der Zerstückelung und dem tristen Dasein im Einmachglas!

Gefüllter Kürbis

*Ein praller Genuss: Gefüllt mit Spinat und Ricotta schmeckt
der Hokkaido-Kürbis einschließlich Rinde*

Für 2 Portionen:

1 Hokkaido-Kürbis
(ca. 1 kg)

200 g TK-Blattspinat
(aufgetaut und ausgepresst)

200 g Ricotta

2 Eigelb

30 g Semmelbrösel

Salz

Pfeffer

Muskat

250 ml Gemüsebrühe

15 Kirschtomaten

ENTKERNEN
Zur Vorbereitung schneiden
Sie einen flachen Deckel ab und
holen mit einem Löffel die
Kerne heraus. Jetzt können Sie
den Kürbis füllen.

1 Einen Deckel vom Kürbis schneiden
und den Kürbis mit einem Löffel
entkernen (siehe Foto unten).

2 Spinat grob hacken, mit Ricotta,
Eigelb und Semmelbröseln mischen.
Mit Salz, Pfeffer und Muskat würzen.

3 Ausgehöhlten Kürbis innen salzen
und pfeffern. Die Füllung hineingeben.
In eine ofenfeste Form stellen und den
Deckel daneben legen. Brühe angie-
ßen. Im vorgeheizten Ofen bei 190 Grad
(Umluft 170 Grad) auf der untersten
Schiene 40 Min. backen.

4 10 Min. vor Ende der Backzeit die
Kirschtomaten in den Topf geben.

5 Kürbis herausnehmen, Deckel
aufsetzen, Sud mit Salz und Pfeffer
würzen und separat servieren.

* **Zubereitungszeit:** 1:10 Stunden
Pro Portion: 19 g E, 22 g F, 28 g KH =
390 kcal (1633 kJ)

Thüringer Bratwurstpfanne

Eine Spitzenidee: Wie Sie aus den allersimpelsten Zutaten im Handumdrehen ein Lieblingsessen machen

Für 2 Portionen: **1** 150 g <u>**Zwiebeln**</u> längs in feine Spalten schneiden. 1 <u>**Apfel**</u> längs vierteln, entkernen und in 12 Spalten schneiden. Von 5 Stielen <u>**Majoran**</u> die Blätter abzupfen. **2** 300 g <u>**Thüringer Bratwürste**</u> in 6 gleich große Stücke schneiden. Bei mittlerer Hitze in 3 El <u>**Öl**</u> in 2–3 Min. goldbraun braten, aus der Pfanne nehmen. 20 g <u>**Butter**</u> in die Pfanne geben und Zwiebel- und Apfelspalten darin goldbraun anbraten. Wurst und ⅔ des Majorans zugeben, ½ Min. mitgaren. Mit dem restlichen Majoran bestreuen und servieren. Dazu passen Stampfkartoffeln.

* **Zubereitungszeit**: 20 Minuten. **Pro Portion**: 22 g E, 61 g F, 16 g KH = 703 kcal (2920 kJ)

Feldsalat mit Birnen

*Er ist und bleibt einer unserer schönsten Salate. Auch
in der Kombination mit Walnüssen und Birnenspalten*

Für 2 Portionen: **1** 2 El **Walnusskerne** grob hacken und in einer
Pfanne ohne Fett anrösten. 1 **rotbackige Birne** (ca. 100 g) vierteln,
entkernen und in lange Spalten schneiden. Sofort mit 1 El **Zitronensaft**
mischen. 150 g **Feldsalat** putzen, waschen und trockenschleudern.
2 2 El Zitronensaft, 2 Tl **Honig**, etwas Salz, Pfeffer und 4 El **Walnussöl**
(oder **Pflanzenöl**) verschlagen. Salat und Birnenspalten mit der
Vinaigrette anrichten. Mit Walnüssen bestreuen.

* **Zubereitungszeit:** 15 Minuten **Pro Portion:** 3 g E, 27 g F, 16 g KH = 313 kcal (1311 kJ)

Gratinierte Feigen

Luftig und fruchtig: Feigen in Quarkcreme überbacken

Für 2 Portionen:
1 100 g **Quark**, 1 **Eigelb** (Kl. M), 25 g zerlassene **Butter**, 1 Pk. **Vanillezucker**, 1 El **Zucker**, 1 Tl **Speisestärke** und die **abgeriebene Schale** von ½ **Orange (unbehandelt)** cremig rühren. 1 **Eiweiß** mit 1 Prise Salz steif schlagen und 1 El Zucker unterrühren. 1–2 Min. weiterrühren. Behutsam unter den Quark heben. **2** 4 **Feigen** waschen, vierteln und in einem tiefen, ofenfesten Teller oder einer kleinen Auflaufform verteilen. Quarkcreme mit einem Teelöffel über den Feigen verteilen. **3** Auf einem kalten Blech im vorgeheizten Ofen bei 220 Grad auf der 2. Schiene von oben 10–15 Min. überbacken (Umluft nicht empfehlenswert). Servieren, sobald das Gratin schön gebräunt ist.

* Zubereitungszeit: 20 Minuten
Pro Portion: 12 g E, 15 g F, 43 g KH = 356 kcal (1490 kJ)

Gorgonzola-Tagliatelle

Kinderleicht und doch ein Erlebnis wie aus einer anderen Welt:
sanfte Nudeln, sahnige Käsesauce und knackige Walnüsse

Für 2 Portionen: **1** 4 <u>**Walnusskerne**</u> grob hacken. 200 g <u>**Gorgonzola**</u>
grob zerkrümeln. 250 ml <u>**Schlagsahne**</u> mit ⅔ des Käses 5 Min. bei
milder Hitze kochen lassen. Mit Salz und Pfeffer würzen.
2 200 g <u>**grüne Tagliatelle**</u> in kochendem Salzwasser nach Packungs-
anweisung bissfest kochen, abgießen und kurz abtropfen lassen.
Sauce erneut aufkochen, 1 El gehackte <u>**Petersilie**</u> zugeben und die
Nudeln darin schwenken. Mit dem restlichen Käse und den Walnüssen
bestreuen.

* Zubereitungszeit: 25 Minuten. **Pro Portion**: 36 g E, 75 g F, 73 g KH = 1102 kcal (4617 kJ)

Chili-Mangold

Es muss ja nicht immer Spinat sein, wenn Sie Lust auf Grünes haben. Versuchen Sie es doch mal mit unserem scharfen Mangold

Für 2 Portionen: 1 1 **Mangold** (ca. 600 g) putzen, die Stiele in sehr dünne, die Blätter in 2 cm breite Streifen schneiden. 1 **rote Chilischote** entkernen und fein hacken. 1 **Zwiebel** fein würfeln, mit Chili, 1 **Knoblauchzehe** (durchgepresst) und den Mangoldstielen in 2 El heißem **Öl** unter Rühren 2–3 Min. bei mittlerer Hitze andünsten. **2** Die Blätter zugeben, mit 150 ml **Gemüsebrühe** ablöschen, mit Salz, 1 Prise **Zucker** und 1–2 Tl **Zitronensaft** würzen und zugedeckt bei mittlerer Hitze 10 Min. schmoren. Dann evtl. nachwürzen und mit 2 El gerösteten **Pinienkernen** bestreut servieren.

* Zubereitungszeit: 20 Minuten
 Pro Portion: 8 g E, 16 g F, 12 g KH = 232 kcal (963 kJ)

Kartoffelsuppe mit Krabben

Um einiges feiner, trotzdem kein Stück aufwändiger als die klassische Grundform. Gewissermaßen die Sonntagssuppe

Für 2 Portionen: **1** 200 g **Möhren** schälen, längs halbieren und in ½–1 cm große Stücke schneiden. 400 g **Kartoffeln** schälen und in ebenso große Stücke schneiden. Beides in 800 ml **Gemüsebrühe** zugedeckt aufkochen und bei mittlerer Hitze 10–12 Min. kochen lassen. **2** Inzwischen ½ Stange **Porree** putzen, waschen und das Weiße und Hellgrüne in ½ cm dicke Ringe schneiden. Nach 5 Min. zu den Kartoffeln geben und alles zu Ende garen. Suppe mit Salz und Pfeffer würzen. 100 g **Nordseekrabbenfleisch** in der Suppe erwärmen und alles mit 2 El gehacktem **Dill** bestreuen.

* **Zubereitungszeit:** 35 Minuten. **Pro Portion:** 16 g E, 2 g F, 30 g KH = 204 kcal (853 kJ)

Lamm mit Linsen

Wenn alle Leichtgerichte so köstlich wären – wir hätten keine Gewichts-
probleme. Es sei denn, wir äßen immer gleich doppelte Portionen ...

Für 2 Portionen: **1** 60 g rote <u>Linsen</u> in 300 ml kochende <u>Gemüsebrühe</u>
geben, zugedeckt aufkochen und bei kleiner Hitze 10–12 Min. bissfest
garen. Linsen in einem Sieb abtropfen lassen, Brühe dabei auffangen.
Blättchen von 6 Stielen <u>Thymian</u> abzupfen. 200 g <u>Lammrückenfilet</u>
trockentupfen, salzen und pfeffern. 2 El <u>Öl</u> in einer beschichteten
Pfanne erhitzen. Thymian und Fleisch in die Pfanne geben und das
Fleisch auf jeder Seite 2 Min. scharf anbraten. Fleisch fest in Alufolie
wickeln und im 80 Grad heißen Ofen warm halten. **2** Aufgefangene
Linsenbrühe, 5 El <u>Apfelsaft</u> und 1 durchgepresste <u>Knoblauchzehe</u> in
der Pfanne aufkochen. Mit 1 El <u>Zitronensaft</u> und 1 Tl <u>Honig</u> süßsauer
abschmecken, salzen und pfeffern. Linsen in der Sauce erwärmen.
½–1 Bund <u>Rucola</u> verlesen, waschen und trockenschleudern. Mit den
Linsen mischen. Fleisch schräg in 2 cm dicke Scheiben schneiden und
mit den Linsen anrichten. Dazu passen Pellkartoffeln.

* Zubereitungszeit: 35 Minuten. **Pro Portion:** 28 g E, 4 g F, 23 g KH = 305 kcal (1278 kJ)

Birne im Schlafrock

Fast noch besser als die gleichnamigen Äpfel: dank Marzipan und Nusskrokant und Koriander

Für 4 Portionen: **1** 450 g **TK-Blätterteig** nach Packungsanweisung auftauen lassen. 60 g **Marzipanrohmasse** grob raspeln. 3 El **Milch**, Marzipan, 1 Tl **Puderzucker** und ½ Tl **gemahlenen Koriander** cremig rühren. 20 g **Eierplätzchen** (ca. 4 Stück) klein würfeln und mit 2 El **Nusskrokant** unter die Marzipanmasse heben. In einen Einmalspritzbeutel mit großer Öffnung füllen. **2** Blätterteigplatten aufeinander legen und zu einem Quadrat (40 x 40 cm) ausrollen. In 4 Quadrate schneiden. 4 reife kleine **Birnen** (à 150 g) schälen, mit dem Apfelausstecher entkernen und mit 2 El **Zitronensaft** einreiben. Die Füllung in die Birnen spritzen. 1 **Eigelb** und 2 El **Schlagsahne** verrühren und den Blätterteig mit der Hälfte bestreichen. **3** Die Birnen auf die bestrichene Teigseite setzen, die Ecken darüber zusammenschlagen und oben zusammendrehen. Teig von außen mit dem restlichen Eigelb bestreichen. Im vorgeheizten Ofen bei 190 Grad (Umluft 170 Grad) auf die 2. Schiene von unten 25–30 Min. backen. Noch warm mit **Vanillesauce** servieren.

* **Zubereitungszeit**: 40 Minuten **Pro Portion**: 11 g E, 38 g F, 71 g KH = 663 kcal (2775 kJ)

Grießmousse mit Zwetschgen

Der klassische Grießbrei wird geadelt: Leichter und delikater wird er als unwiderstehliche Mousse mit Zwetschgenkompott serviert

Für 4 Portionen: **1** ½ l **Milch**, Mark von 1 **Vanilleschote** und 40 g **Zucker** aufkochen. 100 g **Weichweizengrieß** einrieseln lassen, aufkochen und bei ausgeschalteter Platte unter Rühren 3–5 Min. quellen lassen. Mit 2 **Eigelb** (Kl. M) in einer Schüssel verrühren **2** 2 **Eiweiß**, 1 Prise Salz und 40 g Zucker steif schlagen, mit 100 g **Magerquark** unter den Grießbrei heben. In 4 kalt ausgespülte Tassen (à 175 ml Inhalt) geben und mind. 4 Std. kalt stellen **3** 500 g **Zwetschgen** entsteinen und in Spalten schneiden. Mit 50 g Zucker, 4 El **Rotwein** (oder **Orangensaft**) und 1 **Zimtstange** aufkochen. Zugedeckt bei milder Hitze 3–5 Min. garen. Abkühlen lassen. Grießmousse mit einem Messer vom Tassenrand lösen, stürzen und mit dem Zwetschgenkompott servieren.

* **Zubereitungszeit:** 25 Minuten (plus Kühlzeit). **Pro Portion:** 14 g E, 8 g F, 70 g KH = 423 kcal (1775 kJ)

Artischocken

Das einfachste aller Artischockenrezepte. Sie müssen nur noch Blätter und Boden in Zitronenbutter tauchen und dann hemmungslos genießen

Für 4 Portionen: **1** Von 4 großen **Artischocken** (à 350 g) die Stiele abbrechen. Das obere Drittel der Artischockenspitze flach schneiden und sofort mit einer halbierten **Zitrone (unbehandelt)** einreiben. Artischocken mit der halbierten Zitrone in reichlich leicht kochendem Salzwasser 35–40 Min. garen. **2** Für die Zitronen-Butter 60 g **Butter** zerlassen und mit dem Saft von 1 Zitrone verrühren. Mit Pfeffer würzen. Mit Ciabatta servieren.

* **Zubereitungszeit:** 50 Minuten. **Pro Portion:** 4 g E, 13 g F, 8 g KH = 164 kcal (685 kJ)

Feiner Linseneintopf

Mit ein paar einfachen, aber raffinierten Änderungen verwandeln Sie einen gewöhnlichen Linsentopf in ein denkwürdiges Gericht

Für 2–4 Portionen: **1** 250 g **braune Berglinsen** in 1¼ l **Fleischbrühe** 30 Min. bei kleiner Hitze kochen lassen. **2** 2 El gehacktes **Koriandergrün**, ½ Tl abgeriebene **Zitronenschale (unbehandelt)**, 1 gepresste **Knoblauchzehe** und 1 El **Tomatenmark** mischen. 200 g **Möhren** schälen, in feine Scheiben schneiden. Nach 20 Min. Kochzeit Möhren und Würzmischung zu den Linsen geben. 1 Bund **Frühlingszwiebeln** in Röllchen nach 25 Min. zugeben. **3** 100 g **Debreziner** in Scheiben dazu geben, mit 2 El **Zitronensaft** und Pfeffer würzen. 4 **Riesengarnelen** ohne Schale in 2 El **Öl** braten. Salzen, pfeffern, zum Eintopf geben. Mit **Korianderblättern** bestreuen. Dazu passt Baguette.

* Zubereitungszeit: 45 Minuten. **Pro Portion (bei 4)**: 27 g E, 14 g F, 39 g KH = 395 kcal (1654 kJ)

Kentucky-fried-Schnitzel

Besonders würzig, besonders knusprig und besonders schnell: amerikanisch inspiriertes Schnitzel

Für 2 Portionen: **1** 3 **Schweineschnitzel** (à 100 g) in je 2 Stücke teilen. Mit 150 ml **Buttermilch** begießen und 30 Min. bei Zimmertemperatur stehen lassen. 80 g **Semmelbrösel** mit 2 Tl **scharfem Paprikapulver**, 1 Tl **getrocknetem Oregano** und je ½ Tl Salz und Pfeffer mischen. **2** 150 ml **Öl** in einer Pfanne erhitzen. Schnitzel aus der Buttermilch nehmen, in den gewürzten Bröseln wenden, gut andrücken und überschüssige Brösel abklopfen. Fleisch im heißen Öl bei mittlerer Hitze von jeder Seite 2–3 Min. goldbraun backen. Auf Küchenpapier abtropfen lassen und mit **Zitronenspalten (unbehandelt)** garnieren.

* **Zubereitungszeit:** 15 Minuten (plus Zeit zum Durchziehen)
 Pro Portion: 37 g E , 29 g F, 29 g KH = 524 kcal (2195 kJ)

Gelbe Paprikasuppe

Als Vorspeise unschlagbar: So intensiv gelb die Suppe leuchtet, so
außerordentlich intensiv schmeckt sie auch

Für 4 Portionen: **1** 2 <u>**Zwiebeln**</u> und 2 <u>**Knoblauchzehen**</u> fein würfeln.
1 kg gelbe <u>**Paprikaschoten**</u> vierteln, entkernen und in grobe Stücke
schneiden. **2** 2 El <u>**Olivenöl**</u> erhitzen und Zwiebeln, Knoblauch und
Paprika darin andünsten. Mit 800 ml <u>**Gemüsebrühe**</u> und 200 ml
<u>**Schlagsahne**</u> auffüllen. Bei mittlerer Hitze 20–25 Min. kochen. Mit
dem Schneidstab fein pürieren, durch ein Sieb streichen, nochmals
aufkochen und mit Salz und Pfeffer abschmecken. In Teller geben
und mit 4 El Olivenöl beträufeln, mit 4 El zerkrümeltem <u>**Fetakäse**</u> und
abgezupften <u>**Majoranblättern**</u> bestreuen.

* **Zubereitungszeit**: 1 Stunde. **Pro Portion**: 7 g E, 34 g F, 10 g KH = 370 kcal (1550 kJ)

Buttermilchplinsen

Die perfekte Ergänzung für alles mit viel Sauce, vom Salat bis zum Frikassee. Aber auch für sich allein nicht minder köstlich

Für 2 Portionen: **1** 4 El **getrocknete Tomaten** fein würfeln. 8 Stiele **Petersilie** abzupfen und fein hacken. 50 g **Mehl**, 160 ml **Buttermilch**, 2 **Eigelb**, 1 Tl **Backpulver**, etwas Salz und Pfeffer gut verrühren. Petersilie unterrühren **2** In einer beschichteten Pfanne 1 El **Öl** erhitzen. Pro Plinse 2 El Teig ins Öl geben. Jeweils mit einigen Tomatenwürfeln bestreuen und bei mittlerer Hitze von jeder Seite 2–3 Min. goldbraun braten. Übrige Plinsen ebenso backen.

* Zubereitungszeit: 20 Minuten. **Pro Portion**: 9 g E, 19 g F, 24 g KH = 298 kcal (1247 kJ)

Gemischter Salat mit Orange

Eigentlich sollte ein gemischter Salat bei überhaupt keinem Essen fehlen. Hier eine fruchtige Variante

Für 2 Portionen: **1** 1 **<u>Orange</u>** so schälen, dass die weiße Haut vollständig entfernt ist. Orange in dünne Scheiben schneiden. Von 1 Orange 5 El Saft auspressen. **2** Den Orangensaft, 2 El **<u>Weißweinessig</u>**, etwas Salz, Pfeffer, 1 Prise **<u>Zucker</u>** und 4 El **<u>Öl</u>** gut durchschütteln oder verrühren. 1 Pk. fertige **<u>Blattsalat-Mischung</u>** (150 g) und Orangenscheiben vorsichtig mit der Vinaigrette mischen und servieren.

* **Zubereitungszeit**: 15 Minuten. **Pro Portion**: 2 g E, 20 g F, 12 g KH = 240 kcal (1006 kJ)

Traubenmuffins

Das Traumgebäck, falls Sie zwischendurch mal der kleine Hunger auf was Süßes packt. Die saftigen Teilchen sind unwiderstehlich

Für 12 Stück: **1** Je 150 g **blaue** und **grüne Weintrauben** halbieren und entkernen. 500 g **Mehl**, 180 g **Zucker**, 3 Tl **Backpulver** und ¼ Tl **Salz** gut mischen. Ein Muffinblech (12 Mulden) mit Papierförmchen auslegen. **2** 3 **Eier** (Kl. M), 300 ml **Buttermilch** und 100 ml **Öl** gut verrühren. Mehlmischung gut unterrühren. Trauben unterheben. **3** Teig in die Förmchen geben, mit 30 g gehackten **Mandeln** und 1 Pk. **Vanillezucker** bestreuen. Im vorgeheizten Ofen bei 200 Grad auf der 2. Schiene von unten 30 Min. backen (Umluft 180 Grad).

* Zubereitungszeit: 1 Stunde. Pro Stück: 7 g E, 12 g F, 50 g KH = 341 kcal (1428 kJ)

Schoko-Baileys-Mousse

Investieren Sie 20 Minuten – den Rest erledigt Ihr Kühlschrank

Für 4 Portionen: **1** 80 g **Zartbitter-Kuvertüre** fein hacken. 250 ml **Schlagsahne** zum Kochen bringen. Von der Herdplatte nehmen und die Kuvertüre in der heißen Sahne unter Rühren schmelzen lassen. 5 El **Whiskeylikör** (z. B. Baileys) dazugeben und mit dem Schneidstab durchmixen. Sahnemischung über Nacht kalt stellen. **2** Die kalte Sahnemischung mit den Quirlen des Handrührers steif schlagen. 6 **Haselnusskugeln** mit einem Messer vierteln und unter die Sahne ziehen. Creme in Dessert- oder Sektgläser füllen. 150 ml **Schlagsahne** halb steif schlagen, auf die Mousse verteilen und nach Belieben mit weiteren Haselnusskugeln verzieren.

* **Zubereitungszeit**: 20 Minuten
(plus Kühlzeit)
Pro Portion: 6 g E, 38 g F, 23 g KH =
467 kcal (1955 kJ)

Eine Party ohne Schinken- oder andere Röllchen war früher undenkbar.
Höchste Zeit, den Klassiker wiederzubeleben

Für 4 Portionen: **1** 1 **Ei** hart kochen, abschrecken, schälen
und hacken. 1 Dose **Thunfisch in Öl** (115 g EW) abtropfen lassen,
Fisch grob zerzupfen. 200 g **Tomaten** vierteln, entkernen und
fein würfeln. Ei, Thunfisch, Tomaten, 1 El **Mayonnaise**, 50 g **Sahne-joghurt**, 1 Tl abgeriebene **Zitronenschale (unbehandelt)** und
1 El **Zitronensaft** mischen. Mit Salz, Pfeffer und einigen Spritzern
Worcestersauce abschmecken. **2** 60 g **Rucola** putzen, waschen
und trockenschleudern. 8 Scheiben **Roastbeef-Aufschnitt**
(ca. 200 g) auf einer Fläche ausbreiten. Thunfischsalat darauf
geben. Mit je 2–3 Rucolablättern belegen und aufrollen.
Mit übrigem Rucola anrichten.

Zubereitungszeit: 25 Minuten
Pro Portion: 24 g E, 12 g F, 4 g KH = 224 kcal (941 kJ)

Winzersalat

*Ob als Vorspeise oder Beilage: Die Mischung aus Trauben,
Käse und Blattsalaten ist immer ein Volltreffer*

Für 4 Portionen: **1** Je 150 g kernlose **<u>grüne</u>** und **<u>blaue Weintrauben</u>**
putzen, waschen und halbieren. 400 g **<u>Blattsalat</u>** (z. B. Eichblatt-,
Feldsalat oder Lollo bianco) putzen, waschen und trockenschleudern.
150 g **<u>Cambozola</u>** in große Stücke schneiden. 3 El **<u>Weißweinessig</u>**,
6 El **<u>Apfelsaft</u>**, etwas Salz, Pfeffer und 5 El **<u>Öl</u>** in ein Schraubglas
geben und gut durchschütteln. **2** 2 Scheiben **<u>Rosinenbrot</u>** 2 cm groß
würfeln, in 2 El zerlassener **<u>Butter</u>** goldbraun rösten. Salat und
Trauben vorsichtig mit der Sauce mischen, mit dem Käse und den
Brotwürfeln anrichten und sofort servieren.

Zubereitungszeit: 25 Minuten. **Pro Portion:** 8 g E, 33 g F, 20 g KH = 415 kcal (1727 kJ)

Kürbispüree

Sicherheitshalber sollten Sie gleich doppelte Portionen machen:
Von diesem Püree kann niemand genug kriegen

Für 2 Portionen: **1** 500 g **Hokkaido-Kürbis** entkernen, schälen und
grob würfeln. In 1 El zerlassener **Butter** glasig andünsten. Mit Salz,
Pfeffer und **Muskat** würzen. 5 El **Schlagsahne** zugeben und zugedeckt
bei milder Hitze 15 Min. garen. Dabei ab und zu umrühren.
2 Dann mit einem Kartoffelstampfer zerstampfen, evtl. nachwürzen
und mit 2 El **gerösteten Kürbiskernen** bestreut servieren.

* Zubereitungszeit: 25 Minuten. **Pro Portion:** 6 g E, 21 g F, 10 g KH = 250 kcal (1044 kJ)

Spitzkohlroulade

Beste altbekannte und bewährte Hausmannskost, für Sie in einer modernisierten und erleichterten Form

Für 2 Portionen: **1** 4 große **Spitzkohlblätter** in kochendem Salzwasser blanchieren, abschrecken und trockentupfen. **2** 1 **Zwiebel** fein würfeln. ½ Bund **Kerbel** grob hacken. Mit 200 g rohem **Kalbswurstbrät**, 1 **Ei**, 1 eingeweichten und ausgedrückten Scheibe **Toastbrot**, **rosenscharfem Paprikapulver**, Salz und Pfeffer zu einer glatten Masse verkneten. **3** Jeweils 2 **Kohlblätter** überlappend auslegen. Brätmasse in die Mitte der Blätter legen, seitlich einschlagen und aufrollen. In 3 El heißem **Öl** rundherum anbraten. 150 ml **Brühe** und 1 Tl **Kümmel** zugeben. Abgedeckt bei milder Hitze 30 Min. schmoren. 1 **Apfel** vierteln, entkernen, in grobe Stücke schneiden und nach 25 Min. Garzeit zugeben. 1 Tl **Speisestärke** mit 5 El kaltem Wasser verrühren und den Fond damit binden.

* **Zubereitungszeit: 1 Stunde. Pro Portion: 19 g E, 46 g F, 22 g KH = 575 kcal (2406 kJ)**

Scharfer Hase

Der Hackbraten ist zu Höherem fähig: Saftig und ziemlich scharf eignet er sich bestens für Sonntage und andere besondere Gelegenheiten

Für 4 Portionen:

70 g Peperoni (Glas)

250 g Schalotten

2 Knoblauchzehen

1 Bund glatte Petersilie

50 g getrocknete Tomaten

2 El Öl

2 Eier (Kl. M)

100 g Semmelbrösel

½ Tl abgeriebene Zitronen-schale (unbehandelt)

1 kg gemischtes Hackfleisch

2–4 Tl Tabasco

Salz

Pfeffer

1 Peperoni abtropfen lassen, Stiele entfernen, Peperoni fein hacken. Schalotten und Knoblauch fein würfeln. Petersilienblätter abzupfen und grob schneiden. Tomaten fein würfeln.

2 Peperoni, Schalotten und Knoblauch in heißem Öl bei mittlerer Hitze 2–4 Min. dünsten. Abkühlen lassen. Mit Petersilie, Tomaten, Eiern, Bröseln und Zitronenschale zum Hackfleisch geben, verkneten und mit Tabasco, Salz und Pfeffer würzen.

3 Die Masse in eine Terrinenform (1,2 l Inhalt) füllen. Im vorgeheizten Ofen auf der 2. Schiene von unten bei 160 Grad (Umluft nicht empfehlenswert) 50 Min. garen.

* **Zubereitungszeit:** 1:30 Stunden
 Pro Portion: 54 g E, 54 g F, 25 g KH = 798 kcal (3344 kJ)

PRAKTISCH: Während Sie Ihren scharfen Hasen in der Terrinenform backen, können Sie schon ganz entspannt bei der Vorspeise sitzen. In dieser Form läuft er garantiert nicht aus!

Eis mit Schokoladen-Chili-Sauce

Es liegt im Trend, Eis mit Kräutern oder Gewürzen neu zu erfinden. Hier kommt eine sehr gelungene Kombination: Vanilleeis mit scharfer Sauce

Für 2 Portionen: **1** 50 g **Zartbitterschokolade** fein hacken, mit 1 El **Butter** und 5 El **Milch** langsam bei milder Hitze unter Rühren schmelzen lassen. Wenn eine glatte Masse entstanden ist, 1–2 Tl **Rum** unterrühren und mit zerstoßener **getrockneter Chilischote** leicht scharf abschmecken. Falls die Sauce zu dick ist, noch etwas Milch unterrühren. **2** Je 3 Kugeln **Vanilleeis** in zwei Eisbecher geben. Etwas Sauce darüber verteilen. Mit zerstoßener getrockneter Chilischote bestreuen und mit restlicher Sauce und Eiswaffeln servieren.

* Zubereitungszeit: 10 Minuten
  Pro Portion: 6 g E, 28 g F, 46 g KH = 464 kcal (1943 kJ)

Weißer Schokoladenkuchen

Man sieht die weiße Schokolade nicht, aber man schmeckt sie. Mandeln und Orange vollenden den Kastenkuchen geschmacklich

Für 16 Stücke: 1 75 g **weiße Schokolade** fein hacken. 180 g weiche **Butter** (oder **Margarine**), 130 g **Zucker**, 1 Pk. **Vanillezucker** und 1 Tl abgeriebene **Orangenschale (unbehandelt)** mit den Quirlen des Hand- rührers mind. 5 Min. schaumig rühren. 3 **Eier** (Kl. M) nacheinander vollständig unterrühren. 230 g **Mehl**, 75 g **gemahlene Mandeln**, 2 gestr. Tl **Backpulver** und die Schokolade mischen. **2** Die Hälfte der Mehlmischung unter die Buttermasse rühren. 8 El **Milch** langsam unterrühren. Restliche Mehlmischung und weitere 8 El Milch unter- rühren. Eine Kastenform (30 x 12 cm) mit Backpapier auslegen. Den Teig in die Form füllen und glatt streichen. **3** Im vorgeheizten Ofen bei 175 Grad (Umluft 160 Grad) auf der 2. Schiene von unten 55–60 Min. backen. Kuchen auf einem Rost 5 Min. abkühlen lassen, dann aus der Form nehmen. 10 g Butter zerlassen. 100 g **Puderzucker** mit 2 El **Orangensaft** glatt rühren. Butter gleichmäßig unterrühren. Den ausgekühlten Kuchen mit dem Guss verzieren.

* Zubereitungszeit: 1:20 Stunden (plus Zeit zum Auskühlen)
Pro Stück: 4 g E, 15 g F, 28 g KH = 268 kcal (1123 kJ)

Birnen, Bohnen & Speck

Der Klassiker aus Deutschlands Norden, deftig und
fruchtig zugleich. Auch für Süddeutsche einen Versuch wert!

Für 2 Portionen: **1** 2 **Zwiebeln** in Streifen schneiden. Mit 150 g durch-
wachsenem geräuchertem **Speck** am Stück in 600 ml **Gemüsebrühe**
geben, aufkochen und 15 Min. köcheln lassen. **2** Inzwischen 300 g
grüne Bohnen putzen und in mundgerechte Stücke schneiden. Bohnen
zum Speck geben, weitere 5 Min. garen. **3** 2 **Birnen** (à 150 g) achteln
und entkernen. Die Birnenspalten mit 1 Tl gehacktem **Bohnenkraut** zu
den Bohnen geben, weitere 5 Min. köcheln lassen. Alles mit Salz und
Pfeffer würzen. Speck herausnehmen und in Stücke schneiden. Speck
wieder dazugeben. **4** 1–2 Tl **Speisestärke** in kaltem Wasser auflösen
und den Eintopf damit leicht binden. Dazu passen Salzkartoffeln.

* **Zubereitungszeit:** 45 Minuten **Pro Portion:** 17 g E, 23 g F, 24 g KH = 365 kcal (1530 kJ)

Schnelle Pilzsuppe

*Eine edle Einleitung für fast
jedes Menü, aber auch für sich allein ein Genuss*

Für 4 Portionen: **1** 10 g **getrocknete Steinpilze** in 200 ml heißem
Wasser 10 Min. einweichen. 300 g **gemischte Pilze** (z. B. Champignons
und Steinpilze) putzen und würfeln. Mit 1 durchgepressten **Knoblauch-
zehe** in 2 El **Butter** anbraten. Salzen und pfeffern. Steinpilze mit Ein-
weichwasser und 500 ml **Gemüsebrühe** zugeben. Aufkochen und zuge-
deckt 10 Min. kochen. 3 El gehackte **Petersilie** zugeben und mit dem
Schneidstab fein pürieren. **2** Mit 150 ml **Schlagsahne** erneut aufko-
chen. Mit Salz, Pfeffer, 1–2 Tl **Zitronensaft** und **Muskat** abschmecken.
100 g geputzte **Steinpilze** (oder **Champignons**) blättrig schneiden.
Suppe mit den Pilzscheiben und 2 El gehackter Petersilie anrichten.

* Zubereitungszeit: 30 Minuten **Pro Portion:** 5 g E, 18 g F, 3 g KH = 192 kcal (806 kJ)

Fenchelgemüse

*Fenchel wirkt immer noch ein bisschen exotisch in unseren Küchen,
ist aber ganz einfach zu machen und ganz groß zu genießen*

Für 2 Portionen: **1** 100 g **Schalotten** in feine Streifen schneiden.
Von 1 **unbehandelten Orange** ¼ der Schale abschälen und in feine
Streifen schneiden. Dann 6 El **Saft** auspressen. 1 **Fenchelknolle**
(ca. 300 g) putzen, das Grün dabei aufbewahren. Knolle vierteln, den
harten Strunk entfernen und die Viertel in dünne Spalten schneiden.
4 eingelegte **Artischockenböden** (Dose, 100 g EW) abtropfen lassen
und vierteln. **2** Fenchel und Schalotten in 3 El **Olivenöl** andünsten.
Mit Salz, Pfeffer und 1 Prise **Zucker** würzen. Orangenschale, Orangen-
saft, Artischocken, 100 ml **Gemüsebrühe** und 2 Tl **Kapern** zugeben.
Zugedeckt bei mittlerer Hitze 12–14 Min. garen. Das gehackte Fenchel-
grün untermischen und evtl. nachwürzen.

* **Zubereitungszeit:** 30 Minunten **Pro Portion:** 5 g E, 16 g F, 12 g KH = 210 kcal (878 kJ)

Gebratener Zander mit Limette

Der unkomplizierteste Zander, den Sie je genossen haben.
Und dank Pfeffer und Limette auch der leckerste

Für 2 Portionen: 4 <u>Zanderfilets</u> (à 80 g) in 2 El grobem <u>**Steakpfeffer**</u> wälzen und gut andrücken. In 2 El <u>**Öl**</u> bei starker Hitze auf der Fleischseite 2 Min. braten. Daneben 1 halbierte <u>**Limette (unbehandelt)**</u> mit den Schnittflächen nach unten in die Pfanne setzen. Hitze reduzieren, 20 g <u>**Butter**</u> und 2 gehackte <u>**Knoblauchzehen**</u> zugeben. Fisch wenden und 2 Min. gar ziehen lassen. Mit 2 El <u>**Sojasauce**</u> beträufeln.

* Zubereitungszeit: 20 Minuten. **Pro Portion:** 32 g E, 20 g F, 2 g KH = 314 kcal (1315 kJ)

Angemachter Quark

Genauso leicht wie einfach herzustellen. Ihr ganz persönlicher pikanter Quark. Schmeckt am besten zu Laugenstangen oder -brezeln

Für 1 Portion: **1** 50 g **Gewürzgurke** und ½ **rote Paprika** fein würfeln. 2 El weiche **Butter** mit einem Schneebesen glatt rühren, 150 g **Magerquark**, 1 Tl **Senf** und ½ Tl **rosenscharfes Paprikapulver** unterrühren. Gurken und Paprika zugeben. Mit Salz und Pfeffer würzig abschmecken. **2 Kresse** von 1 Beet abschneiden und untermischen. 2 **Laugenstangen** dazu servieren.

* **Zubereitungszeit**: 15 Minuten. **Pro Portion**: 13 g E, 36 g F, 74 g KH = 680 kcal (2847 kJ)

Herbstlicher Obstsalat

*Aus Trauben, Birnen und Äpfeln. Schmeckt besonders lecker mit säuer-
lichen Apfelsorten wie Elstar, Jonagold oder Gravensteiner*

Für 2 Portionen: **1** 5 El **Orangensaft** mit 2 El **Honig** aufkochen und
2–3 Min. kochen lassen. Vom Herd nehmen und 1 El **Orangenlikör**
unterrühren. **2** 200 g kernlose **blaue Weintrauben** waschen,
abzupfen und halbieren. ½ **Apfel** und ½ **Birne** schälen, entkernen und
in dünne Spalten schneiden. Sofort mit 1–2 El **Zitronensaft**
mischen. 1 **Feige** waschen und achteln. 50 g **Walnusskerne** grob
hacken. Sauce mit dem Obst und den Nüssen mischen.
3 150 g **Sahnejoghurt** cremig rühren und zum Obstsalat servieren.

* **Zubereitungszeit:** 15 Minuten **Pro Portion:** 8 g E, 24 g F, 48 g KH = 450 kcal (1884 kJ)

Der wahre Wonnemonat

UNTER ALLEN MONATEN hat der November den wahrscheinlich schlechtesten Ruf. Das ist ungerecht. Er hat nämlich durchaus Qualitäten: Man muss nicht mehr dauernd ins Freie rennen („... bei DEM Wetter???"), kann guten Gewissens vor den Kamin kuscheln, Musik hören, Wein trinken – und ist endlich befreit vom VitaminTerror der Sommerzeit. Staunen Sie, was der wahre Wonnemonat kulinarisch zu bieten hat!

Schweinefilet im Speckmantel

Ein durchaus festlicher Braten, sehr zart und saftig,
dabei fast im Handumdrehen fertig

Für 4 Portionen:

5 Stiele Thymian

2 Schweinefilets (à 350 g)

Salz

schwarzer Pfeffer

275 g durchwachsener
Speck in Scheiben

2 El Öl

200 ml trockener Weißwein

3–4 Lorbeerblätter

1 Blätter von 2 Thymianstielen fein hacken. Schweinefilets leicht salzen und pfeffern und mit dem gehackten Thymian bestreuen.

2 Die Hälfte der Speckscheiben dachziegelartig nebeneinander legen, ein Filet darin einrollen. Mit dem restlichen Speck und dem zweiten Filet genauso verfahren.

3 Das Öl in einer großen Pfanne erhitzen, die Filets darin bei starker Hitze rundherum kräftig anbraten. Aus der Pfanne nehmen und auf ein Blech legen. Das Bratfett mit dem Weißwein ablöschen. Lorbeer und 3 Stiele Thymian dazugeben. Alles zu den Schweinfilets auf das Blech geben.

4 Im vorgeheizten Ofen bei 200 Grad (Umluft 180 Grad) auf der 2. Schiene von unten 15–17 Min. braten. Schweinefilets vom Blech nehmen und in Alufolie gewickelt 5 Min. ruhen lassen.

5 Den Bratensaft durch ein Sieb geben und einmal aufkochen. Schweinefilets in Scheiben geschnitten mit dem Bratensaft servieren.

RICHTIG WICKELN
Auf Frischhaltefolie die Speckscheiben überlappend auslegen, dann das Filet darauf legen und mit Hilfe der Folie zu einer strammen Rolle drehen.

* **Zubereitungszeit:** 40 Minuten,
Pro Portion: 50 g E, 28 g F, 0 g KH =
461 kcal (1930 kJ)

Griechischer Reis

Ein sehr guter Begleiter für alles, was leicht mediterran angehaucht ist und selbst ein kräftiges Aroma besitzt

Für 2 Portionen: **1** 1 <u>Knoblauchzehe</u> in feine Streifen schneiden. 1 <u>Zwiebel</u> fein würfeln. 1 <u>rote Paprikaschote</u> vierteln, entkernen und fein würfeln. 1 <u>Fleischtomate</u> entkernen und fein würfeln. **2** 2 El <u>Olivenöl</u> in einem Topf erhitzen, Knoblauch und Zwiebeln darin unter Rühren glasig andünsten. Paprika und Tomatenwürfel dazugeben, 1 weitere Min. dünsten. 125 g <u>Langkornreis</u> dazugeben. Mit 1–2 Tl <u>Gyros-Gewürz</u> bestreuen. **3** 300 ml heiße <u>Geflügelbrühe</u> angießen, aufkochen und zugedeckt 20 Min. bei niedriger Hitze garen. 2 El gehackte <u>glatte Petersilie</u> untermischen.

Zubereitungszeit: 35 Minuten **Pro Portion:** 7 g E, 11 g F, 57 g KH = 345 kcal (1441 kJ)

Kartoffelspalten aus dem Ofen

Nicht mal schälen müssen Sie die Kartoffeln – und dennoch bekommen Sie eine sensationelle Beilage

Für 2 Portionen: **1** 500 g fest kochende **Kartoffeln** gründlich waschen und ungeschält in Spalten schneiden. In einer Schüssel mit 2 El **Zitronensaft**, 2 El **Olivenöl**, 1 Msp. **Cayennepfeffer**, 1 Tl gehackten **Thymianblättern** und etwas Salz mischen. Auf ein leicht geöltes Backblech geben und ausbreiten. **2** Im vorgeheizten Ofen auf der 2. Schiene von unten bei 220 Grad (Umluft 200 Grad) 35–40 Min. backen, dabei einmal wenden. Nach dem Backen mit grobem **Pfeffer** würzen.

* **Zubereitungszeit:** 50 Minuten **Pro Portion:** 4 g E, 10 g F, 32 g KH = 240 kcal (1008 kJ)

Broccoli

Der gewöhnliche Broccoli gewinnt ganz erheblich, wenn Sie ihn nach dem Kochen mit Chilischoten in der Pfanne braten

Für 2 Portionen: **1** 300 g **Broccoli** putzen, in Röschen teilen. Strunk schälen, halbieren und in 1 cm große Stücke schneiden. Im kochenden Salzwasser 3–5 Min. garen und abschrecken. Gut abtropfen lassen. **2** 2 **rote Pfefferschoten** längs halbieren, entkernen und quer in feine Streifen schneiden. 4 El **Olivenöl** in einer Pfanne erhitzen und den Broccoli mit Pfefferschoten darin bei mittlerer Hitze 5 Min. braten. Mit Salz und Pfeffer würzen.

* **Zubereitungszeit**: 30 Minuten **Pro Portion**: 3 g E, 20 g F, 2 g KH = 202 kcal (848 kJ)

Birnen-Ricotta-Auflauf

Ohne Teig, ohne Mühe: der unverdünnte Genuss. Da sind sechs
Portionen auch mal schnell von dreien weggeputzt

Für 4–6 Portionen: **1** 750 g __Ricotta__, 3 __Eigelb__ (Kl. M), 1 Pk. __Vanille-__
__zucker__, 1 Prise Salz und 2 Tl abgeriebene __Limettenschale (unbehandelt)__
verrühren. Masse in eine gefettete Auflaufform (20 cm Ø) streichen.
2 500 g __reife Birnen__ schälen, vierteln, entkernen und mit 2 El __Limetten-__
__saft__ beträufeln. Mit der Rundung nach oben auf die Ricottamasse
setzen und leicht eindrücken. 1 Eigelb und 1 El __Milch__ verquirlen, Creme-
Oberfläche damit bestreichen. **3** Im vorgeheizten Ofen bei 180 Grad
auf der 2. Schiene von unten 50–60 Min. backen (Umluft 160 Grad).
Mit 4 El __flüssigem Honig__ (z. B. Tannenhonig) beträufeln, mit 1 El
__gehackten Pistazien__ bestreuen und warm oder kalt servieren.

* **Zubereitungszeit:** 1:15 Stunden
Pro Portion (bei 6): 10 g E, 23 g F, 27 g KH = 355 kcal (1488 kJ)

Rotweinkuchen

Eine unerwartet glückliche Kombination: Schokolade und
Rotwein im bunten Gugelhupf vereint

Für 14 Stücke: **1** 250 g zimmerwarme **Butter**, 200 g **Zucker,** 1 Pk.
Vanillezucker, 1 Tl **Zimtpulver** und 1 Prise Salz mit den Quirlen des
Handrührers mind. 6 Min. cremig rühren. 4 **Eier** (Kl. M) einzeln jeweils
gut unterrühren und die Masse sehr cremig rühren. 250 g **Mehl**,
1 El **Kakao** und 1 Pk. **Backpulver** gemischt sieben und mit 125 ml
Rotwein unterrühren. 50 g **Schokoladenstreusel** und 50 g getrocknete
Cranberries (oder **Rosinen**) unterheben. **2** Teig in eine gefettete, mit
Mehl ausgestäubte Gugelhupfform (1¾ l Inhalt) geben. Im vorgeheizten
Ofen bei 175 Grad (Umluft 150 Grad) auf der 2. Schiene von unten
45–50 Min. backen. 10 Min. in der Form lassen, dann auf ein Gitter
stürzen und abkühlen lassen. 125 g **Puderzucker** und 2–3 El Rotwein
glatt rühren, über den Kuchen verteilen, mit 2 El getrockneten
Cranberries oder Rosinen bestreuen.

* **Zubereitungszeit:** 1:15 Stunden (plus Kühlzeit)
  Pro Stück: 5 g E , 18 g F, 43 g KH = 356 kcal (1490 kJ)

Chicoréesalat

Das Bittere und das Süße, Chicorée und Orangen, und dazu noch feinste Hähnchenbrust. Resultat: ein schnelles Gedicht

Für 2 Portionen: 1 300 g **Hähnchenbrustfilet** mit Salz und Pfeffer würzen und in 2 El heißem **Öl** von jeder Seite 5–6 Min. goldbraun braten. In Alufolie ruhen lassen. Die Schale samt weißer Haut von 2 **Orangen (unbehandelt)** abschälen und die Orangenfilets aus den Trennhäuten schneiden. 200 g **Chicorée** putzen und in Scheiben schneiden. 100 g **Sahnejoghurt** mit 3 El **Orangensaft**, 1 Tl abgeriebener **Orangenschale (unbehandelt)**, Salz, Pfeffer, 1 Prise **Zucker** und 1 El **Olivenöl** verrühren. Fleisch in Scheiben schneiden, mit Orangen und Chicorée anrichten und mit der Sauce und 1 El gehacktem **Dill** servieren.

* **Zubereitungszeit:** 20 Minuten **Pro Portion:** 40 g E, 16 g F, 21 g KH = 399 kcal (1672 kJ)

Penne mit scharfen Bröseln

Es muss nicht immer „arrabbiata" sein, wenn es um Penne geht:
Unsere sind nicht minder würzig, aber ebenso einfach in der Zubereitung

Für 2 Portionen: **1** 3 **Zwiebeln** fein würfeln. 2 **Knoblauchzehen** fein
hacken. 1 **Chilischote** entkernen und hacken. 250 g **Penne** in reichlich
kochendem Salzwasser nach Packungsanweisung garen. **2** Inzwischen
2 El **Öl** in einer Pfanne erhitzen, 125 g **Kirschtomaten** darin bei starker
Hitze rundum 1 Min. braten, herausnehmen. Zwiebeln, Knoblauch und
Chili im Öl bei mittlerer Hitze unter Rühren bräunen. 1 El **Semmel-
brösel,** 40 g **Butter**, 1 Tl gehackte **Thymianblätter** untermischen.
In der Pfanne mit den Tomaten warm halten. **3** Nudeln abgießen, in
die Pfanne geben und gründlich mischen. Mit Salz und Pfeffer würzen
und servieren.

Zubereitungszeit: 20 Minuten Pro Portion: 17 g E, 30 g F, 94 g KH = 721 kcal (3021 kJ)

Rote-Bete-Suppe

Nicht nur wegen der fröhlichen Farbe eine sehr sonntägliche Vorspeise

Für 4 Portionen: **1** 2 **Zwiebeln** hacken. 400 g **Rote Bete** schälen und grob würfeln. 150 g **Kartoffeln** waschen, schälen und würfeln. 25 g **Butter** in einem Topf erhitzen, Zwiebeln, Rote Bete und Kartoffeln darin bei mittlerer Hitze 5 Min. andünsten. **2** 1 l **Gemüsebrühe** angießen und aufkochen, bei mittlerer Hitze 40 Min. kochen. Mit dem Schneidstab fein pürieren und mit Salz und Pfeffer würzen. **3** Durch ein Sieb gießen, 100 ml **Schlagsahne** dazugeben und erneut aufkochen. Suppe in 4 Teller geben und mit je 1 Tl **Sahnemeerrettich** und fein geschnittenem **Schnittlauch** garnieren.

* **Zubereitungszeit:** 50 Minuten **Pro Portion:** 4 g E, 14 g F, 14 g KH = 198 kcal (825 kJ)

Mozzarella in carozza

Ein klassischer südlicher Imbiss, so eine Art Armer Ritter
mit Mozzarella. Einfach köstlich!

Für 2 Portionen: **1** Von 4 Scheiben **Toastbrot** die Rinde abschneiden.
1 Kugel **Mozzarella** (125 g) trockentupfen, in ca. ½ cm dicke Scheiben
schneiden. 2 Brotscheiben damit belegen, aber nicht ganz bis zum
Rand. Mit Salz, Pfeffer und 1 Tl **getrocknetem Oregano** würzen. Übrige
Brotscheiben darauf legen. 2 **Eier**, 2 El **Milch**, etwas Salz und Pfeffer
verquirlen. Die Brote mit den Rändern hineintauchen und gut zu-
sammendrücken. **2** Die Brote in eine flache Schale legen, mit der
Eiermilch übergießen und einziehen lassen, dabei ab und zu wenden.
4 El **Mehl** und 2 El **Parmesan** mischen, Brote darin wenden. 8 El
Olivenöl in einer Pfanne erhitzen. Brote darin bei mittlerer Hitze von
jeder Seite ca. 4 Min. goldbraun braten. Dabei vorsichtig wenden. Mit
Römersalat, Kirschtomaten und Basilikum mit Kräuter-Vinaigrette
(Fertigprodukt) servieren.

* **Zubereitungszeit:** 30 Minuten
Pro Portion: 29 g E, 62 g F, 35 g KH =
807 kcal (3352 kJ)

Spaghetti carbonara

Ein Klassiker von nahezu erhabener Größe, wenn er richtig gemacht wird. Am besten genauso, wie hier beschrieben

Für 2 Portionen: **1** 100 g durchwachsenen **<u>Speck</u>** (oder **<u>Pancetta</u>**) fein würfeln und in einer Pfanne mit 1 El **<u>Öl</u>** knusprig auslassen und in der Pfanne warm halten. **2** 200 g **<u>Spaghetti</u>** in reichlich kochendem Salzwasser nach Packungsanweisung bissfest kochen. Inzwischen 70 g frisch geriebenen **<u>Parmesan</u>**, 75 ml **<u>Schlagsahne</u>** und 1 **<u>Ei</u>** in einer Schüssel verquirlen. **3** Nudeln abgießen und rasch in der Pfanne mit dem Speck mischen. Käsesahne dazugeben, alles kräftig vermischen und sofort servieren. Mit viel schwarzem Pfeffer aus der Mühle würzen.

[*] **Zubereitungszeit: 20 Minuten Pro Portion:** 36 g E, 49 g F, 70 g KH = 864 kcal (3620 kJ)

Linsenbolognese

*Für eine gute Bolognese brauchen Sie nicht unbedingt
Fleisch. Versuchen Sie es mal mit Linsen!*

Für 4 Portionen: **1** 1 Bund **Suppengrün** (ca. 400 g) putzen, waschen
und ca. ½ cm groß würfeln. 200 g **Zwiebeln** fein würfeln. Alles in
4 El heißem **Olivenöl** andünsten. Kräftig mit Salz, Pfeffer und etwas
Zucker würzen. 5 El **Paprikamark** (z. B. Ajvar) und 1 Tl **getrockneten
Oregano** kurz mitrösten. Mit 100 ml **Rotwein** ablöschen und fast voll-
ständig einkochen lassen. **2** 125 g **Beluga-Linsen** und 500 ml
Gemüsebrühe zugeben. Aufkochen, zugedeckt bei mittlerer Hitze
20–25 Min. garen. Dabei ab und zu umrühren. 200 g **Bandnudeln** in
kochendem Salzwasser nach Packungsanweisung garen. Sauce evtl.
nachwürzen. Nudeln abgießen, unter die Sauce mischen und mit
30 g gehobeltem **Parmesan** und 1 El gehackter **Petersilie** bestreuen.

* **Zubereitungszeit:** 45 Minuten **Pro Portion:** 20 g E, 15 g F, 58 g KH = 472 kcal (1977 kJ)

Geschmorte Kalbsnuss

Ein Braten mit Erfolgsgarantie, gleichgültig, ob Sie nun Gäste oder Ihre eigene Familie beglücken

Für 4 Portionen:

175 g Schalotten

12 Knoblauchzehen

400 g Möhren

1 Kalbsnuss (900 g)

Salz

Pfeffer

2 El Öl

350 ml Cidre brut (oder Apfelwein)

2 Stiele Thymian

4 feste Äpfel (z. B. Elstar)

1 Die Schalotten und Knoblauchzehen zusammen in kochendem Wasser 1 Min. blanchieren, abgießen, abschrecken und pellen. Möhren schälen und längs halbieren.

2 Kalbsnuss salzen und pfeffern. Öl in einem Bräter erhitzen, Kalbsnuss darin von allen Seiten kräftig anbraten und herausnehmen. Schalotten und Knoblauch in den Bräter geben und kurz andünsten. Cidre angießen. Möhren und Thymian zugeben, alles zum Kochen bringen.

3 Fleisch wieder in den Bräter geben, zugedeckt im vorgeheizten Ofen bei 190 Grad (Umluft nicht empfehlenswert) 70 Min. auf der 2. Schiene von unten schmoren. Einmal wenden.

4 Die Äpfel vierteln, entkernen und schälen. In den Bräter geben und weitere 15 Min. schmoren. Sauce salzen und pfeffern und mit dem Braten servieren. Dazu passt Wirsingpüree.

* **Zubereitungszeit:** 1:45 Stunden
Pro Portion: 50 g E, 10 g F, 31 g KH = 429 kcal (1792 kJ)

SCHÖNE RESTE

Sollte wider Erwarten etwas übrig bleiben, machen Sie aus der Kalbsnuss ein Gröste: einige Kartoffeln kochen, pellen, in Spalten schneiden. In 2 El Butterschmalz anbraten, in Streifen geschnittene rote Zwiebel, klein geschnittene Bratenreste und 1 El Kürbiskerne zugeben, 1 Min. weiterbraten, mit Petersilie servieren.

Kalbsgeschnetzeltes mit Birnen

Bringen Sie mal etwas Abwechslung ins normale Kalbsgeschnetzelte: Birnen und Rosmarin wirken Wunder

Für 2 Portionen: **1** 1 **Birne** achteln und entkernen. 2 **Zwiebeln** pellen und in Streifen schneiden. ½ rote **Chilischote** entkernen und fein hacken. 350 g **Kalbsgeschnetzeltes** salzen und pfeffern. In einer heißen Pfanne in 2 El **Öl** von allen Seiten scharf anbraten, herausnehmen und warm halten. **2** 25 g **Butter** und die Zwiebeln in die Pfanne geben und 2 Min. dünsten. Birnen, Chili und 75 ml **Weißwein** dazugeben und 1 weitere Min. zugedeckt dünsten. **3** 150 ml **Schlagsahne** und 1 El gehackte **Rosmarinnadeln** in die Pfanne geben und 2 Min. kochen. Salzen und pfeffern. Kalbfleisch kurz in der Pfanne erhitzen.

* **Zubereitungszeit**: 30 Minuten **Pro Portion**: 40 g E, 46 g F, 16 g KH = 653 kcal (2733 kJ)

Putencurry

*Auf milde Art exotisch, trotzdem ganz und
gar problemlos zuzubereiten*

Für 2 Portionen: **1** 1 **Schalotte** fein würfeln. 1 **Apfel** vierteln,
entkernen und in Scheiben schneiden. 400 g **Putenschnitzel** in
feine Streifen schneiden, salzen und pfeffern. **2** 2 El **Öl** in
einer Pfanne erhitzen, Fleisch darin rundherum scharf an-
braten und herausnehmen. Schalotten mit den Apfel-
scheiben in die Pfanne geben und 1 Min. andünsten. Mit
1 El **Currypulver** bestreuen und 200 ml **Schlagsahne**
angießen. **3** 2 Min. kochen lassen. 100 g **TK-Erbsen** und
2 El **Mango-Chutney** (Glas) dazugeben und 1 weitere Min.
kochen. **4** Das Fleisch in der Pfanne erhitzen, salzen
und pfeffern. Dazu passt Reis mit gerösteten Mandelkernen.

* **Zubereitungszeit:** 25 Minuten
  Pro Portion: 54 g E, 44 g F, 27 g KH = 724 kcal (3024 kJ)

Lengfisch mit Salsa

*Ein schnelles leichtes Fischfilet
mit einem kräftigen Hauch von Mexiko*

Für 2 Portionen: **1** 150 g **Maiskörner** (Dose) abgießen
und kalt abspülen. 1 kleine rote **Zwiebel**, 150 g **Gurke** und
1 **Tomate** entkernen und würfeln. 1 rote **Chilischote** ent-
kernen und fein hacken. Alles mit 2 El **Limettensaft** und
3 El **Öl** mischen, salzen und pfeffern. 1 Tl gehackten
Koriander (oder Petersilie) untermischen. 15 Min. ziehen
lassen. **2** 2 **Lengfischfilets** (à 175 g) mit Salz, Pfeffer und
1 El **Zitronensaft** würzen, in **Mehl** wenden und in 2 El Öl von
jeder Seite 2–3 Min. braten. Mit der Salsa servieren.

* **Zubereitungszeit:** 35 Minuten **Pro Portion:** 37 g E, 27 g F, 22 g KH =
487 kcal (2036 kJ)

Entengeschnetzeltes

Mit Chili, Soja, Knoblauch und Erdnüssen wird aus der Entenbrust ein raffiniertes schnelles Asia-Gericht

Für 2 Portionen: **1** Die Haut von 2 **Entenbrüsten** (à 200 g) abschneiden und das Fleisch in sehr feine Streifen schneiden. 1 **rote Chilischote** entkernen und hacken. 2 **Knoblauchzehen** hacken. Je 1 **rote** und **grüne Paprikaschote** vierteln, entkernen und in feine Streifen schneiden. 2 **Frühlingszwiebeln** in feine Scheiben schneiden. **2** 2 El **Öl** in einer Pfanne erhitzen. Fleisch mit Salz und Pfeffer würzen, im sehr heißen Fett kurz anbraten und herausnehmen. Gemüse in die Pfanne geben und 3 Min. unter Rühren braten. **3** Mit 4 El **Sojasauce** und 4 El Wasser ablöschen. Aufkochen und mit Pfeffer und 2–3 Tl **Zucker** würzen. **4** Fleisch mit den Frühlingszwiebeln, 1 El gehackten **Erdnusskernen**, 1 El gehacktem **Basilikum** und 1 El gehacktem **Koriandergrün** in die Pfanne geben und erhitzen.

*Zubereitungszeit: 25 Minuten **Pro Portion:** 52 g E, 33 g F, 14 g KH = 570 kcal (2389 kJ)

Zwiebelkuchen

„Pizza des Nordens" könnte man unsere ganz besonders unkomplizierte Variante des Zwiebelkuchens nennen

Für 8 Portionen: **1** 400 g <u>**Zwiebeln**</u> vierteln, in feine Streifen schneiden. 50 g <u>**Speckwürfel**</u> in einer großen Pfanne mit 1 El <u>**Öl**</u> kross ausbraten, herausnehmen. 2 El <u>**Butter**</u> und Zwiebeln ins Speckfett geben und bei mittlerer Hitze 15 Min. goldbraun braten. Mit Salz, Pfeffer und 1 Tl <u>**Kümmelpulver**</u> würzen. Abkühlen lassen. **2** 300 g <u>**TK-Pizzateig**</u> auftauen lassen. 150 g <u>**Schmand**</u>, 1 <u>**Eigelb**</u> (Kl. M), etwas Salz, Pfeffer und 4 El gehackte <u>**Petersilie**</u> verrühren, mit Zwiebeln mischen, evtl. nachwürzen. Teig 35 x 25 cm groß ausrollen, auf ein mit Backpapier belegtes Blech legen, Zwiebelmasse daraufgeben. **3** Im vorgeheizten Ofen bei 220 Grad auf der untersten Schiene 20–25 Min. backen (Umluft 200 Grad). Mit 1 El <u>**Petersilie**</u> und Speck bestreuen.

* **Zubereitungszeit:** 55 Minuten (plus Kühlzeit) **Pro Portion:** 6 g E , 15 g F, 20 g KH = 240 kcal (1010 kJ)

Birnen-Cole-Slaw

Auch als schneller Snack zwischendurch oder als
schlankes Hauptgericht unentbehrlich

Für 2 Portionen: **1** 300 g **Weißkohl** putzen, Strunk entfernen und in
feine Streifen schneiden. In eine Schüssel geben und mit ½ Tl Salz gut
durchkneten. 1 mittelgroße **Möhre** schälen und grob raspeln. 1 **Birne**
waschen, schälen, vierteln, entkernen, grob würfeln und mit 1 El
Zitronensaft vermischen. **2** 150 g **Sahnejoghurt** cremig rühren. Weiß-
kohl, Möhren, Birnen und Joghurt vermischen. Mit Salz, Pfeffer und
Zitronensaft abschmecken. 1 El **Walnusskerne** über den Salat streuen.

*Zubereitungszeit: 15 Minuten **Pro Portion**: 6 g E, 13 g F, 20 g KH = 224 kcal (942 kJ)

Guacamole mit Erbsen

Ein bisschen mild, ein bisschen scharf, ein wenig exotisch und ein wenig üppig: das reine Genuss-Püree

Für 2 Portionen: **1** 200 g <u>TK-Erbsen</u> in kochendem Salzwasser 5 Min. kochen, abschrecken und abtropfen lassen. 1 rote **Pfefferschote** entkernen und fein würfeln. 1 **Avocado** halbieren, entsteinen, das Fruchtfleisch herauslöffeln und mit 100 g Erbsen, 2 El **Zitronensaft**, Salz und Pfeffer pürieren. 1 Bund **Koriandergrün** fein hacken, mit den restlichen Erbsen und der Pfefferschote verrühren und auf das Mus geben. Dazu passen Taco-Chips.

Zubereitungszeit: 15 Minuten **Pro Portion:** 9 g E, 20 g F, 16 g KH = 285 kcal (1193 kJ)

Quarkauflauf

Auch als süßes Hauptgericht ein Ereignis:
ein luftiger Auflauf mit viel Frucht und einem Hauch von Karamell

Für 4 Portionen: **1** 1 El **Rosinen** in 1 El **Rum** einweichen. **2** **Eigelb**
(Kl. M), 2 gehäufte El **Zucker**, 1 Pk. **Vanillezucker**, 1 Prise Salz
und die abgeriebene Schale von ½ **Zitrone (unbehandelt)** 3 Min. mit
den Quirlen des Handrührers cremig schlagen. 250 g **Magerquark**
unterrühren. 50 g **Weichweizengrieß** unterrühren. **2** 2 **Eiweiß**
und 1 Prise Salz steif schlagen. 2 El Zucker einrieseln lassen und
2–3 Min. weiterschlagen. Eischnee und Rumrosinen vorsichtig
unter die Quarkmasse heben. Quarkmasse in eine gefettete Auflauf-
form (30 Ø cm oder 30 x 20 cm) füllen. **3** **Mango** (Dose, 425 g EW)
abgießen, in dünne Spalten schneiden und auf dem Quark verteilen.
Quarkauflauf im vorgeheizten Ofen bei 200 Grad (Umluft 180 Grad)
auf der mittleren Schiene 25–30 Min. backen.

* **Zubereitungszeit: 40 Minuten Pro Portion:** 14 g E, 4 g F, 54 g KH = 316 kcal (1333 kJ)

Pikantes Schweinefilet

Die schnellste und leichteste Art, ein Schweinefilet auf den Tisch zu bringen: pochiert mit Apfel-Meerrettich

Für 2 Portionen: **1** Je 100 g **Möhren** und **Knollensellerie** putzen und fein würfeln. 350 ml **Gemüsebrühe** aufkochen, Gemüse hineingeben. 2 **Schweinefilets** (à 175 g) in die Brühe geben, aufkochen und bei mittlerer Hitze 10 Min. pochieren. **2** 1–2 El frisch geriebenen **Meerrettich** mit 150 g **stückigem Apfelmus**, 1 El **Schnittlauchröllchen** und 1 Tl **Zitronensaft** vermischen. Mit Salz und Pfeffer würzen. **3** Schweinefilets aus der Brühe nehmen, die Hälfte der Flüssigkeit abgießen, 75 ml **Schlagsahne** dazugeben und aufkochen. 2 **Frühlingszwiebeln** in Scheiben schneiden, dazugeben und mit etwas **hellem Saucenbinder** binden. Das Fleisch in Scheiben mit dem Apfel-Meerrettich und der Sauce servieren.

* **Zubereitungszeit:** 30 Minuten **Pro Portion:** 42 g E, 16 g F, 26 g KH = 413 kcal (1735 kJ)

Huhn Stroganoff

*Es muss nicht immer Rinderfilet sein, mit Hähnchenbrust
wird es noch mal so schön*

Für 2 Portionen: **1** 100 g **Perlzwiebeln** (Glas) gut abtropfen lassen.
150 g **Champignons** putzen und halbieren. **2** 2 **Hähnchenbrust-
filets** (à 175 g, ohne Haut) salzen und pfeffern. 1 El **Öl** in einer Pfanne
erhitzen. Das Fleisch von beiden Seiten je 2 Min. braten. Pilze
dazugeben und unter Rühren 3 Min. braten. Perlzwiebeln, 1 El **Toma-
tenmark** und 1 Tl gehackten **Thymian** dazugeben und 150 ml
Schlagsahne angießen. **3** 3 Min. kochen, dabei die Filets einmal um-

Ofenpommes XXL

*Endlich Pommes frites, die nicht frittiert und trotzdem
aus frischen Kartoffeln gemacht werden*

Für 2 Portionen: **1** 500 g fest kochende **Kartoffeln** waschen, schälen
und in Stifte von ca. 1½ cm Dicke schneiden. Sofort in einer Schüssel
mit 3–4 El **Öl** mischen. **2** Auf einem Backblech ausbreiten. Im vor-
geheizten Ofen bei 220 Grad (Umluft 200 Grad) auf der 2. Schiene von
unten ca. 35 Min. backen. Kartoffeln nach der Hälfte der Backzeit
wenden. **3** Aus dem Ofen nehmen und mit grobem Salz bestreuen.

*** Zubereitungszeit:** 45 Minuten **Pro Portion:** 4 g E, 15 g F, 30 g KH = 280 kcal (1180 kJ)

Thymianpolenta

*Lässt alles, was mit einer kräftigen würzigen Sauce
serviert wird, noch besser schmecken*

Für 2 Portionen: **1** 600 ml **Gemüsebrühe** und 120 g **Polenta** (Mais-
grieß) in einen Topf geben und mit einem Schneebesen kräftig
umrühren. Polenta bei starker Hitze zum Kochen bringen, auf kleine
Hitze zurückschalten und 5–8 Min. unter Rühren köcheln lassen.
Vom Herd nehmen und bei geschlossenem Deckel weitere 10 Min.
ziehen lassen. **2** 30 g geriebenen **Parmesan**, 2–3 Tl grob gehackten
Thymian (oder 1–1½ Tl **getrockneten Thymian**) und 2 El **Butter**
unter die Polenta ziehen.

* **Zubereitungszeit:** 25 Minuten **Pro Portion:** 12 g E, 18 g F, 41 g KH = 374 kcal (1568 kJ)

Schoko-Kirsch-Kuchen

Praktisch und saftig aus der Kastenform: mit Sauerkirschen, Schokolade und Joghurt gebacken

Für 10–12 Stücke: **1** 300 g **Mehl**, 2½ Tl **Backpulver**, 1 Prise Salz in eine größere Schüssel sieben. 100 g **Zartbitterschokolade** hacken. ½ Glas **Sauerkirschen** (720 g EW) gut abtropfen lassen. **2** 2 **Eier** (Kl. M), 200 g **Vollmilchjoghurt**, 150 g **Zucker** und 1 Pk. **Vanillezucker** verquirlen. 100 g zerlassene **Butter** unterrühren. Kirschen und Schokolade mit der Mehlmischung vermischen. Die Joghurt-Mischung zum Mehl geben und rasch mit einem Schaber unterheben. **3** Teig in eine mit Backpapier ausgelegte Kastenform (25 cm Länge) füllen und glatt streichen. Im vorgeheizten Ofen bei 175 Grad (Umluft 150 Grad) auf der 2. Schiene von unten 60–65 Min. backen . Auf einem Rost 5 Min. abkühlen lassen, dann aus der Form nehmen. **4** 250 g **Schlagsahne**, 1 Pk. Vanillezucker und 1 El **Rum** steif schlagen. Kuchen mit der Rumsahne servieren.

* **Zubereitungszeit: 1:15 Stunden**
Pro Stück (bei 12): 6 g E, 18 g F, 42 g KH = 354 kcal (1485 kJ)

Apfelschmarren

So einfach wie Pfannkuchenbacken, nur mit einem unvergleichlich schöneren Ergebnis

Für 2 Portionen: 1 1 <u>**roten Apfel**</u> vierteln, entkernen, in dünne Spalten schneiden, mit 1 El <u>**Zitronensaft**</u> mischen. 2 <u>**Eiweiß**</u> (Kl. M), 1 Prise Salz und 1 El <u>**Zucker**</u> steif schlagen. 2 <u>**Eigelb**</u> (Kl. M) und ½ El Zucker mit den Quirlen des Handrührers cremig rühren. 60 g <u>**Mehl**</u> und 100 ml <u>**Schlagsahne**</u> unterrühren, Eischnee unterheben. **2** Eine beschichtete Pfanne (24 cm Ø) mit 1 El <u>**Butter**</u> ausstreichen, Eimasse hineingeben, mit Apfelspalten und 1 El Zucker bestreuen. Im vorgeheizten Ofen bei 200 Grad auf der 2. Schiene von unten 15 Min. backen (Umluft 180 Grad; Pfannenstiel mit Alufolie umwickeln). Schmarren zerzupfen. Mit <u>**Zimtzucker**</u> servieren.

* **Zubereitungszeit:** 30 Minuten **Pro Portion:** 12 g E, 31 g F, 60 g KH = 566 kcal (2369 kJ)

Hackklopse in Senfsauce

Unsere Variante der altbekannten Königsberger Klopse geht schneller und schmeckt besser

Für 2 Portionen: **1** 1 Scheibe **Toastbrot** entrinden und fein würfeln. Mit 400 g **gemischtem Hack**, 1 **Ei** und 2 El **Schlagsahne** in einer Schüssel gründlich vermengen, salzen und pfeffern. **2** Mit feuchten Händen zu 6 Klopsen formen. 600 ml **Geflügelbrühe** aufkochen, die Klopse hineingeben und bei schwacher Hitze 20 Min. ziehen lassen. **3** 400 ml der **Brühe** durch ein Sieb gießen, aufkochen und mit 3 Tl in wenig kaltem Wasser aufgelöster Sspeisestärke binden. 6 El Schlagsahne, 2 El scharfen **Senf** und 2 gewürfelte **Gewürzgurken** dazugeben. Klopse aus der Brühe nehmen, auf eine Platte geben und mit der Sauce übergießen. Dazu passen Petersilienkartoffeln.

* **Zubereitungszeit**: 40 Minuten **Pro Portion**: 46 g E, 58 g F, 17 g KH = 771 kcal (3230 kJ)

Porreegratin

Wer glaubt, die Gemüseküche biete keine handfesten Genüsse, der irrt. Unser Porreegratin beweist es

Für 2 Portionen: 250 g **Kartoffeln** schälen und in Scheiben schneiden. 250 g **Porree** putzen, waschen und in Ringe schneiden. Kartoffeln und Porree in kochendem Salzwasser 3 Min. vorgaren. Abgießen und in eine gefettete Auflaufform schichten. 100 g geräucherte **Putenbrust** in Streifen schneiden und über das Gemüse verteilen. 1 Pk. **Käsesahne** (Tetrapak) mit 3 El **Weißwein**, Salz, Pfeffer und **Muskat** würzen, über den Auflauf gießen und mit 40 g geraspeltem **Emmentaler** bestreuen. Im heißen Ofen bei 200 Grad auf der 2. Schiene von unten 25 Min. überbacken (Umluft 180 Grad).

Zubereitungszeit: 50 Minuten Pro Portion: 27 g E, 45 g F, 22 g KH = 616 kcal (2574 kJ)

Glühweinbirne

Mit dieser Köstlichkeit sollten Sie auf keinen Fall bis zum Advent warten. Birne und Glühwein schmeckt immer!

Für 2 Portionen:

2 reife Birnen

1 El Zitronensaft

1 l trockener Rotwein

120 ml Orangensaft

1 kleine Zimtstange

3–4 Pimentkörner (ersatz-weise 2–3 ganze Nelken)

1 Kapsel Sternanis

Mark von ½ Vanilleschote

100 g Zucker

2 Scheiben von 1 unbehandelten Orange

1 Birnen auf der Unterseite begradigen, vorsichtig schälen, dabei den Stiel dranlassen. Birnen von unten mit einem Kugelausstecher (ersatzweise mit ei-nem kleinen Messer) aushöhlen. Birnen in ein hohes Gefäß setzen, Zitronen-saft zugeben und mit Wasser auffüllen, bis sie bedeckt sind.

2 Rotwein, Orangensaft, Zimtstange, Piment, Sternanis, Vanillemark und Zucker in einen hohen Topf geben und zum Kochen bringen. Birnen aus dem Zitronenwasser nehmen und in den Wein legen. Orangenscheiben halbieren.

3 Birnen ca. 20 Min. bei kleiner Hitze köcheln lassen. Nach 15 Min. Orangen-scheiben in den Topf geben. Wenn die Birnen gar sind, im Topf abkühlen las-sen (am besten über Nacht). Birnen mit Vanillesauce oder Vanilleeis servieren.

Tipp: Die Kochflüssigkeit einfach wieder erhitzen und als Glühwein genießen.

* **Zubereitungszeit:** 30 Minuten
(plus Kühlzeiten)
Pro Portion: 1 g E, 0 g F, 25 g KH = 109 kcal (464 kJ)

AUSHÖHLEN
Am besten eignet sich ein Kugelausstecher (wie für Melonen). Ein kleines Messer und ein Teelöffel tun es auch, um das Kerngehäuse zu entfernen.

Am Ende des Jahres

WEIHNACHTEN ohne Plätzchen wäre wie Ostern ohne Eier. Und an Weihnachten ohne ein Festtagsmahl wollen wir lieber gar nicht erst denken. Der Dezember ist mit Sicherheit der Monat, in dem am meisten gefuttert wird. Zu keiner Zeit des Jahres wird mehr gebacken, gefeiert, geschlemmt und genascht. Und mit unseren Rezepten lassen wir Sie dabei nicht allein.

Mandelhörnchen

Der Klassiker in jedem Bäckerladen schmeckt selbst gemacht natürlich noch einen Tick besser!

Für 16 Stück:

200 g Marzipanrohmasse

100 g Puderzucker

1 Eiweiß (Kl. M)

3 Tropfen Bittermandel-Backaroma

200 g Mandelblättchen

50 g Zartbitter-Kuvertüre

50 g dunkle Kuchenglasur

1 Marzipan grob raspeln. Mit Puderzucker, Eiweiß und Backaroma mit den Knethaken des Handrührers zu einer glatten Masse verkneten. 2 mit Backpapier belegte Bleche mit je 75 g Mandeln bestreuen. Marzipanmasse in einen Spritzbeutel mit großer Lochtülle füllen. 16 Hörnchen auf die Mandeln spritzen. Mit restlichen Mandelblättchen bestreuen und leicht andrücken.

2 Mandelhörnchen im vorgeheizten Ofen bei 180 Grad (Umluft 160 Grad) auf der 2. Schiene von unten 15–17 Min. goldbraun backen. Auf den Blechen abkühlen lassen. (Die restlichen Mandelblättchen vom Blech zum Beispiel zum Bestreuen von Desserts verwenden.)

3 Kuvertüre und Kuchenglasur hacken, zusammen im heißen Wasserbad schmelzen. Hörnchen mit den Enden in die Schokomasse tauchen, gut abtropfen und trocknen lassen.

* **Zubereitungszeit:** 1 Stunde (plus Kühlzeiten)
Pro Stück: 4 g E, 13 g F, 15 g KH = 193 kcal (810 kJ)

AB IN DIE DOSE
Plätzchen sollte man Sorte für Sorte getrennt in fest schließenden Metalldosen (keine Plastikdosen, die Kekse werden darin weich) lagern. Zwischen jede Lage Plätzchen Pergamentpapier legen, damit sie nicht aneinander kleben. Plätzchen, die weich bleiben sollen wie Makronen oder Lebkuchen, mit einigen Apfelspalten oder Schwarzbrot in die Dose legen. Apfel oder Brot sollten nach einigen Tagen ausgetauscht werden.

Kokosmakronen

Zarte Gebilde aus Eischnee, Zucker und Kokosraspeln:
die beste Art, Eiweiß zu verwerten

Für 50 Stück: **1** 4 **Eiweiß** (Kl. M) und 1 Prise Salz mit den Quirlen des
Handrührers steif schlagen. 1 Pk. **Vanillezucker**, 70 g **Zucker**
und 70 g **Puderzucker** einrieseln lassen, 3 Min. weiterschlagen,
bis ein cremig-fester Eischnee entsteht. **2** 3 El **Limettensaft**
unterrühren. 250 g **Kokosraspeln**, 2 Tl abgeriebene **Limetten-
schale (unbehandelt)** mit 1 gehäuften Tl **Speisestärke**
verrühren und in 2 Portionen unter den Eischnee heben.
Ein Backblech mit **Backoblaten** (5 cm Ø) belegen.
Makronenmasse mit 2 Teelöffeln auf die Oblaten
verteilen. **3** Im vorgeheizten Ofen bei
160 Grad (Umluft 10–12 Min. bei
150 Grad) auf der 2. Schiene von unten
14–16 Min. backen, bis sie beginnen
braun zu werden. Aus dem Ofen
nehmen, mit einer Palette auf ein
Gitter setzen und abkühlen lassen.

* Zubereitungszeit: 40 Minuten
  Pro Stück: 1 g E, 3 g F, 4 g KH =
  47 kcal (197 kJ)

Mandel-Schoko-Cookies

Schokolade und Mandeln konzentrieren sich hier auf engstem Raum –
so liebt man Kekse auf der anderen Seite des Atlantischen Ozeans

Für 35 Stück: **1** 240 g **Zartbitter-Kuvertüre** fein hacken. Kuvertüre
und 60 g **Butter** in einer Schüssel im heißen Wasserbad bei mittlerer
Hitze schmelzen, gelegentlich umrühren. Sobald die Schokolade flüs-
sig ist, beiseite stellen und etwas abkühlen lassen. **2** 140 g **Zucker**,
1 Pk. **Vanillezucker** und 3 **Eier** (Kl. M) mit den Quirlen des Handrüh-
rers 3 Min. schaumig schlagen. Weiche Schoko-Butter-Masse unter-
rühren. 120 g **gemahlene Mandeln**, 60 g **Mehl**, ½ Tl **Backpulver**, 60 g
gehackte Mandeln und 50 g gehackte **Vollmilchschokolade** verrühren,
zur Schokomasse geben, nur kurz unterrühren. **3** Teig
teelöffelweise auf ein mit Backpapier belegtes Blech setzen. Im
vorgeheizten Ofen bei 175 Grad (Umluft 160 Grad) auf der 2. Schiene
von unten 10–12 Min. backen. Cookies mit dem Backpapier auf
ein Gitter setzen, abkühlen lassen, mit einer Palette abnehmen.

* **Zubereitungszeit:** 1 Stunde
  Pro Stück: 3 g E, 6 g F, 11 g KH =
  108 kcal (450 kJ)

Haselnuss-Doppeldecker

Schmuckstück auf jedem Kuchenteller: knusprige Nussplätzchen mit roter Füllung aus Gelee und dick bestäubt mit Puderzucker

Für 40–45 Stück: **1** 100 g **gemahlene Haselnusskerne** in einer Pfanne ohne Fett goldbraun rösten. Abkühlen lassen. 200 g zimmerwarme **Butter**, 180 g **Zucker**, 1 Pk. **Vanillezucker** und 1 Prise Salz mit den Quirlen des Handrührers glatt rühren. 1 **Ei** (Kl. M) unterrühren. **2** 275 g **Mehl** und die Haselnüsse zugeben und mit den Knethaken des Handrührers zu einem glatten Teig verkneten. Den Teig zu einer Kugel formen und in Folie gewickelt mind. 1 Std. kalt stellen. Auf einer bemehlten Arbeitsfläche 4 mm dick ausrollen und beliebige Formen wie Tannenbäume oder Sterne (6–7 cm Ø) ausstechen. **3** Plätzchen auf Bleche mit Backpapier legen. Nacheinander im vorgeheizten Ofen bei 170 Grad (Umluft 150 Grad) auf der 2. Schiene von unten 13–15 Min. goldbraun backen. Auf einem Gitter abkühlen lassen. **4** 200 g **Himbeer-Johannisbeer-Gelee** 1 Min. unter Rühren erwärmen. Abkühlen lassen, bis es fest wird, dann auf der Hälfte der Kekse verteilen. Die andere Hälfte darauf setzen und vorsichtig andrücken. Dick mit **Puderzucker** bestäuben.

Zubereitungszeit: 1:30 Stunden (plus Kühlzeit)
Pro Stück (bei 45): 1 g E , 5 g F, 12 g KH = 102 kcal (428 kJ)

ORANGEN-
MANDEL-SCHNITTEN

VANILLEKIPFERL

Vanillekipferl

Ein Muss in jeder Adventszeit: mürbe Kipferl!

Für 35 Stück: 1 120 g fein **gemahlene Mandeln** in einer Pfanne ohne Fett rösten, abkühlen lassen. 200 g zimmerwarme **Butter**, 80 g **Puderzucker**, Mark von 1 **Vanilleschote**, 2 Pk. **Vanillezucker** und 1 Prise Salz glatt rühren. 2 **Eigelb** (Kl. M) kurz unterarbeiten. Mandeln und 270 g **Mehl** unterkneten. Teig in 2 Rollen mit 3 cm Ø formen, in Folie gewickelt 2 Std. kalt stellen. **2** Teigrollen in 1,5 cm dicke Scheiben schneiden. Zu Kipferln formen, auf mit Backpapier belegte Bleche setzen. Im vorgeheizten Ofen bei 180 Grad (Umluft 160 Grad) auf der 2. Schiene von unten 14–15 Min. backen.
3 100 g Puderzucker, Mark von 1 Vanilleschote und 1 Pk. Vanillezucker mischen. Heiße Kipferl sofort im Zucker wenden, auf einem Gitter abkühlen lassen. Mit restlichem Zucker bestäuben.

* **Zubereitungszeit:** 1 Stunde (plus Kühlzeiten)
  Pro Stück: 2 g E , 7 g F, 11 g KH = 116 kcal (485 kJ)

Orangen-Mandel-Schnitten

Saftige Mandelmasse zwischen knusprigem Mürbeteig!

Für 40 Stück: 1 150 g zimmerwarme **Butter**, 75 g **Zucker**, 1 Pk. **Vanillezucker** und 1 Tl abgeriebene **Orangenschale (unbehandelt)** glatt rühren. 3 **Eigelb** (Kl. M) kurz unterarbeiten, dann 250 g **Mehl** und 1 Tl **Backpulver** unterkneten. In Folie gewickelt 2 Std. kalt stellen. **2** 200 g **gemahlene Mandeln** in einer Pfanne ohne Fett rösten, abkühlen lassen. Mit 100 g Zucker, 2 Tl abgeriebener Orangenschale (unbehandelt), 140 ml **Orangensaft** und 2 El **Orangenlikör** mischen. 20 Min. ruhen lassen. **3** Teig halbieren. Die Hälfte auf leicht bemehltem Backpapier 25 x 25 cm groß ausrollen, mit dem Papier auf 1 Blech setzen. Mandelmasse darauf streichen, rundherum einen 1 cm breiten Rand frei lassen. **4** Andere Teighälfte ebenso ausrollen, mit der Papierseite nach oben über die Füllung legen. Papier abziehen, Teigränder andrücken. Oberfläche mehrfach einstechen. Im vorgeheizten Ofen bei 200 Grad (Umluft 20 Min. bei 180 Grad) auf der 2. Schiene von unten 25 Min. backen. **5** 100 g **Puderzucker** mit 2 El Orangensaft verrühren. Heiße Teigplatte bestreichen, abkühlen lassen. In 5 x 3 cm große Stücke teilen .

* **Zubereitungszeit:** 55 Minuten (plus Kühlzeiten)
  Pro Stück: 2 g E , 6 g F, 12 g KH = 115 kcal (480 kJ)

Toffee-Brownies

Einfach klasse: Karamellbonbons im saftigen Schokoteig

Für 35 Stück: 1 1 Tüte **Schoko-Karamell-Bonbons** (120 g) mit einem schweren Messer hacken. 160 g **Mehl** und 1 Msp. Salz mischen und beiseite stellen. 120 g **Zartbitter-Schokolade** hacken, mit 240 g **Butter** langsam über einem heißen Wasserbad schmelzen. 100 g **Zucker** nach und nach unterrühren, Masse abkühlen lassen. **2** 4 **Eier** (Kl. M) und 100 g Zucker mit den Quirlen des Handrührers 8–10 Min. sehr cremig schlagen. Die Schokoladenmasse nach und nach unterrühren. Mehlmischung darauf sieben und unterziehen. Masse auf ein mit Backpapier belegtes, tiefes Blech (28 x 20 cm – oder ein großes Blech mit Alufolie auf diese Größe begrenzen) streichen. Mit den Schokoladenbonbons und insgesamt 150 g **gemischten Nuss-** und **Mandelkernen** bestreuen. **3** Im vorgeheizten Ofen bei 180 Grad (Umluft 30 Min. bei 160 Grad) auf der 2. Schiene von unten 35 Min. backen. Abkühlen lassen. 2 Std. in den Kühlschrank stellen, in 4 x 4 cm große Würfel schneiden. In einer Dose im Kühlschrank aufbewahren.

* **Zubereitungszeit:** 55 Minuten (plus Kühlzeit)
Pro Stück: 2 g E , 10 g F, 13 g KH = 157 kcal (658 kJ)

Stollenmuffins

Die kleinste und die schnellste Form des Stollens –
und als Muffins natürlich auch noch voll im Trend

Für 12 Stück: **1** 100 g **Früchte-Mix**, 2 Tl **Stollengewürz**
und 2 El **Rum** in einer Schüssel mischen und 20 Min. ziehen
lassen. **2** 100 g zerlassene **Butter** mit 2 **Eiern** (Kl. M),
50 g **Zucker**, 150 g **Honig** und 100 ml **Milch** verrühren. 350 g **Mehl**,
2 Tl **Backpulver** und 1 Prise Salz dazu sieben und alles zu
einem glatten Teig rühren. **3** Die Früchte mit dem Teig mischen.
In eine mit Papierkapseln ausgelegte Muffinform (12 Mulden)
verteilen und 20 Min. im vorgeheizten Ofen bei 200 Grad auf der
2. Schiene von unten backen (Umluft 170 Grad). Auf einem Gitter
abkühlen lassen und mit **Puderzucker** bestreuen.

* **Zubereitungszeit:** 45 Minuten **Pro Stück:** 4 g E, 9 g F, 41 g KH = 265 kcal (1108kJ)

Quitten-Rotkohl

Ein Rotkohl, wie Sie ihn noch nie gegessen haben – Quitte und Weißwein machen ihn so delikat

Für 4 Portionen: **1** 2 **Zwiebeln** fein würfeln. 1 **Quitte** schälen, vierteln und entkernen. In 1 cm große Würfel schneiden. Zwiebeln und Quitte bei mittlerer Hitze in 30 g **Butter** 2 Min. dünsten. 150 ml **Weißwein** angießen, bei halb geschlossenem Topf dünsten, bis die Flüssigkeit verdampft ist. **2** 1 Glas **Rotkohl** (680 g EW) dazugeben und bei mittlerer Hitze 10 Min. kochen. Mit Salz, Pfeffer und **Zucker** würzen.

* **Zubereitungszeit:** 25 Minuten **Pro Portion:** 3 g E, 1 g F, 12 g KH = 79 kcal (329 kJ)

Die Esskastanien kommen aus der Packung und müssen deshalb nicht mühsam vorbereitet werden. Mit Kartoffeln gebraten eine feine Beilage

Für 2 Portionen: **1** 300 g kleine **fest kochende Kartoffeln** mit Schale in Salzwasser kochen, abschrecken, ausdämpfen lassen und pellen. 3 El **Öl** in einer beschichteten Pfanne erhitzen. Kartoffeln darin bei mittlerer Hitze rundherum goldbraun braten. Kartoffeln erst wenden, wenn die Unterseite gebräunt ist. **2** 1 **Zwiebel** fein würfeln. Mit 150 g **Maronen** (vakuumverpackt oder Dose, abgetropft) und 1 El **Butter** zu den Kartoffeln in die Pfanne geben und 2 Min. weiterbraten. 1 Tl **Zucker** darüber streuen und kurz schmelzen lassen. Kartoffeln mit Salz und Pfeffer würzen, mit 2 El **Petersilienblättern** bestreuen.

* **Zubereitungszeit:** 45 Minuten **Pro Portion:** 4 g E, 23 g F, 45 g KH = 403 kcal (1687 kJ)

Orangen-Panna-cotta

Das italienische, feine Sahnedessert schmeckt frisch und weihnachtlich durch Zimt und Orangen

Für 4 Portionen: **1** 3 Blatt **weiße Gelatine** in kaltem Wasser einweichen. 500 ml **Schlagsahne**, 40 g **Zucker**, 1 Pk. **Vanillezucker** und 1 **Zimtstange** aufkochen und offen bei kleiner Hitze 5 Min. köcheln. **2** Vom Herd ziehen, Gelatine ausdrücken und in der heißen Sahne auflösen. Durch ein Sieb gießen. 1½ Tl abgeriebene **Orangenschale (unbehandelt)** unterrühren und in 4 Förmchen (à 150 ml Inhalt; ersatzweise Tassen) gießen. Mind. 5 Std. (besser über Nacht) kalt stellen. **3** 2 **Orangen** mit einem scharfen Messer so schälen, dass die weiße Haut vollständig entfernt wird. Orangen vierteln und in Scheiben schneiden. 1 El **Honig** und 2 Tl **Orangensaft** verrühren. **4** Förmchen kurz in heißes Wasser tauchen und die Creme auf Teller stürzen. Orangenscheiben um die Creme verteilen und mit Honigsauce beträufeln.

Zubereitungszeit: 15 Minuten (plus Kühlzeit)
Pro Portion: 5 g E , 38 g F, 24 g KH = 450 kcal (1889 kJ)

Weihnachtlicher Trifle

Fruchtig, cremig, schokoladig: Beerenkompott wird mit Schokoladenkuchen und Joghurt zum schichtweisen Genuss

Für 4–6 Portionen: **1** 1 gehäufter Tl **Speisestärke** und 2 El **Rotwein** verrühren. 450 g **TK-Beeren-mischung**, 2 gehäufte El **Zucker**, 1 Pk. **Vanillezucker**, 100 ml **Rotwein** und 2 Msp. **Zimtpulver** aufkochen. Stärke unterrühren und unter Rühren nochmals aufkochen. Beiseite stellen und abkühlen lassen. **2** 150 g **Schokola-denkuchen** (Packung) grob zerkrümeln. 300 g **Mohn-Marzipan-Joghurt** cremig rüh-ren. Beerenkompott noch einmal umrühren. **3** 1 dünne Schicht Beerenkompott in Portions-gläser oder in eine Schale füllen. Darauf die Hälfte der Kuchenkrümel geben und mit der Hälfte des Joghurts bedecken. Schichtung wiederholen. Trifle mit etwas Beerenkompott verzieren.

* **Zubereitungszeit**: 15 Minuten (plus Kühlzeit)
  Pro Portion (bei 6): 4 g E , 7 g F, 32 g KH = 224 kcal (937 kJ)

Kartoffelsalat mit Garnelen

In einigen Regionen isst man zu Heiligabend Kartoffelsalat mit Würstchen. Hier kommt er als Vorspeise und mit Garnelen mal ganz festlich

Für 4 Portionen: **1** 750 g kleine **fest kochende Kartoffeln** waschen und mit Schale 20–25 Min. kochen. Abgießen, etwas abkühlen lassen, pellen und in Scheiben schneiden. **2** 50 g **getrocknete Tomaten** (ohne Öl) in feine Streifen schneiden. 100 g **Staudensellerie** entfädeln und fein würfeln. 2 **Schalotten** fein würfeln. **3** Sellerie und Schalotten in 2 El **Öl** glasig dünsten. 250 ml **Gemüsebrühe**, 3 El **Estragon-** oder **Weißweinessig** und die Tomaten zugeben, aufkochen und über die Kartoffeln geben. Salzen, pfeffern, 1 El gehackten **Estragon** und 2 Tl **Dijonsenf** unterheben. **4** 12 **Riesengarnelen** (ca. 400 g) schälen, am Rücken längs einschneiden und entdarmen. Garnelen in 1 El **Olivenöl** bei mittlerer Hitze braten. Mit 1 Tl **Paprikapulver** bestreuen und mit 1 El **Zitronensaft** ablöschen. Salzen und pfeffern und mit dem Kartoffelsalat servieren.

* **Zubereitungszeit**: 50 Minuten **Pro Portion**: 21 g E, 10 g F, 21 g KH = 268 kcal (1122 kJ)

Puten-Involtini

*Solch zierlich zarte Delikatessen, dass das Wort Roulade
schon ein bisschen zu grob wäre*

Für 2 Portionen: **1** 4 kleine **Putenschnitzel** (à 80 g) zwischen
Klarsichtfolie flach klopfen. Leicht salzen und pfeffern. Mit je 1 Schei-
be **luftgetrocknetem Schinken** belegen und mit jeweils
1 El geraspeltem **Gouda** bestreuen. Fleisch aufrollen und mit Holz-
stäbchen zusammenstecken. **2** 1 El **Öl** und 20 g **Butter** erhitzen
und die Involtini darin von allen Seiten bei mittlerer Hitze
3–4 Min. goldbraun braten. 100 ml **Geflügelfond** und 10 **Kirschtomaten**
zugeben, weitere 2 Min. garen.

Zubereitungszeit: 30 Minuten. **Pro Portion**: 49 g E, 22 g F, 1 g KH = 404 kcal (1689 kJ)

Zander im Blätterteig

Fisch im Teig zu backen hat zwei Vorteile: Er bleibt sehr saftig, weil schonend gegart, und die knusprige Beilage wird gleich mitgeliefert

Für 4–6 Portionen:

100 g getrocknete
Tomaten (in Öl)

2 Stiele Basilikum

4 Zanderfilets
mit Haut (à 200 g)

Salz

Pfeffer

8 Scheiben TK-Blätterteig
(22 x 10 cm)

1 Eigelb

5 El Schlagsahne

200 g saure Sahne

1 El Schnittlauchröllchen

1 El Zitronensaft

50 g Forellenkaviar

SCHÖNE SCHUPPEN
Mit einer Küchenschere vorsichtig
Schuppenmuster in den Teig
drücken, die Enden mit den Gabel-
zinken zusammendrücken – fertig
ist die Fischoptik!

1 Tomaten abtropfen lassen und mit
1 El Tomatenöl grob pürieren. Basili-
kum hacken, zugeben. Fleischseite der
Zanderfilets leicht mit Salz und Pfeffer
würzen. Tomatenpüree darauf vertei-
len. Je 2 Filets mit der Fleischseite
aufeinander legen und kalt stellen.

2 Je 4 Scheiben Blätterteig aufeinan-
der legen und 30 x 25 cm groß ausrol-
len. Aus jeder Teigplatte je 2 fischför-
mige Teigstücke schneiden, die etwas
größer sind als die Fischfilets. Eigelb
mit Sahne verquirlen.

3 Jedes doppelte Fischfilet auf eine
Teigplatte legen. Teigränder mit etwas
Eisahne bestreichen. Restliche Teig-
platten darauf legen und um die Fisch-
filets herum fest andrücken. Oberseite
mit einem Schuppenmuster versehen
(siehe Foto). Teigstücke mit der rest-
lichen Eisahne bestreichen.

4 Fisch auf ein mit Backpapier belegtes
Blech setzen und im vorgeheizten
Ofen bei 220 Grad (Umluft 200 Grad)
auf der 2. Schiene von unten
25–30 Min. goldbraun backen.

5 Saure Sahne mit Schnittlauch, Zitro-
nensaft, Salz und Pfeffer verrühren.
Fisch aus dem Ofen nehmen, 3–4 Min.
ruhen lassen. Kaviar unter die Sauce
heben. Zum Fisch servieren.

*** Zubereitungszeit:** 1:10 Stunden
Pro Portion (bei 6): 32 g E, 28 g F, 31 g KH =
510 kcal (2138 kJ)

Kartoffel-Morchelsuppe

Größte Finesse bei einfachster Zubereitung: Im milden Schaum der Kartoffelsuppe entfalten die Morcheln eindringlich ihr feines Aroma

Für 4 Portionen: **1** 10 g getrocknete <u>**Morcheln**</u> in heißem Wasser einweichen. 400 g <u>**Kartoffeln**</u> schälen und in Würfel schneiden. 1 <u>**Zwiebel**</u> in feine Streifen schneiden. Beides mit ½ Tl <u>**getrocknetem Majoran**</u> in 800 ml <u>**Gemüsebrühe**</u> 15 Min. kochen. Mit dem Schneidstab glatt mixen und 125 ml halbsteif geschlagene <u>**Schlagsahne**</u> unterrühren. Salzen und pfeffern. **2** Die abgetropften Morcheln fein hacken. Mit 1 gewürfelten <u>**Schalotte**</u> in 25 g <u>**Butter**</u> andünsten, salzen und pfeffern und mit 1 El <u>**Madeira**</u> (oder <u>**Sherry**</u>)ablöschen. **3** Heiße Suppe in Teller geben und mit den Morcheln und <u>**Schnittlauchröllchen**</u> servieren.

* **Zubereitungszeit:** 40 Minuten **Pro Portion:** 4 g E, 15 g F, 14 g KH = 210 kcal (880 kJ)

Krabbensülze

Eine perfekte Vorspeise für ein stressfreies Festmenü: Die Sülze ist ganz schnell gemacht und schmeckt äußerst beeindruckend

Für 4 Portionen: **1** 3 Blatt weiße <u>**Gelatine**</u> in kaltem Wasser einweichen. 1 <u>**Zwiebel**</u> in Ringe schneiden und mit 150 ml <u>**Weißwein**</u>, 250 ml <u>**Fischfond**</u>, 2 El <u>**Weißweinessig**</u> und 1 Stiel <u>**Dill**</u> aufkochen. Vom Herd nehmen, die abgetropfte Gelatine darin auflösen und 20 Min. ziehen lassen. Mit Salz, Pfeffer und <u>**Zucker**</u> kräftig würzen, durch ein Sieb gießen und auf Zimmertemperatur abkühlen lassen. **2** 250 g <u>**Krabben**</u> mit etwa Salz, Pfeffer und 1–2 Tl gehacktem Dill mischen und in 4 Formen (à 150 ml Inhalt) geben. Mit dem Sud auffüllen und 4 Std. kalt stellen. **3** 100 g <u>**Crème fraîche**</u> mit 2 El <u>**Zitronensaft**</u>, 1 El <u>**Tomatenmark**</u>, Salz und Pfeffer verrühren. Die Sülzen aus den Formen lösen und mit dem Dip und etwas Salat servieren.

* **Zubereitungszeit**: 30 Minuten (plus Kühlzeiten)
  Pro Portion: 15 g E, 8 g F, 5 g KH = 185 kcal (773 kJ)

Spekulatiusparfait

Ganz ohne Eismaschine und ohne Aufwand: Ein Eisdessert,
das Ihnen nicht nur die Adventszeit beträchtlich verschönert

Für 8–10 Portionen: 1 500 ml **Vanilleeis** 15 Min. leicht antauen lassen.
100 g **Spekulatius-Kekse** grob hacken. 100 g **Zartbitterschokolade**
fein würfeln. Von 1 **Orange (unbehandelt)** die Schale abreiben.
150 ml **Schlagsahne** steif schlagen. Eine Kastenform (20 cm Länge)
mit Backpapier auslegen. **2** Das Eis gut durchrühren. Schnell
Sahne, Kekse, Schokolade und Orangenschale unterheben. In die
Kastenform streichen. Sofort wieder über Nacht einfrieren. Aus
der Form heben. In Scheiben geschnitten mit 125 ml **Himbeersauce**
(Flasche) servieren.

* **Zubereitungszeit: 30 Minuten (plus Gefrierzeit)**
Pro Portion (bei 10): 3 g E , 16 g F, 17 g KH = 224 kcal (940 kJ)

Honigkuchen

Noch besser mit Butter und Marmelade bestrichen!

Für 20 Stücke:

1 150 ml **Milch**, 100 g **dunklen Kuchensirup** (oder **Zuckerrübensirup**), 100 g **Akazienhonig** und 100 g **braunen Zucker** erwärmen, bis der Zucker gelöst ist, abkühlen lassen. 50 g **kandierten Ingwer** und 75 g **Orangeat** sehr fein hacken. 500 g **Mehl**, 1 Pk. **Backpulver** und 15 g **Lebkuchengewürz** sieben, mit 1 Pk. **Vanillinzucker** und 1 Prise Salz mischen. **2** Kalte Honigmilch, 2 **Eier** (Kl. M) und 100 g kühle **Butter** zugeben, mit den Knethaken des Handrührers glatt verkneten. In eine mit Backpapier ausgelegte Kastenform (30 cm Länge) geben. Im vorgeheizten Ofen bei 175 Grad (Umluft 150 Grad) auf der 2. Schiene von unten 60–65 Min. backen. Aus der Form heben, abkühlen lassen. **3** 125 g **Puderzucker** mit 3 El **Orangensaft** verrühren, über den Kuchen gießen. Mit 25 g Orangeat garnieren.

Zubereitungszeit: 1:30 Stunden (plus Kühlzeiten)
Pro Stück: 4 g E , 5 g F, 45 g KH = 235 kcal (992 kJ)

Kreolische Pasta

*Orangen, Curry, Rosinen und Koriandergrün verleihen
den Nudeln leichte Süße, Frucht und Exotik*

Für 2 Portionen: **1** 150 g <u>Staudensellerie</u> putzen und entfädeln. In
dünne Scheiben schneiden. 2 <u>Knoblauchzehen</u> und 2 kleine <u>Zwiebeln</u>
in feine Streifen schneiden. 2 <u>Orangen</u> so schälen, dass die weiße
Haut vollständig entfernt wird. Fruchtfleisch aus den Trennhäuten
schneiden, dabei den Saft auffangen. **2** 250 g <u>Rigatoni</u> nach Packungs-
anweisung in reichlich Salzwasser mit 1 Tl <u>Curry</u> kochen.
3 Inzwischen 2 El <u>Olivenöl</u> in einer Pfanne erhitzen und Sellerie,
Knoblauch und Zwiebeln darin bei mittlerer Hitze dünsten.
50 g <u>Rosinen</u> zugeben und mit 1 Tl Curry bestäuben. Orangenfilets mit
dem Saft zugeben. **4** Nudeln abgießen und in die Pfanne geben.
1 El gehacktes <u>Koriandergrün</u> unterheben, mit Salz und Pfeffer würzen.

Zubereitungszeit: 25 Minuten Pro Portion: 18 g E, 14 g F, 114 g KH = 668 kcal (2797 kJ)

Winterratatouille

Gönnen Sie sich ein wenig südlichen Aroma-Überschwang – auch im Dezember gibt es noch genügend bunte Geschmacksträger!

Für 2 Portionen: **1** 200 g **Gemüsezwiebel** längs vierteln und quer in ½ cm dicke Stücke schneiden. 100 g **Möhren** schälen und in dünne Scheiben schneiden. 100 g **Staudensellerie** putzen und in 2 cm große Stücke schneiden. 200 g **Zucchini** längs halbieren und in 1 cm große Stücke schneiden. **2** 4 El **Olivenöl** in einer Pfanne erhitzen, Zwiebeln und Möhren darin bei mittlerer Hitze 3 Min. dünsten. Staudensellerie und Zucchini zugeben und weitere 3 Min. mitdünsten. Mit Salz und Pfeffer würzen. **3** 400 g **Dosentomaten** mit Saft und ½ Tl **Kräuter der Provence** zugeben, aufkochen und 3 Min. bei milder Hitze kochen. Sofort servieren.

* Zubereitungszeit: 40 Minuten **Pro Portion**: 5 g E, 21 g F, 12 g KH = 256 kcal (1073 kJ)

Malediven-Salat

Wenn Ihnen das Inselparadies zu teuer und zu weit weg ist, versuchen Sie es doch einfach mit diesem paradiesischen Salat

Für 2 Portionen: 1 ½ **Salatgurke** waschen, schälen, längs halbieren, entkernen und in ½ cm dicke Scheiben schneiden. 1 **Römersalatherz** waschen, trockenschleudern und grob zerzupfen. 1 kleinen **roten Apfel** waschen, vierteln, entkernen und in Scheiben schneiden. 1 **Avocado** halbieren, entkernen, schälen und längs in Scheiben schneiden.
2 Von 1 **Zitrone (unbehandelt)** ¼ der Schale dünn mit dem Sparschäler abschälen und mit einem Messer in feine Streifen schneiden. 3–4 El **Zitronensaft**, 1 Tl **Honig**, 4 El **Sonnenblumenöl**, Salz und Pfeffer in ein Glas mit Schraubdeckel geben, verschließen und kräftig schütteln. **3** Römersalat, Gurke, Apfel und Avocado auf einer Platte anrichten, mit der Vinaigrette begießen und mit **Zitronenschale** bestreuen.

* **Zubereitungszeit:** 15 Minuten **Pro Portion:** 2 g E, 34 g F, 14 g KH = 368 kcal (1540 kJ)

Möhren-Orangensuppe

Eine Vitamin- und Aromabombe für alle Jahreszeiten: Möhren, Orangen und Frühlingszwiebeln zu einer exquisiten Suppe verfeinert

Für 2 Portionen: **1** 500 g **Möhren** schälen und schräg in Scheiben schneiden. 1 Bund **Frühlingszwiebeln** schräg in Ringe schneiden. Das Weiße der Zwiebeln und die Möhren in 30 g **Butter** andünsten. **2** 300 ml **Gemüsebrühe** zugießen und zugedeckt 12–15 Min. köcheln lassen. Mit einer Schaumkelle ca. ¼ der Möhren herausnehmen, den Rest mit einem Schneidstab im Topf fein pürieren. Dabei 100 ml **Orangensaft** nach und nach zugießen. **3** Die Suppe nochmals aufkochen lassen und mit Salz, Pfeffer und 1 Prise **Zucker** würzen. 1 rote **Pfefferschote** entkernen, in feine Streifen schneiden, mit den Möhrenscheiben und dem Zwiebelgrün zugeben und kurz heiß werden lassen. Mit 2 El **Crème fraîche** servieren.

* **Zubereitungszeit**: 30 Minuten **Pro Portion**: 4 g E, 21 g F, 23 g KH = 297 kcal (1244 kJ)